具体例でわかりやすい
第2版
耐用年数表の仕組みと見方

前原 真一 著

税務研究会出版局

改訂に当たって

　減価償却資産の耐用年数の判定は、減価償却実務の際にとりわけ重要となります。基本的には、関係法令通達の規定するところにより決定することとなりますが、個々の資産の種類、構造、用途等については、合理的な社会的慣行を尊重しつつ、その実態に即して判断することとなります。しかし、その内容は多岐にわたるものとなっているのが実情であり、また近年の技術革新等により新しい減価償却資産が次々と出現し、これらの資産に適用する耐用年数についても難しさが増しています。

　本書を刊行してから3年近くたちました。この間、減価償却関係については、平成27年には、非減価償却資産に該当する美術品等の範囲が改正され、平成28年には、建物附属設備及び構築物の償却方法が定額法に限定されました。さらには、平成27年には航空法が改正され、「ドローン」を含む「無人航空機」が「航空機」に含まれることにより、耐用年数の判定においても別表第一「航空機」を適用することになりました。

　そこで、改訂するに当たり、その後の改正に応じて所要の見直しをするとともに、新しい質疑を追加いたしました。

　引き続き、本書が、企業経理の実務に携わる実務家はもとより減価償却制度を理解し耐用年数の判定及び適用に当たって少しでも参考にしようとする方々の一助となれば幸いです。

　最後に、本書の出版に当たって税務研究会出版局の方々のご尽力、ご厚意に心から感謝の意を表します。

　平成29年11月

前原　真一

は じ め に

　減価償却制度は、減価償却資産の取得費用を各事業年度に費用配分する会計上の重要な手続であり、法人税法をはじめとする関係法令通達において、減価償却資産の範囲、取得価額、減価償却の方法とその選定方法及び償却限度額から耐用年数に至るまで詳細に規定されています。

　なかでも、減価償却資産の耐用年数の判定は、減価償却実務の際にとりわけ重要となります。基本的には、関係法令通達の規定するところにより決定することとなりますが、個々の資産の種類、構造、用途等については、合理的な社会的慣行を尊重しつつ、その実態に即して判断することとなります。しかし、その内容は多岐にわたるものとなっているのが実情であり、また、近年の技術革新等に新しい減価償却資産が次々と出現し、これらの資産に適用する耐用年数についてもより難しさが増しています。

　そこで、本書では、耐用年数表の適用に当たって法令等で定められている事項の基本的な考え方、耐用年数表の構成とその適用の方法について解説するとともに、個々の減価償却資産を取り上げて問答形式によりどのようにこれを適用していくかを説明することとしました。

　本書が、企業経理の実務に携わる実務家はもとより減価償却制度を理解し耐用年数の判定及び適用に当たって少しでも参考にしようとする方々の一助となれば幸いです。

　最後に、本書の出版に当って税務研究会出版局の方々のご尽力、ご厚意に心から感謝の意を表します。

　平成27年1月

前原　真一

目　　　次

第1章　耐用年数の基本的考え方

1. 法定耐用年数とは……………………………………………………2
2. 耐用年数の算定方式……………………………………………………3
3. 耐用年数の適用に当たって……………………………………………5
   - （1）耐用年数表の種類…………………………………………………5
   - （2）耐用年数の適用上の基本事項……………………………………7
     - イ．一物一用途による原則………………………………………7
     - ロ．資本的支出後の耐用年数……………………………………7
     - ハ．他人の建物に対する造作の耐用年数………………………8
     - ニ．賃借資産についての改良費の耐用年数……………………9
     - ホ．貸与資産の耐用年数…………………………………………9
     - ヘ．「前掲の区分によらないもの」の意義……………………10
     - ト．器具及び備品の耐用年数の選択適用………………………11
     - チ．「特掲されていないもの」の意義…………………………11

第2章　耐用年数表の構成と適用の方法

1. 建　物　関　係………………………………………………………14
   - （1）耐用年数表の構成…………………………………………………14
   - （2）耐用年数の適用事例………………………………………………16
     - イ．建物の構造の判定……………………………………………16
     - ロ．建物の内部造作………………………………………………18
     - ハ．2以上の用途に使用される建物に適用する耐用年数の特例………19
     - ニ．その他建物の細目判定………………………………………21
2. 建物附属設備関係………………………………………………………26

（1）耐用年数表の構成 …………………………………………… 26
　　　（2）耐用年数の適用事例 …………………………………………… 27
　　　　　イ．木造建物の特例 …………………………………………… 27
　　　　　ロ．給排水又は衛生設備及びガス設備 ……………………… 27
　　　　　ハ．昇降機設備 ………………………………………………… 29
　　　　　ニ．電気設備及び冷房、暖房、通風又はボイラー設備 …… 30
　　　　　ホ．消火、排煙又は災害報知設備及び格納式避難設備 …… 31
　　　　　ヘ．店用簡易設備及び可動間仕切り ………………………… 32
　　　　　ト．「前掲のもの以外のもの」の例示 ……………………… 33

3 構 築 物 関 係 …………………………………………………………… 35
　　　（1）耐用年数表の構成 …………………………………………… 35
　　　（2）耐用年数の確認届出 ………………………………………… 36
　　　（3）耐用年数の適用事例 ………………………………………… 38
　　　　　イ．「構築物」と「機械及び装置」との区分 ……………… 38
　　　　　ロ．構築物の附属装置 ………………………………………… 39
　　　　　ハ．競技場用、運動場用、遊園地用又は学校用のもの …… 40
　　　　　ニ．緑化施設及び庭園 ………………………………………… 42
　　　　　ホ．舗装道路及び舗装路面 …………………………………… 43
　　　　　ヘ．金属造のもの ……………………………………………… 44
　　　　　ト．合成樹脂造のもの ………………………………………… 45

4 船 舶 関 係 …………………………………………………………… 46
　　　（1）耐用年数表の構成 …………………………………………… 46
　　　（2）耐用年数の適用事例 ………………………………………… 47
　　　　　イ．船舶に搭載する機器 ……………………………………… 47
　　　　　ロ．各種船舶の耐用年数 ……………………………………… 48

5 航 空 機 関 係 ………………………………………………………… 50

（1）	耐用年数表の構成 ……………………………………………………	50
（2）	耐用年数の適用事例 …………………………………………………	51

6　車両及び運搬具関係 ……………………………………………… 54

（1）	耐用年数表の構成 ……………………………………………………	54
（2）	小型車、普通車及び大型車の総排気量による区分 ………………	54
（3）	貨物自動車と乗用自動車との区分 …………………………………	55
（4）	「車両及び運搬具」と別表第二「機械及び装置」の区分 ………	57
（5）	耐用年数の適用事例 …………………………………………………	59
	イ．車両に搭載する機器 …………………………………………	59
	ロ．特殊自動車の範囲 ……………………………………………	60
	ハ．運送事業用、貸自動車業用又は自動車教習所用の車両及び運搬具 …	60
	ニ．その他の車両及び運搬具 ……………………………………	61

7　工　具　関　係 …………………………………………………… 64

（1）	耐用年数表の構成 ……………………………………………………	64
（2）	耐用年数の適用事例 …………………………………………………	65

8　器具及び備品関係 ………………………………………………… 66

（1）	耐用年数表の構成 ……………………………………………………	66
（2）	耐用年数の確認届出 …………………………………………………	67
（3）	耐用年数の適用事例 …………………………………………………	68
	イ．「主として金属製のもの」と「その他のもの」との区分 …………	68
	ロ．家具、電気機器、ガス機器及び家庭用品 …………………	68
	ハ．事務機器及び通信機器 ………………………………………	69
	ニ．時計、試験機器及び測定機器 ………………………………	73
	ホ．光学機器及び写真製作機器 …………………………………	73
	ヘ．看板及び広告器具 ……………………………………………	74
	ト．容器及び金庫 …………………………………………………	74

チ．医療機器 …………………………………………………………… 74
　　　リ．娯楽又はスポーツ器具及び興行又は演劇用具 …………………… 75
　　　ヌ．生物 …………………………………………………………………… 77
　　　ル．その他の器具及び備品 ……………………………………………… 77
⑨ 機械及び装置関係 ……………………………………………………………… 84
　（1）耐用年数表の構成 ………………………………………………………… 84
　（2）「設備の種類」の基本的判定基準 ……………………………………… 85
　　　イ．第1の判定基準（耐通1－4－2、1－4－3）………………… 85
　　　ロ．第2の判定基準（耐通1－4－4）………………………………… 87
　　　ハ．第3の判定基準（耐通1－4－5、1－4－6）………………… 87
　（3）プレス及びクレーンの基礎 …………………………………………… 89
　（4）特殊自動車に該当しない建設車両等 ………………………………… 90
　（5）耐用年数の適用事例 …………………………………………………… 91
　　　イ．「機械及び装置」と「器具及び備品」の適用区分 ………………… 91
　　　ロ．業用設備の判定 ……………………………………………………… 91
　　　ハ．合成樹脂の製造設備の適用区分（使用原料の腐食性等の
　　　　　要素により区分）……………………………………………………… 92
　　　ニ．日本標準産業分類を参考にした業種名の判定 …………………… 93
　　　ホ．配電施設の属性 ……………………………………………………… 94
　　　ヘ．その他の機械及び装置 ……………………………………………… 96
⑩ 減価償却資産の償却の方法（定額法・定率法）…………………………… 101
　（1）計算方法 ………………………………………………………………… 101
　（2）適用関係 ………………………………………………………………… 102
　（3）定額法又は定率法を適用している減価償却資産に係る
　　　累積限度額による償却限度額の特例 ………………………………… 103
　（4）事業年度が1年に満たない場合の償却率 ………………………… 105

11	最近の税制改正の概要（減価償却関係）……………………………108
	（1） 平成16年度税制改正………………………………………………108
	（2） 平成19年度税制改正………………………………………………108
	（3） 平成20年度税制改正………………………………………………109
	（4） 平成23年6月税制改正……………………………………………110
	（5） 平成23年12月税制改正……………………………………………110
	（6） 平成25年度税制改正………………………………………………111
	（7） 平成26年度税制改正………………………………………………111
	（8） 平成27年度税制改正………………………………………………112
	（9） 平成28年度税制改正………………………………………………112

第3章　中古資産の耐用年数の見積方法

1	見積りの簡便法……………………………………………………………116
2	取得後用途変更した場合の見積り………………………………………118
3	事業の用に供するに当たり資本的支出をした中古資産の耐用年数……119
4	中古の総合償却資産を取得した場合の総合耐用年数の見積り…………120
	（1） 見積りができるかどうかの判定……………………………………120
	（2） 見積計算の方法………………………………………………………121
	イ．原則的見積計算……………………………………………………121
	ロ．特例による見積計算………………………………………………122
	ハ．見積耐用年数によることができない中古の総合償却資産………123

第4章　耐用年数の短縮

1	承認申請の対象となる特別の事由………………………………………126
2	短縮の承認申請書の記載例………………………………………………129
	（1） 油そう船（単体法人の場合）………………………………………130

（2）　油そう船（連結法人の場合）……………………………132
3　使用可能期間の算定方法 ……………………………………135
　（1）　個別償却資産の場合（基通7－3－20、7－3－20の2）……135
　（2）　総合償却資産の場合（基通7－3－21、7－3－21の2）……135
4　適用上の問題点 ………………………………………………137
5　短縮の承認例 …………………………………………………139

【耐用年数表】

別表第一　機械及び装置以外の有形減価償却資産の耐用年数表 …………142
別表第二　機械及び装置の耐用年数表 ……………………………………174
別表第三　無形減価償却資産の耐用年数表 ………………………………204
別表第四　生物の耐用年数表 ………………………………………………206
別表第五　公害防止用減価償却資産の耐用年数表 ………………………210
別表第六　開発研究用減価償却資産の耐用年数表 ………………………210
別表第七　平成十九年三月三十一日以前に取得をされた
　　　　　減価償却資産の償却率表 ………………………………………212
別表第八　平成十九年四月一日以後に取得をされた減価償却資産の
　　　　　定額法の償却率表 …………………………………………………214
別表第九　平成十九年四月一日から平成二十四年三月三十一日までの
　　　　　間に取得をされた減価償却資産の定率法の償却率、改定償却
　　　　　率及び保証率の表 …………………………………………………216
別表第十　平成二十四年四月一日以後に取得をされた減価償却資産の
　　　　　定率法の償却率、改定償却率及び保証率の表 …………………218
別表第十一　平成十九年三月三十一日以前に取得をされた
　　　　　　減価償却資産の残存割合表 ……………………………………220

【参考1】 法人税基本通達7－6－12 ………………………………………220
【参考2】 特定登録ホテル等の減価償却資産の耐用年数の特例
　　　　　（旧措法17、52の4関係）………………………………222
【参考3】 「別表第二　機械及び装置の耐用年数表」の新旧対照表 …………223
【参考4】 旧別表第二及び通常の使用時間 ……………………………255
【参考5】 耐用年数等の改正経過（昭和63年以後分）…………………271

【耐用年数の適用等に関する取扱通達】……………………………277

別表第二に掲載した「日本標準産業分類の小分類」及び「具体例」の
五十音順索引 ……………………………………………………………332

【事　例　索　引】

事例1　貸与資産の耐用年数 ………………………………………………9
事例2　建物の構造の判定 ………………………………………………17
事例3　建物の内部造作の耐用年数 ……………………………………18
事例4　建物の一部分を区分所有した場合の耐用年数 ………………19
事例5　2以上の用途に使用される建物の耐用年数(1)…………………20
事例6　2以上の用途に使用される建物の耐用年数(2)…………………20
事例7　「左記以外のもの」の取扱い ……………………………………21
事例8　屋外に設置したシャワー室の耐用年数 ………………………23
事例9　キャンピングカーを改造したカラオケボックスの耐用年数 …23
事例10　プレハブ事務所の耐用年数 ……………………………………24
事例11　倉庫の一部を間仕切りして設置した冷蔵室の耐用年数 ………24

事例12	保管料を収受している無免許の倉庫の耐用年数	25
事例13	ガス安全監視オートシステムの耐用年数	28
事例14	自動書類搬送システムの耐用年数	28
事例15	屋外に設置されたフロハウスの耐用年数	29
事例16	２階建の建物に敷設するエレベーターの耐用年数	29
事例17	シャンデリアの耐用年数	30
事例18	冷房設備の耐用年数	30
事例19	金庫に施設した盗難防止のスイッチロックの耐用年数	31
事例20	消火栓の耐用年数	31
事例21	可動間仕切りの耐用年数	33
事例22	高層ビルの中央監視システムの耐用年数	34
事例23	崖崩れの防護工事費用の耐用年数	36
事例24	シーバースの耐用年数	37
事例25	金属製の交通標識の耐用年数	37
事例26	構築物と機械及び装置の区分	38
事例27	遊園地に設置された自動改札装置の耐用年数	40
事例28	ゴルフ練習場の打席用建造物の耐用年数	40
事例29	ゴルフ場の暗きょ排水施設の耐用年数	41
事例30	バッティングセンターのネット設備の耐用年数	41
事例31	工場の駐車場の周囲の緑化施設の耐用年数	43
事例32	砕石とアスファルト乳剤を混合した材料で舗装した舗装道路の耐用年数	43
事例33	ガレージの耐用年数	44
事例34	自走式立体駐車場設備の耐用年数	45
事例35	人工芝の耐用年数	45
事例36	船舶に搭載するGPSの耐用年数	48

事例37	海洋無人探査機の耐用年数	48
事例38	焼玉機関船舶（通称チャッカ船）の耐用年数	49
事例39	広告宣伝用の無人飛行船の耐用年数	51
事例40	農業用無人ヘリコプターの耐用年数	51
事例41	ドローンの耐用年数	52
事例42	車両と自走式作業用機械設備の区分	57
事例43	万能掘削機の耐用年数	58
事例44	タクシー無線機器の耐用年数	59
事例45	カーナビゲーションの耐用年数	60
事例46	非指定の自動車教習所の教習用車両の耐用年数	60
事例47	自動搬送台車の耐用年数	61
事例48	オートカートの耐用年数	62
事例49	不整地走行車両の耐用年数	62
事例50	ディーゼル電気式機関車の耐用年数	63
事例51	工具の範囲（「前掲のもの以外のもの」）	65
事例52	デジタルCATVシステム（チューナー）の耐用年数	68
事例53	展示用高級着物の耐用年数	69
事例54	テレビ会議装置の耐用年数	69
事例55	金銭登録機能を有したコンピュータの耐用年数	70
事例56	高速自動宛名印刷装置の耐用年数	70
事例57	自動設計装置（CAD）の耐用年数	70
事例58	タクシーの位置、動態表示装置の耐用年数	71
事例59	硬貨計算機の耐用年数	71
事例60	客室冷蔵庫自動管理装置の耐用年数	72
事例61	文書細断機（シュレッダー）の耐用年数	72
事例62	自動電磁カウンターの耐用年数	72

事例63　凶器発見器の耐用年数 ……………………………………… 73
事例64　防犯カメラの耐用年数 …………………………………… 73
事例65　染色見本の耐用年数 ……………………………………… 74
事例66　人工腎臓装置の耐用年数 ………………………………… 74
事例67　ファイバースコープの耐用年数 ………………………… 75
事例68　携帯できるレントゲン装置の耐用年数 ………………… 75
事例69　ゴルフシミュレーターの耐用年数 ……………………… 75
事例70　バッティングセンターのピッチングマシンの耐用年数 ……… 76
事例71　つり堀の魚の耐用年数 …………………………………… 77
事例72　空き缶圧縮機の耐用年数 ………………………………… 77
事例73　シート門扉（建設現場用）の耐用年数 ………………… 78
事例74　雨傘脱水機の耐用年数 …………………………………… 78
事例75　テレビ放映権の耐用年数 ………………………………… 79
事例76　指紋による個人識別装置の耐用年数 …………………… 80
事例77　PR用映画フィルムの耐用年数 ………………………… 80
事例78　社旗の耐用年数 …………………………………………… 81
事例79　救助袋の耐用年数 ………………………………………… 81
事例80　電子自動梱包器の耐用年数 ……………………………… 81
事例81　ブイの耐用年数 …………………………………………… 82
事例82　駐輪場の無人駐輪管理装置の耐用年数 ………………… 82
事例83　自走式芝刈機の耐用年数 ………………………………… 90
事例84　半導体集積回路製造業者が回路設計に使用する
　　　　自動設計装置（CAD）の耐用年数 …………………… 91
事例85　化粧品製造業者が工場に施設した給食用ちゅう房設備の
　　　　耐用年数 …………………………………………………… 91
事例86　倉庫のエレベーターの耐用年数 ………………………… 92

事例87	ポリエチレンテレフタレート系樹脂製造設備の耐用年数	92
事例88	自動販売機の製造設備の耐用年数	93
事例89	展示実演用機械の耐用年数	93
事例90	2以上の製造設備に共用されている電源設備の耐用年数	94
事例91	製造業用の自家発電設備等の耐用年数	95
事例92	オイルフェンスの耐用年数	96
事例93	ガントリークレーンの耐用年数	96
事例94	トラックスケールの耐用年数	97
事例95	動く歩道の耐用年数	98
事例96	コンクリートポンプ車の耐用年数	98
事例97	自家用の給油設備の耐用年数	99
事例98	サウナ風呂の設備の耐用年数	99
事例99	電気自動車用充電設備の耐用年数	100
事例100	中古の工業所有権の耐用年数	123

―――― <省略用語例> ――――

文中の省略は、それぞれ次に掲げる法令通達を示しています。

令……………………法人税法施行令
規……………………法人税法施行規則
基通…………………法人税基本通達
耐用年数省令………減価償却資産の耐用年数に関する省令
別表…………………減価償却資産の耐用年数に関する省令別表
耐通…………………耐用年数の適用等に関する取扱通達

(注) 本書は、平成29年10月1日現在の法令通達によっています。

第1章
耐用年数の基本的考え方

1 法定耐用年数とは

　減価償却資産は、使用することによって物理的な損耗が発生し減価するほか陳腐化等による経済的な減価も発生し、遂にはその減価償却資産本来の効用を喪失することとなります。この使用開始から効用喪失までの期間、すなわち効用持続期間が耐用年数となります。

　同種の資産であっても耐用年数は必ずしも同一ではありません。使用の態様や維持補修の程度などが異なれば、その耐用年数も異なってくるのは当然のことです。

　したがって、理想としては個々の企業が自己の資産に適合するよう自主的に耐用年数を決定することが望ましいのですが、あくまでも予測である限り企業の主観に左右されることは明らかです。そして、企業が決定した耐用年数をそのまま税務上も容認することは、課税の公平上問題があるところです。

　そこで、税務上は、後述するような方式で標準的な耐用年数を算定してこれを決定しています。これを、法定耐用年数といいます。そして、その耐用年数が企業固有の事情により実態に合わない場合には、これを個別的に是正する措置を設けています。具体的には、企業が所有する減価償却資産が特別な事由によって耐用年数が著しく短くなる場合には、申請により耐用年数を短縮する「耐用年数の短縮制度」、通常の使用時間を超えて使用した場合に、その超過操業度に応じて償却費を増加させる「増加償却制度」があります。これらの制度を活用することにより、企業が法定耐用年数を適用するに当たって著しい不合理が生じないように調整を図っているわけです。

2 耐用年数の算定方式

　現行の耐用年数は、昭和26年の全面改正によってその基礎ができています。その後、昭和36年と昭和39年には機械装置を中心に15％から20％程度の耐用年数の短縮が行われ、また、昭和41年には建物を中心に10％から20％程度の耐用年数の短縮が行われました。さらに、平成10年には、建物について耐用年数をおおむね10％から20％程度短縮し、最長のものでも50年を限度とされました。

　その昭和26年の大蔵省主税局による耐用年数算定の基本的な考え方（これを「耐用年数算定方式」といいます。）は、おおむね次のとおりです。

① 　固定資産の耐用年数は、通常の維持補修を加える場合にその固定資産の本来の用途用法により通常予定される効果を挙げることができる年数、すなわち通常の効用持続年数によります。

② 　効用持続年数は、予測できる程度の一般的な陳腐化を織り込んだものによります。

③ 　効用持続年数は、通常の維持補修を行うことを前提とし、普通の場所で普通の作業条件により使用される場合等の一般的に考えられる年数によることとします。

④ 　耐用年数は、減価償却計算における償却率の基礎となるものですから、物の寿命というような通俗的な考え方ばかりでなく所得の適正把握の目的手段であることを明らかにするため、その相互の関連をできるだけ明確にするよう資産別の算定方式を作成します。

⑤ 　機械設備の総合償却年数は、まず、作業区分ごとに個別的機械の資産価額構成割合による平均年数を算出し、さらにその機械設備全体に

ついてその作業区分ごとに資産価額構成割合による総合平均年数を算出して、それによることとします。この場合の資産価額構成割合は、中庸と認められる標準的設備によって想定します。

以上のような考え方により耐用年数を算定しているのですが、具体的算定例として建物（鉄筋コンクリート造の事務所）の場合をみると次のとおりとなります。

区　　　　分	① 構造体	② 防水	③ 床	④ 外装	⑤ 窓	⑥ 総合
価　　　　額	7,165円	135円	720円	720円	1,260円	10,000円
年　　　　数	150年	20年	30年	50年	30年	74.1年
年要償却額	47.7円	6.7円	24.0円	14.4円	42.0円	134.8円

① 構造体……鉄筋を被覆するコンクリートの中性化速度から算定

$$\boxed{1\,cm当たりの中性化速度30年} \times \boxed{コンクリート被膜の一般的な厚さ4\,cm} = 120年$$

　　　　さらに、中性化を外装仕上げによって防止する手段が講ぜられているため平均延命年数30年を加えます。

　　　　120年 + 30年 = $\boxed{150年}$

② 防水………アスファルト防水の屋上及び地階の平均により $\boxed{20年}$
③ 床…………本仕上げにより $\boxed{30年}$
④ 外装………タイル仕上げにより $\boxed{50年}$
⑤ 窓…………スチールサッシにより $\boxed{30年}$

以上のように各構成部分ごとの耐用年数を算定してこれを基に総合年数を算出すると、上記の表のとおり74.1年となります。

10,000円 ÷ 134.8円 = 74.1年

よって、昭和26年当時の耐用年数は75年とされましたが、昭和41年に耐用年数を65年と改正され、さらに、平成10年に耐用年数を50年とすることとされました。

3 耐用年数の適用に当たって

(1) 耐用年数表の種類

　耐用年数表は、「一般の減価償却資産の耐用年数」を掲げたものと、「特殊の減価償却資産の耐用年数」を掲げたものとの2つのグループに大別されます。これを図示すると、下図のとおりとなります。

　なお、図で別表というのは、減価償却資産の耐用年数等に関する省令（以下「耐用年数省令」といいます。）別表をいいます。

```
                        ┌ 一般の減価   ┌・機械及び装置以外の有形減価償却資産の耐用年数表
                        │ 償却資産の   │  （別表第一）
減                      │ 耐用年数を  ─┤・機械及び装置の耐用年数表（別表第二）
価                      │ 掲げたもの   │・無形減価償却資産の耐用年数表（別表第三）
償                      │              └・生物の耐用年数表（別表第四）
却
資 ─┤
産
の                      ┌ 特殊の減価   
耐                      │ 償却資産の   ┌・公害防止用減価償却資産の耐用年数表（別表第五）
用                      │ 耐用年数を  ─┤
年                      │ 掲げたもの   └・開発研究用減価償却資産の耐用年数表（別表第六）
数
表
```

【耐用年数の適用手順】

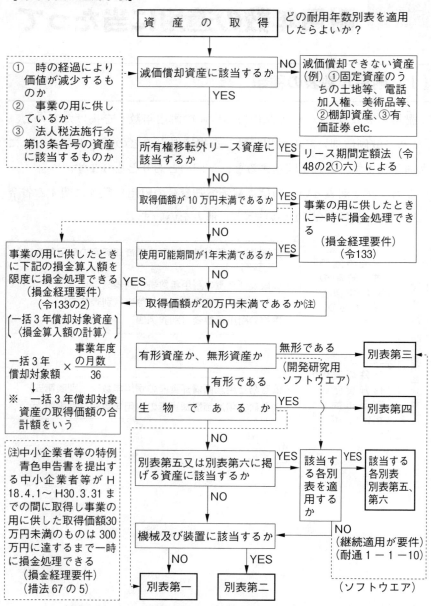

(出典:「もっとも実務的な耐用年数表の使い方 (平成21年改訂新版)」弊社刊を修正)

（2）耐用年数の適用上の基本事項

　耐用年数表の適用に当たっては、まず判定しようとする減価償却資産の種類、構造及び用途等を十分に理解していることが必要です。これによってその減価償却資産が、どの耐用年数表の、どの耐用年数に当たるかを的確に判断することが可能となります。

　耐用年数表の適用に当たって、特に注意すべき基本的な事項には次のようなものがあります。

イ．一物一用途による原則

　耐用年数表においては、同一種類に属する減価償却資産であり、構造が同じであっても、その用途によって異なる耐用年数を定めている場合があります。

　ところで、すべての減価償却資産は、原則として、いずれか一の耐用年数を適用することとされているのですが、一つの減価償却資産が2以上の用途に共通して使用されているような場合においては、その使用目的、使用状況等から合理的にその主たる用途を判定し、これに対応する耐用年数を適用することとなります。

　この場合において、合理的に判定した耐用年数は、原則として継続適用することとされています（耐通1－1－1）。

ロ．資本的支出後の耐用年数

　鉄筋コンクリート造の建物に資本的支出と認められる木造の内部造作を施したような場合においても、その内部造作部分の種類及び耐用年数はその対象となった減価償却資産と同じものとして減価償却を行うこととなり、本体である建物の耐用年数を適用することとされています（耐

通1-1-2)。

　なお、平成19年4月1日以後に資本的支出を行った場合には、その資本的支出は、その資本的支出とされた金額を取得価額として、その資本的支出の対象となった減価償却資産と種類及び耐用年数を同じくする減価償却資産を新たに取得したものとされています（令55①）。

ハ．他人の建物に対する造作の耐用年数

　賃借している建物に対して施した内部造作は、通常本体についての資本的支出となりますが、所有区分が異なりますので、自己が所有している建物に対して行った資本的支出とは異なり、本体と区分して耐用年数を見積もることとなります。

　この場合の見積りについては、建物の耐用年数、造作の種類、用途及び使用材質等を勘案して、合理的に行います（耐通1-1-3）。

　また、同一の建物（一の区画ごとに用途を異にしている場合には、同一の用途に属する部分）についてした造作は、そのすべてを一の資産として償却をすることとなりますから、その耐用年数は、その造作全部を総合して見積もることとなります。

　ただし、その建物について、賃借期間の定めがあるもの（賃借期間の更新ができないものに限ります。）で、かつ、有益費の請求又は買取請求をすることができないものについては、その賃借期間を耐用年数として償却することができます。

(注)　税法における造作の定義は必ずしも明らかではありませんが、一般的に建物内部の仕上材、取付物の総称であって、天井・床板・階段・棚・敷居・鴨居などの類。また、畳・建具の類をいうものとされています（広辞苑）。

　なお、建物附属設備についてした造作は、通常その建物附属設備と運

命をともにすると考えられるところからその建物附属設備の耐用年数により償却することとされています。

ニ. 賃借資産についての改良費の耐用年数

　建物の造作以外の他人の減価償却資産について支出した資本的支出部分に係る耐用年数は、その本体と運命をともにすると認められるところから、その本体である減価償却資産の耐用年数を適用します。

　ただし、賃借期間の満了とともにその支出の利益を失う場合には、その賃借期間を耐用年数とします（耐通1－1－4）。

ホ. 貸与資産の耐用年数

　耐用年数はその資産の用途を考慮して算定されていますので、減価償却資産を他に貸し付けているときの耐用年数は、特に貸付業用としての用途区分が定められているものを除いて、その貸付先の用途によって判定します（耐通1－1－5）。

　貸付業用としての用途区分が定められているものには、①レンタカー等の貸自動車業用の車両、②喫茶店、ビル等に貸し付けることを目的とする植物があります。

　ただし、内部造作を行わずに賃貸する建物については、貸付先の用途に関係なく別表第一の「建物」の「細目」の「左記以外のもの」に該当することとされています（耐通2－1－2）。

事例 1　貸与資産の耐用年数

　繊維製品（婦人子供服）の製造問屋が、縫製ミシン30台を購入して下請工場に貸与した場合に適用する耐用年数は何年でしょうか。

> **答** 耐用年数表に貸付業用の減価償却資産（例えば、貸自動車業、貸植木業）として特掲されている減価償却資産以外の減価償却資産を貸与した場合には、その減価償却資産については、貸与を受けている者のその資産の用途に応じ、構造又は用途、細目等について定められている耐用年数を適用するものとされています（耐通1－1－5）。
> したがって、縫製ミシンについては、その貸与先が婦人子供服を製造していますので、別表第二の「3　繊維工業用設備」の「その他の設備」の「7年」を適用することとなります。

ヘ．「前掲の区分によらないもの」の意義

耐用年数表では、個々の種類、構造、用途、細目というものが個々に定められている細目別耐用年数と、経理実務の簡素化の意味からその個々の資産としては異なる区分のものをすべて含めて耐用年数を適用する場合を想定して、前掲の区分によらない場合という包括的耐用年数を定めています。

したがって、同一種類の資産について一部は特掲された細目別耐用年数を適用し、その他のものについては前掲の区分によらないものの耐用年数を適用するということは、認められていません。

ただし、ここでいうその他のものに係る「構造又は用途」、「細目」又は「設備の種類」による区分ごとの耐用年数のすべてが、「前掲の区分によらないもの」の耐用年数より短いときには、上記のようなことも認められています（耐通1－1－6）。

例えば、建物附属設備のうち、給排水、衛生、ガス設備は、特掲された耐用年数「15年」を適用し、電気設備（15年）、エレベーター（17年）については、「前掲の区分によらないもの」の耐用年数「18年」を適用するという使い分けは認められるということです。

ト．器具及び備品の耐用年数の選択適用

　器具及び備品については、上記の取扱いにかかわらず、細目別耐用年数と包括的耐用年数との選択につき、別表第一に掲げる「器具及び備品」の「1」から「11」までに掲げる品目のうち一部のものは細目別耐用年数により、他の一部を包括的耐用年数によるということができることとされています。

　しかし、この場合でも、品目が同じものについて、一部のものは細目別耐用年数により、他の一部を包括的耐用年数によるということはできないので注意が必要です（耐通1－1－7）。

　例えば、机（金属製）、いす（金属製）、テレビ、電気洗濯機があった場合において、机、いす、テレビについては、別表第一の「器具及び備品」の「1」欄によってそれぞれ15年及び5年の耐用年数を適用し、電気洗濯機については、同表の「12」欄によって15年の耐用年数を適用することはできますが、10台の電気洗濯機のうち7台は同表の「1」欄によって6年、残りの3台については、同表の「12」欄によって15年というように、同じ細目に属する資産について包括的耐用年数と細目別耐用年数を使い分けることはできません。

チ．「特掲されていないもの」の意義

　耐用年数の取扱いでよく出てくる言葉のなかに、「特掲される」というものがありますが、この「特掲」とは、特定して掲記するといった程度の意味になります。具体的には耐用年数表に、「自動販売機（手動のものを含む。）」というように、減価償却資産の細目まで特定して、「5年」とその耐用年数を定めているものを指しています。

　したがって、「その他のもの」に該当する減価償却資産は、特掲されていない資産になります。

特掲されていない減価償却資産の耐用年数は、特掲されている減価償却資産の耐用年数に比べて長く定められている場合が多いです。

　このような場合、「構築物」と「器具及び備品」については、細目が特掲されていないものであっても、その「構造又は用途」及び使用状況が類似している特掲資産がある場合には、税務署長（調査課所管法人にあっては、国税局長）の確認を受けることを条件に、その特掲された資産の耐用年数が適用できることとされています（耐通1－1－9）。

第2章
耐用年数表の構成と適用の方法

建 物 関 係

(1) 耐用年数表の構成

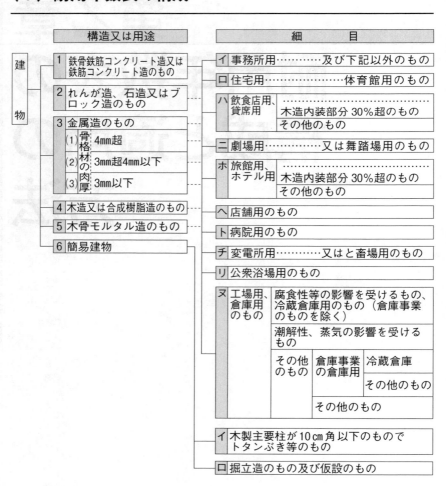

建物の耐用年数は、その主要骨格が主としてどのような構造によって構成されているかにより、さらに「細目」の区分に従い、その該当する耐用年数を適用します。

　建物の範囲及び意義については特に取扱い等で明らかにされてはいませんが、常識的に建物とは、土地に定着して建設された建造物で、四囲を柱をもって構成され、隔壁、屋根により雨露をしのぐ構造をもち、人を収容し、物を蔵置する等のためのものとされ、事務所、工場等のほか、堀立造のもの、移動性仮設建物（建設工事現場のパイプ造簡易宿舎等）、簡易車庫等も建物として取り扱われています。

　したがって、建物であるか、又はその他の資産であるかは、対象資産の構造、機能等の実態に基づいて判定することとなります。

　なお、別表第一の建物の耐用年数の適用を受ける建物の範囲は、通常、建物の基礎、柱、壁、はり、階段、窓、床等の主物及びその従物たる建具（畳、ふすま、障子、ドア、リノリウムその他本体と一体不可分の内部造作物をいいます。）とされており、店舗等のシャッター、建物の壁面を構成するショーウィンドウ等も建物に含まれます。

　参考までに、不動産登記の上から、建物に該当するものと、該当しないものの基準を見てみると次のとおりです。

＜建物となるもの＞
① 　停車場の乗降場及び荷物積卸場（ただし、上屋を有する部分に限ります。）
② 　野球場、競馬場の観覧席（ただし、屋根を有する部分に限ります。）
③ 　ガード下を利用して築造した店舗、倉庫等の建造物
④ 　地下停車場及び地下街の建造物
⑤ 　園芸、農耕用の温床施設（ただし、半永久的な建造物と認められるものに限ります。）

＜建物とならないもの＞
① ガスタンク、石油タンク、給水タンク
② 機械上に建設した建造物（ただし、地上に基脚を有し、又は支柱を施したものを除きます。）
③ 浮船を利用したもの（ただし、固定しているものを除きます。）
④ アーケード付街路（公衆用道路上に屋根覆を施した部分）
⑤ 容易に運搬し得る切符売場、入場券売場等

（2）耐用年数の適用事例

イ．建物の構造の判定

建物の耐用年数は、別表第一において、まずその構造により、
① 鉄骨鉄筋コンクリート造又は鉄筋コンクリート造のもの
② れんが造、石造又はブロック造のもの
③ 金属造のもの
④ 木造又は合成樹脂造のもの
⑤ 木骨モルタル造のもの
⑥ 簡易建物

に分類し、更に金属造についてはその骨格材の肉厚により分類し、その上で用途ごとに定められています。

ただし、建物は、これらの構造が必ずしも単独でその構造をなしているとは限らず、2以上の構造のものを適宜組み合わせているものも多いため、このような建物の耐用年数については、原則として、その主要柱、耐力壁又ははり等のその建物の主要部分が主としてどの構造によって構成されているかによって判定することとされています（耐通1-2-1）。

① 一見して外観が木造とみられるようなレストラン、山荘等でも、そ

の主要柱等が鉄骨であるときは、その建物全体を「金属造のもの」と判定します。
② コンクリートブロックを鉄筋とコンクリートで補強して組み積みした建築物は「ブロック造のもの」となりますが、このうち、柱、はりが鉄筋コンクリート造で壁の部分に鉄筋を入れたブロックで建築した建物は「鉄筋コンクリート造のもの」、柱、はりは鉄骨により壁の部分に鉄筋を入れたブロック（ボルト等で固定します。）で建築した建物は「金属造のもの」と判定します。

「金属造のもの」は、霞ヶ関ビル、京王プラザ等、いわゆる高層ビルに多いものです。
③ 道路及び線路の下を利用して建物を建築した場合には、それぞれ本体の耐用年数及びその内部に施工した造作の構造、材質その他の仕様若しくはその使用状況等を基礎として適正に見積もった耐用年数を適用します。

事例 2　建物の構造の判定

　当社では、倉庫事業の倉庫用建物を建設しましたが、耐用年数を適用する場合は、どの構造に属すると考えたらよいのでしょうか。
　なお、主要柱及びはりは鉄筋コンクリート造ですが、壁はコンクリートブロック造です。

答　この事例の建物は、主要柱及びはりの主要骨格は鉄筋コンクリート造ですから、別表第一の「建物」の「～鉄筋コンクリート造のもの」に該当し、「工場（作業場を含む。）用又は倉庫用のもの」の「その他のもの」の「倉庫事業用の倉庫用のもの」の「その他のもの」の「31年」を適用します。

ロ．建物の内部造作

　建物の耐用年数は、原則として一般的内部造作を含めて算定されています。

　つまり、店舗用なら店舗用、旅館用なら旅館用というようにそれぞれの用途に応じた内部造作を前提として算定されています。

　したがって、その内部造作は、その構造のいかんを問わず本体である建物に含めて償却し、区分して取り扱うことはできません（耐通1－2－3）。

① 　牛乳販売店、肉小売店の建物に組み込まれた冷蔵庫、銀行の金庫室は、建物に含めてその耐用年数を適用します。
② 　店舗等におけるシャッター、事務所におけるリノリウム等は、建物附属設備又は器具及び備品として建物から区分することなく建物に含めて償却します。

　ただし、店用簡易装備や簡易間仕切りのように、建物附属設備に該当するときは、建物の耐用年数の算定上建物附属設備はその基礎に含まれていないので、建物附属設備として建物本体とは区分して耐用年数を適用することとなります。

事例 3　建物の内部造作の耐用年数

　事務所用ビル（鉄筋コンクリート造、耐用年数50年）の事務室内に造られた和室（茶室等として使用します。）の耐用年数は何年になりますか。この造作は、主として木材を使用しているので、建物本体とは別に木造建物の店舗用の耐用年数24年を適用できますか。

　答　自己所有の建物の内部に施設された造作については、その造作が建物附属設備に該当する場合以外は、その造作の構造が造作を施設した

建物の骨格の構造と異なっている場合においても、それを区分しないでその建物本体の耐用年数を適用することになります。

したがって、和室も建物本体に含めて別表第一の「建物」の「〜鉄筋コンクリート造のもの」の「事務所用〜」の「50年」を適用します。

ハ．2以上の用途に使用される建物に適用する耐用年数の特例

建物を2以上の用途に供している場合には、その使用目的、使用の状況等から勘案して全体として合理的に判断した一の用途に供されているとして、その用途に係る耐用年数を適用することとなりますが、特殊な内部造作その他の施設がされていて、全体として判定した用途の耐用年数を適用することが相当でないと認められる場合には、その部分を区分してその用途について定められている耐用年数を適用することができます（耐通1－2－4）。

ただし、特殊な内部造作等がなされていても、電気室、機械室、車庫又は駐車場等のようにその建物全体の機能を果たすのに必要な補助的部分については、その建物の主たる用途の耐用年数を適用します。

事例 4　建物の一部分を区分所有した場合の耐用年数

9階建の鉄筋コンクリート造のマンションの1階店舗部分の一部を取得して喫茶店を開業しました。この区分所有部分については、飲食店用建物としての耐用年数を適用できますか。

答　この建物はマンションですから、その主たる用途は住宅用ということになります（耐通1－1－1）。しかしながら、建物の区分所有の場合における耐用年数の判定に当たっては、区分所有に係る部分の用途に応じて、その耐用年数を適用することとされています。したがって、この場合は、別表第一の「〜鉄筋コンクリート造のもの」の「飲食店用

〜」の「34年」若しくは「41年」を適用することになります。

事例 5　2以上の用途に使用される建物の耐用年数(1)

鉄筋コンクリート造の建物（延床面積3,400㎡）を建築しました。この建物は、店舗用（延床面積2,800㎡）及び冷蔵倉庫用（延床面積600㎡）として使用しています。この建物の使用面積からして主たる用途は店舗用と思われますが、冷蔵倉庫部分には特別な断熱工事を施設しています。この場合、冷蔵倉庫部分についても、同じ耐用年数を適用することになるのでしょうか。

答　冷蔵倉庫部分については、特別な断熱工事を施設しており、建物の主たる用途の耐用年数を適用するのが相当でないと認められるため、店舗部分と区分して耐用年数を適用することができます。したがって、冷蔵倉庫部分は、別表第一の「建物」の「〜鉄筋コンクリート造のもの」の「工場用又は倉庫用のもの」の「〜冷蔵倉庫用のもの（倉庫事業の倉庫用のものを除く。）〜」の耐用年数「24年」を適用し、店舗部分は、別表第一の「建物」の「〜鉄筋コンクリート造のもの」の「店舗用のもの」の「39年」と区分して適用することができます。

事例 6　2以上の用途に使用される建物の耐用年数(2)

1、2階が店舗、3〜6階が事務所、地階はこのビル用の電気室、機械室及び駐車場となっている建物について、それぞれの用途別に区分して、その用途に応ずる耐用年数を適用することになりますか。

答　ビルの地階は、事務所及び店舗の機能を果たすのに必要な補助的部分となります。
そして、地上部分の使用目的、使用状況から考えると、事務所用の建物と判定するのが合理的と考えられるので、このビル全体について別表

第一の「建物」のうちいずれかの「事務所用～のもの」の耐用年数を適用することとなります。

事例 7　「左記以外のもの」の取扱い

電子計算機を製造する工場内に電子計算機のソフトウエアのプログラム等を設計するための鉄筋コンクリート造の専用の建物を建築しました。その建物のなかには、ソフトウエアの作成用及び検査用の電子計算機を据え付けています。この建物について「工場用又は倉庫用のもの」としての耐用年数を適用して差し支えありませんか。

答　耐用年数の適用に当たって、建物の用途別の判定は個々の建物ごとに行うのが原則ですが、工場の構内にあり工場用建物の附属的建物で比較的簡易なものについては、工場用の建物としてその耐用年数を適用することができます（耐通2－1－10）。しかしながら、工場用建物に附属するとみられない研究所、設計所等の用に供する建物は、それぞれの用途により耐用年数を適用することになります（耐通2－1－1）。

したがって、ソフトウエアの作成は、いわゆる設計に類するものと考えられますが、この建物は、別表第一の「建物」の細目に用途が特掲されていませんので、「～左記以外のもの」に該当することになり、「～鉄筋コンクリート造のもの」の「～左記以外のもの」の「50年」を適用します。

二．その他建物の細目判定

① パチンコ店、ゲーム・センター等の遊戯場用建物やサウナ、ソープランド等の浴場業用建物（公衆浴場建物は除きます。）は、店舗用建物として取り扱います（耐通2－1－3）。

② 鉄骨鉄筋コンクリート造又は鉄筋コンクリート造の建物で旅館用、

ホテル用、飲食店用又は貸席用のもののうち、木造内装部分の面積が延べ面積の30％を超えているものの耐用年数は短縮されています。

　この場合、木造内装部分とは、通常の「敷居、ふすま」等の一般的な木造内装部分は含まれず、かなり手のかかった天井装飾、床の間等の造作（例えば数寄屋造りのようなもの）をいうこととされています（耐通2－1－7）。

③　建物の用途別の判定は、個々の建物ごとに行うのが原則です。

　しかし、工場構内にある附属建物、すなわち、守衛所、詰所、監視所、タイムカード置場、自転車置場、消火器具置場、更衣所、仮眠所、簡易な食堂、浴場、洗面所、便所その他これらに類する建物については、工場用の建物とすることができます（耐通2－1－10）。

④　鉄筋コンクリート造のバナナ熟成用むろは、「鉄筋コンクリート造」の「著しい蒸気の影響を直接全面的に受けるもの」の耐用年数を適用します（耐通2－1－18、2－1－21）。

⑤　建物の内部の池や飾りへいなどの建物の内部に施した構築物のうち、通常その建物と一体と認められるものについては、建物に含めて償却すべきものと解されていますが、ビルの屋上のゴルフ練習場、花壇など通常ビルとしては設けることのない特殊施設を設けた場合には、これらを構築物として、建物と区分して取り扱うことができます（耐通2－1－22）。

1 建物関係　23

事例 8　屋外に設置したシャワー室の耐用年数

　スポーツセンター等の屋外に設置したコイン式のシャワー室の耐用年数は何年になりますか。
　これは、コインを投入することにより、一定量の温水をシャワーとして使用できるものです。シャワー室とボイラーユニット（ボイラー及び給湯ユニットからなっています。）で構成されており、シャワー室の屋根及び側壁はガラス繊維補助プラスチック製で、土台は簡易なもので、シャワー室そのものの移動が可能なものです。

　答　シャワー室は、用途及び機能等からみて建物として取り扱うのが相当と認められます。屋根及び側壁は、ガラス繊維補助プラスチックを使用しているということですから、その構造は合成樹脂造といえます。
　しかしながら、土台は簡易なものであり、容易に他に移動することが可能であるとのことですから、別表第一の「建物」の「簡易建物」の「掘立造のもの～」の「7年」を適用することになります。
　なお、ボイラーユニットの耐用年数は、原則として別表第一「建物附属設備」の「～ボイラー設備」の「その他のもの」の「15年」を適用することになりますが、建物の構造が合成樹脂造のため、本件建物と一括して上記の耐用年数「7年」を適用して差し支えありません。

事例 9　キャンピングカーを改造したカラオケボックスの耐用年数

　トレーラー型のキャンピングカーを改造して、カラオケボックスとして使用することとしました。
　壁は木質性パネル工法で造ります。
　また、原動機はありませんので、自力で走行することはできず、四隅をジャッキで固定させる等の基礎を施しています。
　このカラオケボックスの耐用年数は何年になりますか。

答 このカラオケボックスは、キャンピングカーを本来の用途と異なるカラオケボックスに転用し、基礎を施して土地に定着させて、カラオケ専用装置による伴奏音楽に合わせて楽しむ個室としている場合には、「建物」に該当すると認められます。また、キャンピングカーの壁の構造は、木質製パネル工法で造られていますので、「木造のもの」に該当すると認められます。したがって、別表第一の「建物」の「木造又は合成樹脂造のもの」の「店舗用～のもの」の「22年」を適用します。

事例 10　プレハブ事務所の耐用年数

長期間使用可能な本社事務所として、プレハブ事務所（金属造のもの〔骨格材の肉厚3㎜以下〕）を建設しましたが、耐用年数は何年でしょうか。

答 一般的に、プレハブ建物とは、建物を構成する柱、壁、床等の部品材料が一定の規格で加工されたものであって、それを組み立てて建築した建物をいいます。

この事務所の場合、金属造で骨格材の肉厚が3㎜以下とのことですので、別表第一の「建物」の「金属造のもの（骨格材の肉厚が3㎜以下のものに限る。）」の「事務所用～のもの」の「22年」を適用します。

事例 11　倉庫の一部を間仕切りして設置した冷蔵室の耐用年数

食肉加工業の製品の保管用として、既存の倉庫（鉄筋コンクリート造）の一部を間仕切りして冷凍機を設置し、冷蔵室としました。これらの設備の耐用年数は何年でしょうか。

答 この造作は、冷凍用の室として密閉されたものでなければならないことなどから判断して、取り外して他の場所で再使用することが可能

な、いわゆる「可動間仕切り」には該当しません。したがって、この間仕切りについては、建物と一体不可分の内部造作であり、建物の耐用年数を適用することになりますので、別表第一の「建物」の「〜鉄筋コンクリート造のもの」の「〜倉庫用のもの」の「〜冷蔵倉庫用のもの（倉庫事業の倉庫用のものを除く。）〜」の「24年」を適用します。

また、冷凍機等の設備は、営む事業用の製造設備である別表第二の「1　食料品製造業用設備」の「10年」を適用します。

事例 12　保管料を収受している無免許の倉庫の耐用年数

親会社の工場の敷地内に鉄筋コンクリート造の倉庫を建設し、製品等の保管を行い保管料を収受することにしました。なお、倉庫業法第3条に規定する国土交通大臣の行う登録を受けていません。この場合も「倉庫事業の倉庫用のもの」の耐用年数を適用することができるでしょうか。

答　別表第一の「建物」の「〜鉄筋コンクリート造のもの」の「〜倉庫用のもの」の「その他のもの」は、次の2つに区分されています。
① 「倉庫事業の倉庫用のもの」
　「冷蔵倉庫用のもの」の「21年」及び「その他のもの」の「31年」
② 「その他のもの」の「38年」

この場合、倉庫業法第3条に規定する国土交通大臣の行う登録を受けていないことから、「その他のもの」の「38年」を適用すべきとの考えもありますが、別表第一においては、倉庫事業について「国土交通大臣の行う登録を受けたものに限る」旨の規定はありません。したがって、現に保管を行い、保管料を収受しているのであれば、倉庫業法上の登録の有無に関わらず、「倉庫事業の倉庫用のもの」の「21年」若しくは「31年」を適用することができます。

2 建物附属設備関係

(1) 耐用年数表の構成

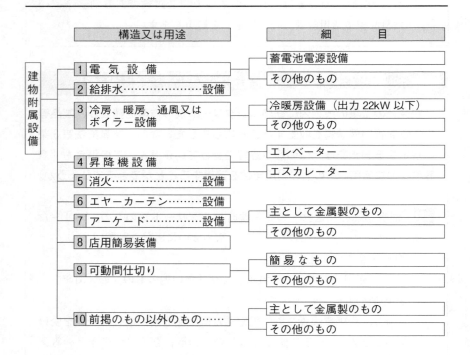

　建物附属設備は、建物に固着されたもので、その建物の使用価値を増加するためのもの又はその建物の使用に当たって必要とされるもので、通常、耐用年数表に建物附属設備として特掲されているものがその対象とされています。

　建物附属設備については、建物本体と区分して別表第一に定める耐用年数を適用することになります。

　この場合において、同表に特掲されていないもの又は特掲された区分

によらないものについては、「前掲のもの以外のもの及び前掲の区分によらないもの」の耐用年数を適用します。

(2) 耐用年数の適用事例

イ．木造建物の特例

　建物の附属設備は、原則として建物本体と区分して耐用年数を適用することになりますが、木造、合成樹脂造又は木骨モルタル造の建物の附属設備については、建物と一括して建物の耐用年数を適用することができます（耐通2－2－1）。

ロ．給排水又は衛生設備及びガス設備

　具体的な範囲は次のとおりです。
① 「給排水設備」とは、給水用又は排水用ポンプ、配管、建物に附属するタンクその他の附属品をいいます。
② 「衛生設備」とは、用水管、水槽、便器、配管及びこれらの附属品をいいます。
③ 「ガス設備」とは、ガス配管及びその附属品をいいますが、器具及び備品に特掲されている瞬間湯沸器、ガスレンジ等のガス機器は含まれません。
(注)　建物に附属する給水用タンク及び給水設備に直結する井戸又は衛生設備に附属する浄化水槽等でその取得価額等からみて、強いて構築物として区分する必要がないと認められるものについては、それぞれ、別表第一の「建物附属設備」に掲げる「給排水設備」又は「衛生設備」に含めることができます（耐通2－2－3）。

事例 13　ガス安全監視オートシステムの耐用年数

　ちゅう房設備に設置したガス安全監視オートシステムの耐用年数は何年になりますか。
　ガス安全監視オートシステムは、センサーがガス漏れ等の異常を感知すると警報ブザーが鳴り、ガス遮断装置（ブレーカー）が作動してガスの供給をストップするという機能を有しています。

答　このガス安全監視オートシステムの主たる機能はガス遮断装置（ブレーカー）によりガスを遮断することです。機能からみても器具及び備品とは認められません。
　その使用目的及び設置状況等からみて、「建物附属設備」の「消火、排煙又は災害報知設備～」に類似していると認められます。
　したがって、別表第一の「建物附属設備」の「消火、排煙又は災害報知設備～」の「8年」を適用します。

事例 14　自動書類搬送システムの耐用年数

　事務室内での書類の搬送や病院内での検体の搬送等を特製のコンテナを使用して自動的に行う自動書類搬送システムを設置しました。
　①建物の床や天井にボルトで固定されたアルミ製のレールと、②物品積込用のボックスが付いているコンテナから構成されています。
　そして、コンテナの行先表示メモリーを目標に合わせ、発進ボタンを押すとレールに沿って走行し、目的地点に自動停止します。
　この設備の耐用年数は何年になるでしょうか。

答　アルミ製レールは、ボルトで建物に固定されており、建物全体に配置されるところから、建物附属設備と認められ、別表第一の「建物附属設備」の「前掲のもの以外のもの～」の「主として金属製のもの」の「18年」を適用します。

コンテナは、自走能力及び物品を運搬する機能を有しており、かつ、レールから独立していることから、車両及び運搬具と認められ、別表第一の「車両及び運搬具」の「前掲のもの以外のもの」の「その他のもの」の「自走能力を有するもの」の「7年」を適用します。

事例 15　屋外に設置されたフロハウスの耐用年数

　屋外の運動場に、いわゆるフロハウスを設置しましたが、この浴槽部分については、耐用年数はどうなりますか。

答　屋外に設置するいわゆるフロハウスの浴槽部分については、別表第一の「建物附属設備」の「給排水又は衛生設備及びガス設備」の「15年」を適用します。

ハ.　昇 降 機 設 備

事例 16　2階建の建物に敷設するエレベーターの耐用年数

　2階建の建物の階段部分に隣接した外付けのエレベーターに適用する耐用年数は何年になりますか。

　なお、設置するエレベーターは、ピットレスエレベーター（スクリュー式エレベーター）で従来のロープ式エレベーターと比較して簡易な造りで、ユニット組み立てが可能になっているものです。

答　通常の「店舗用建物」に設置するエレベーターであれば、これはその建物に固着されたものであり、その建物の使用価値を高めるものであることから「建物附属設備」になります。
　また、本件の「スクリュー式エレベーター」が従来の「ロープ式エレベーター」に比較して、簡易な造りのものであったとしても、別表第一

の「建物附属設備」に掲げられている「昇降機設備」の「エレベーター」については、その構造が「ロープ式」であるか又は「スクリュー式」であるかによって区別されていません。したがって、本件の店舗用建物に設置するエレベーターについては、別表第一の「建物附属設備」の「昇降機設備」の「エレベーター」の「17年」を適用します。

ニ．電気設備及び冷房、暖房、通風又はボイラー設備

事例 17　シャンデリアの耐用年数

ロビーに設置したガラス製のシャンデリアの耐用年数は、何年でしょうか。

答　シャンデリアが本来の使用目的である照明の用に実際に供されているときは、別表第一の「建物附属設備」の「電気設備（照明設備を含む。）」の「その他のもの」の「15年」を適用します。

事例 18　冷房設備の耐用年数

建物に設置した冷房設備は、出力が8キロワットの冷凍機3台をクーリングタワーで接続したので、合計出力が24キロワットになっています。耐用年数表によると、「冷暖房設備（冷凍機の出力が22キロワット以下のもの）」として13年の耐用年数が定められていますが、この冷房設備に適用する耐用年数は何年になるでしょうか。

答　別表第一の「建物附属設備」の「冷暖房設備」に定める「冷凍機の出力」とは、冷凍機に直結する電動機の出力をいうこととされています。
　ところで、この冷凍機の出力が22キロワット以下であるかどうかは、

個々の冷凍機の出力によって判定することになり、本件の個々の冷凍機の出力は8キロワットですから、冷凍機の出力が22キロワット以下のものに該当します。したがって、別表第一の「建物附属設備」の「冷房～設備」の「冷暖房設備（冷凍機の出力が22キロワット以下のもの）」の「13年」を適用します。

ホ．消火、排煙又は災害報知設備及び格納式避難設備

別表第一の「建物附属設備」に掲げる「格納式避難設備」とは、火災、地震等の緊急時に機械により作動して避難階段又は避難通路となるもので、所定の場所にその避難階段又は避難通路となるべき部分を収納しているものをいいます（耐通2－2－4の2）。

(注)　折たたみ式縄ばしご、救助袋のようなものは、器具及び備品に該当します。

また、建物と建物をつなぐ空中の渡り廊下は、建物に該当します。

事例 19　金庫に施設した盗難防止のスイッチロックの耐用年数

盗難防止のために金庫にスイッチロックを施設しました。

これは、金庫と守衛室間を連絡するもので、金庫に異常があると守衛室のベルが鳴って、その異常を知らせる装置です。

答　スイッチロックについては、「建物附属設備」として「～災害報知設備～」の「8年」を適用します。

事例 20　消火栓の耐用年数

賃貸マンションを建設し、建物の消火のための消火栓を屋外に設置しましたが、耐用年数は何年でしょうか。

答 この消火栓は、その建物の消火のために設置されたもので建物と効用を一にするものですから、屋外に設置されたものであっても「建物附属設備」となります。したがって、別表第一の「建物附属設備」の「消火、排煙又は災害報知設備〜」の「8年」を適用します。

ヘ．店用簡易設備及び可動間仕切り

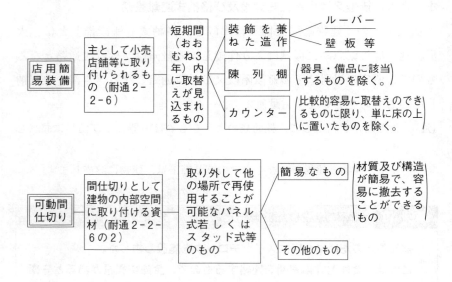

　間仕切りとは、本来建物について行った造作であって、建物そのものに含めて耐用年数を適用すべきものです。例えば、ビル等の建築に当たって間仕切りをしたような場合がこれに該当します（耐通1－2－3）。

　一方、「建物附属設備」に該当する「可動間仕切り」とは、①臨時的に使用するもの、②反復して撤去、設置を繰り返すもの、③既にある間仕切り等を更に区切るものをいいます（耐通2－2－6の2）。

　ところで、「可動間仕切り」の耐用年数は「簡易なもの」と「その他のもの」に区分して定められていますが、ここで「簡易なもの」とは、

可動間仕切りのうち、その材質及び構造が簡易で、容易に撤去することができるものをいいます。この材質が簡易なものとしては、例えばベニヤ板が考えられます。

> **事例 21　可動間仕切りの耐用年数**
>
> 　事務室のレイアウトを調整するために設置したスチール製の間仕切りの耐用年数は何年になりますか。
> 　これは、ボルトで床に固定しており、事務室のレイアウトを変更する度に、撤去、設置を繰り返して使用しています。
>
> **答**　この可動間仕切りは、撤去設置を繰り返して使用しているため、「建物附属設備」に該当します。また、材質はスチール製のパネルであり、それを床にボルトで締めて固定しているので、「簡易なもの」には該当しません。
> 　したがって、別表第一の「建物附属設備」の「可動間仕切り」の「その他のもの」の「15年」を適用します。

ト．「前掲のもの以外のもの」の例示

別表第一の「建物附属設備」の「前掲のもの以外のもの」には、例えば、次のようなものが含まれます（耐通2－2－7）。

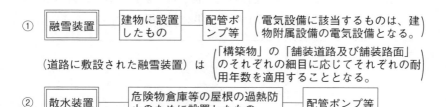

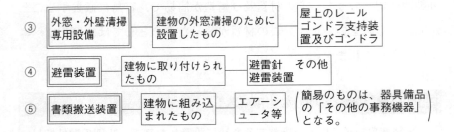

事例 22　高層ビルの中央監視システムの耐用年数

中央監視システムは、受変電設備、空調設備、エレベーター等の制御、災害発生の報知等の維持、管理、保安等をコンピュータ及びその周辺機器により総合的にコントロールする設備です。この設備に適用する耐用年数は何年でしょうか。

答　中央監視システムは、別表第一の「建物附属設備」に特掲されている「電気設備」、「給排水又は衛生設備及びガス設備」、「冷房、暖房、通風又はボイラー設備」、「昇降機設備」、「消火、排煙又は災害報知設備等」を一括してコンピュータにより操作及び制御し、これらの設備に異常が発生した場合には、その情報をディスプレイに表示するなど、建物の維持管理を迅速かつ総合的に行うシステムで、建物附属設備として特掲されている各種設備に配線により連結されていますが、これらの設備とは機能的に独立した一つの建物附属設備を構成するものといえます。

したがって、別表第一の「建物附属設備」の「前掲のもの以外のもの～」の「主として金属製のもの」の「18年」を適用します。

3 構築物関係

(1) 耐用年数表の構成

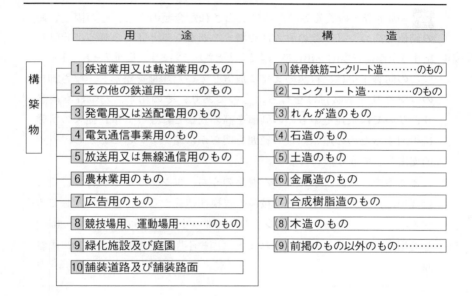

　構築物とは、ドック、橋、岸壁、桟橋、軌道、貯水池、坑道、煙突その他土地に定着する土木設備又は工作物をいうものとされています（令13二）。

　構築物については、まず、その用途により耐用年数を判定し、用途別の耐用年数が定められていないものについては、構造により適用すべき耐用年数を判定します（耐通1－3－1）。

事例 23　崖崩れの防護工事費用の耐用年数

工場敷地の崖が公道に崩れ落ちるようになったため、その崖地の防護工事を行いました。その工事は、法面整形後鉄筋を入れ厚さ20cmのコンクリート吹付けを施したものです。耐用年数は何年になりますか。

答　固定資産の改修等のために支出された金額のうち、その固定資産の価値を高め、又はその耐久性を増すこととなると認められる部分に対応する金額は資本的支出に該当することとされています（基通7－8－1）。

この防護工事は、自然のままで放置していた崖地を整形し、厚さ20cmのコンクリート吹付けを行ったものであり、その結果、安全性も高まり、ひいては敷地そのものの価値を高めたことになり、単に従来の状態に復旧するための原状回復の範囲を明らかに超えていることから、資本的支出として取り扱われます。

ところで、防護工事に要した費用のうち、コンクリート吹付けに要した費用は、そのコンクリート被膜の規模構造等からみて構築物としての別表第一の「構築物」の「コンクリート造～」の「～防壁～」の「30年」を適用するのが相当と認められます（国税不服審判所昭59.11.30裁決参照）。

（2）耐用年数の確認届出

構築物（「器具及び備品」についても同じです。）で、その細目が特掲されていない資産については、「前掲のもの以外のもの」又は「その他のもの」の耐用年数を適用することとなりますが、その資産の実態によっては、その「前掲のもの以外のもの」又は「その他のもの」としての耐用年数を適用することが、実情にそぐわないことも想定されます。

このような場合、法令の規定においては、国税局長に対し耐用年数の短縮承認を求め、その承認を受けた日の属する事業年度から短縮された

耐用年数によることとするのが原則となります。ただし、別表第一に特掲されているもののうちに、その構築物と「構造又は用途」及び使用状況が類似しているものがあるときは、他の取扱いで特に定めているものを除き、アグリーメント方式により、税務署長（調査課所管法人にあっては、国税局長）の確認を受けて、その特掲されている構築物の耐用年数を適用できることとされています（耐通1－1－9）。

事例24　シーバースの耐用年数

シーバースとは沖合に設置された荷役用の金属製の係留施設で、陸岸との間を連結したものです。耐用年数は何年ですか。

答　別表第一の「構築物」の「金属造のもの」の「その他のもの」の「45年」を適用します。
　ただし、耐通1－1－9により、税務署長（調査課所管法人にあっては国税局長）の確認を受けて別表第一の「構築物」の「金属造のもの」の「～鋼矢板岸壁」の「25年」を適用することもできます。

事例25　金属製の交通標識の耐用年数

工場内に金属製の交通標識を設置しました。耐用年数は何年でしょうか。

答　交通標識は、別表第一の「構築物」の「金属造のもの」に特掲されていませんので、「その他のもの」の「45年」を適用することになります。
　ただし、交通標識は、その損耗状況等からガードレールに類似しているものと認められるため、税務署長（調査課所管法人の場合は、国税局長）の確認を受けることにより、別表第一の「構築物」の「金属造のも

の」の「〜街路灯及びガードレール」の「10年」を適用することができます（耐通1－1－9）。

（3）耐用年数の適用事例

イ．「構築物」と「機械及び装置」との区分

　一般的に生産工程の一部としての機能を有するものは、構築物に該当せず機械及び装置に該当します（耐通1－3－2）。

　例えば、次に掲げるようなものは機械及び装置とされます。
① 生産工程の中にあって、醸成、焼成等の用に直接使用される貯蔵そう、仕込みそう、窯等
② ガス貯そう、薬品貯そう又は水そう及び油そうのうち、製造工程中にある中間受そう及びこれに準ずる貯そうで、容量、規模等からみて機械及び装置の一部であると認められるもの
③ 工業薬品、ガス、水又は油の配管施設のうち、製造工程に属するもの
（注）　反応塔又は蒸溜塔の内部のパイプ、第1反応塔から第2反応塔へ原材料を送る連結パイプ、最終工程により製品化された生産物を製品貯蔵タンクへ送るためのパイプは、機械及び装置に該当し、製品又は半製品を搬出するためのパイプ、原油をタンカーから石油精製工場内の貯蔵タンク又は備蓄タンクまで送るためのパイプは、構築物に該当します。

事例 26　構築物と機械及び装置の区分

　みそ及びしょう油の製造工程の中に、コンクリート製の「仕込みそう」を有していますが、この仕込みそうは構築物としての耐用年数を適用することになりますか。

答 コンクリート製のそうは、一般的には構築物と考えられます。

ただし、本件のコンクリート製仕込みそうは、みその製造のための主要工程である「仕込み」の段階で使用されており、製造工程の一部としての機能を有しているものであるため、構築物に該当せず、機械及び装置に該当します（耐通1－3－2）。

したがって、このコンクリート製仕込みそうは、別表第二の「機械及び装置」の「1　食料品製造業用設備」の「10年」が適用します。

【みその製造工程】

```
種こうじ ──────────〔種付〕──〔種こうじ〕
                                            ↓
精　米 →〔洗浄〕→〔没せき〕→〔蒸し〕→〔放冷〕→ 米こうじ →〔天然熟成〕
                                              ↓          ↑
食　塩 ┈┈┈┈┈┈┈┈┈┈┈┈┈┈┈┈┈→ 塩切こうじ →〔仕込混合〕→〔みそこうじ〕→ 製品
                                              ↑          ↓
種　水 ─────────────────────→           〔加温速醸〕
                                              ↑
大　豆 →〔精選・洗浄〕→〔没せき〕→〔蒸し〕→〔崩壊〕→〔放冷〕→ 蒸し大豆
```

ロ．構築物の附属装置

構築物の附属装置については、建物と建物附属設備との区分のような明確な区分がされていないので、原則としてその構築物と一体となってその構築物の耐用年数により償却することとなりますが、法人が継続して機械及び装置としての耐用年数を適用している場合には、これを認めることとされています（耐通1－3－3）。

> **事例 27** 遊園地に設置された自動改札装置の耐用年数
>
> 　遊園地の入り口に自動改札装置を設置しました。耐用年数は何年ですか。
>
> **答**　自動改札装置は、別表第二の「38　鉄道業用設備」の細目欄に「自動改札装置」として特掲されています。
> 　遊園地等に設置されている自動改札装置は、その規模、構造及び使用の状況は鉄道用のものと類似していますので、機械及び装置に該当し、法人が継続して構築物から分離して機械及び装置の耐用年数を適用することができます。
> 　しかし、この自動改札装置は、遊園地に設置されていることから「鉄道業用設備」には該当せず、別表第二の「51　娯楽業用設備」の「遊園地用設備」の「7年」を適用します。

ハ．競技場用、運動場用、遊園地用又は学校用のもの

① 　ゴルフ練習場における鉄柱及びネットは、別表第一の「構築物」の「競技場用、運動場用、遊園地用又は学校用のもの」の「ネット設備」の「15年」を適用します。

② 　屋外テニス場に設置したコンクリートで固めた鉄柱及び照明機器は、別表第一の「構築物」の「競技場用、運動場用、遊園地用又は学校用のもの」の「その他のもの」の「その他のもの」の「その他のもの」の「30年」を適用します。また、テニスコートの周囲に張ったフェンスについても、同様に「30年」を適用します。

> **事例 28** ゴルフ練習場の打席用建造物の耐用年数
>
> 　ゴルフ練習場で使用する打席用建造物の耐用年数は何年でしょうか。この建造物は、支柱は鉄パイプ、ビニール波板を天井に張った簡易なも

のです。

答 ゴルフ練習場の打席用建造物は、いわゆる建物には属さず、別表第一の「構築物」に該当します。

　ゴルフ練習場の打席用建造物は、ゴルフ練習場内において使用されることから、耐通1－3－1により別表第一の「構築物」の「競技場用、運動場用、遊園地用又は学校用のもの」に該当し、ゴルフ練習場の打席用建造物は特掲されていないので「その他のもの」となり、児童用のものではないので「その他のもの」となり、構造が金属製であるため「その他のもの」を適用することになります。

　したがって、耐用年数は「30年」となります。

事例29　ゴルフ場の暗きょ排水施設の耐用年数

　ゴルフ場に設置された暗きょ排水施設の耐用年数は何年でしょうか。

答　ゴルフ場に設置された暗きょ排水施設は、別表第一の「構築物」に該当します。

　ゴルフ場の暗きょ排水施設は、ゴルフ場内において使用されることから、耐通1－3－1により別表第一の「構築物」の「競技場用、運動場用、遊園地用又は学校用のもの」に該当し、「～ゴルフコースその他のスポーツ場の排水その他の土工施設」の「30年」を適用します。

事例30　バッティングセンターのネット設備の耐用年数

　バッティングセンターに設置されたネット設備（土地に固着しています。）の耐用年数は何年でしょうか。

答　バッティングセンターに設置されたネット設備は、その基礎、鉄

柱等も含めて一括して別表第一の「構築物」に該当します。

　バッティングセンターのネット設備は、バッティングセンターにおいて使用されることから、耐通1－3－1により別表第一の「構築物」の「競技場用、運動場用、遊園地用又は学校用のもの」に該当し、「ネット設備」の「15年」を適用します。

二．緑化施設及び庭園

　別表第一の「構築物」に掲げられている緑化施設とは、植栽された樹木、芝生等が一体となって緑化の用に供されている場合のその植栽された樹木や芝生等をいい、並木、生垣等はもとより、緑化の用に供する散水用配管、排水溝等の土工施設も含まれます（耐通2－3－8の2）。

　ただし、ゴルフ場、運動競技場の芝生等のように緑化以外の本来の機能を果たすために植栽されたものは、含まれません（耐通2－3－8の2）。

　ところで、緑化施設が工場緑化施設に該当するかどうかは、一つの構内と認められる区域ごとに判定するものとし、その区域内に施設される建物等が主として工場用のものである場合には、その区域内の緑化施設は工場緑化施設に該当することとされています（耐通2－3－8の3）。

　この場合、工場用の建物には工場構内にある守衛所、自転車置場、更衣所、作業場等も含まれます（耐通2－3－8の4、2－1－10）。

① 　運動競技場の周囲の植樹は、緑化施設に該当します（耐通2－3－8の2）。
② 　工場構内に福利厚生施設等として果樹園を設けた場合の当該果樹園は、緑化施設に含まれません。別表第四により、例えば、なし樹については「26年」の耐用年数となります。

事例 31　工場の駐車場の周囲の緑化施設の耐用年数

　工場の敷地内の駐車場の周囲に植樹を行った場合の耐用年数は何年ですか。

答　この施設は、「工場緑化施設」に該当しますので、別表第一の「構築物」の「緑化施設及び庭園」の「工場緑化施設」の「7年」を適用します。

ホ．舗装道路及び舗装路面

① 舗装道路は、通常、表面の舗装部分の下に路盤があり、その下に路床があります。この路盤部分についても舗装道路に含めて償却しているときはこれを認めることとされています（耐通2－3－10）。

② 砂利道又は砂利路面については、別表第一の「構築物」の「舗装道路及び舗装路面」の「〜石敷のもの」の「15年」を適用します（耐通2－3－13）。

　また、砂利、砕石等の補充費用は修繕費に該当することとされています（基通7－8－2(5)）。

事例 32　砕石とアスファルト乳剤を混合した材料で舗装した舗装道路の耐用年数

　基礎（砕石）の上に直接砕石とアスファルト乳剤を混合した材料で舗装した舗装道路の耐用年数は何年になりますか。

答　別表第一の「構築物」の「舗装道路及び舗装路面」の「アスファルト敷〜のもの」の「10年」を適用します。

ヘ．金属造のもの

① 「打込み井戸」とは、ポンプの吸込管を直接地中に打ち込む井戸をいい、垂直に掘削した円孔に鉄管等の井戸側を装置したさく井とは異なるのですが耐用年数の適用上は、さく井も打込み井戸に含めるものとしています（耐通2－3－22）。

　しかし、相当の口径をもって地下を掘削し、その自由水面地下水を採水するいわゆる掘り井戸は、その井戸側の構造に応じ別表第一の構築物（ポンプ類は機械及び装置に該当します。）について定められている耐用年数を適用します（耐通2－3－22（注））。

② 　温泉を湧出させるためのボーリング費用及びケーシングパイプ等は、「金属造のもの」の「打込み井戸」に準じてその耐用年数「10年」を適用することとされています。

　なお、温泉のくみあげ、送湯のためのポンプ及び配電設備については、ホテル、旅館用のものであれば、別表第二「47　宿泊業用設備」の「10年」を、その他の用のものである場合には、別表第二「55　前掲の機械及び装置以外のもの並びに前掲の区分によらないもの」の「その他の設備」の「主として金属製のもの」の「17年」を適用します。

③ 　観光用の鉄塔（鉄塔に展望台等を施設しているもの）は、「構築物」の「金属造のもの」の「その他のもの」の「45年」を適用します。

事例 33　ガレージの耐用年数

　主要構造の鋼材は、VC形鋼で肉厚が4mmであり、屋根以外は吹き抜け構造となっているガレージの耐用年数は何年ですか。

　答　このガレージは、屋根以外は吹き抜け構造であり、外界と隔絶し

た構造物とは認められませんので、「建物」には該当せず、土地に定着する土木設備又は工作物としての「構築物」に該当します。

　このガレージは、「構築物」に該当しますが、用途が特掲されていませんので、構造により判断すると（耐通1−3−1）、主要構造の鋼材がVC形鋼で肉厚4㎜とのことですので、「金属造のもの」の「その他のもの」の「45年」を適用します。

事例 34　自走式立体駐車場設備の耐用年数

　屋根や外壁がなく、柱が鉄骨造りで床は鋼板を敷いた2階建の屋外露天式の自走式立体駐車場設備の耐用年数は何年ですか。

答　自走式立体駐車場設備は、通常、鉄骨製の主材部分、床（パネルフレーム）部分、スロープ部分及び基礎部分等から構成されており、車が自走して駐車位置に移動し、上層部分へはスロープを利用して移動するものであることから「構築物」に該当します。

　したがって、これに適用すべき耐用年数は、別表第一の「構築物」の「金属造のもの」の「露天式立体駐車設備」の「15年」となります。

ト．合成樹脂造のもの

事例 35　人工芝の耐用年数

　従業員寮の今まで細密アスファルトコンクリート舗装されていた敷地に、ターフ（芝生状の起毛）部分とそのアンダーパット部分からなる人工芝を敷きました。耐用年数は何年ですか。

答　表層部分（ターフ及びアンダーパット部分）については、別表第一の「構築物」の「合成樹脂造のもの」の「10年」を適用します。

4 船舶関係

(1) 耐用年数表の構成

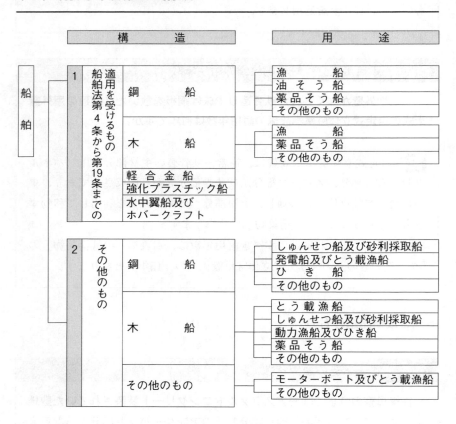

　船舶の耐用年数は、船舶法（明治32年法律第46号）第4条から第19条までの適用を受ける船舶と、これらの規定の適用を受けない船舶とに大別され、さらに前者については、鋼船、木船、軽合金船、強化プラスチック船、水中翼船及びホバークラフトごとに、後者については、鋼

船、木船、その他のものに区分されて定められています。また、船舶法第4条から第19条までの適用を受ける鋼船については、その用途により漁船、油そう船、薬品そう船、その他のものごとに、かつ、船舶の大きさにより区分されていますが、船舶法第4条から第19条までの適用を受ける木船については、漁船、薬品そう船、その他のものごとに区分されています。

なお、船舶法第4条から第19条までの適用を受けない船舶（注）については、鋼船、木船、その他のものごとに、かつ、用途等別に定められています。

(注)　総トン数20トン未満の船舶については、船舶法第4条から第19条までの規定は適用されません（船舶法20）。

（2）耐用年数の適用事例

イ．船舶に搭載する機器

船舶に搭載する機器等に適用する耐用年数は、次のように取り扱われます（耐通2－4－1）。

① 船舶安全法（昭和8年法律第11号）及びその関係法規により施設することを規定されている電信機器、救命ボートその他の法定備品については船舶と一括してその耐用年数を適用されます。

② ①以外の工具、器具及び備品並びに機械及び装置で船舶に常時搭載するものについても船舶と一括してその耐用年数を適用すべきですが、法人が、これらの資産を船舶と区分して別表第一又は別表第二に定める耐用年数を適用しているときは、それが特に不合理と認められる場合を除き、これが認められます。

事例 36　船舶に搭載する GPS の耐用年数

　船舶の法定備品の要件を満たすために、人工衛星を利用して自分が地球上のどこにいるのかを正確に割り出す GPS（全地球測位システム）を船舶に取り付けました。耐用年数はどうなりますか。

答　船舶安全法（昭和 8 年法律第11号）及びその関係法規により施設することを規定されている電信機器、救命ボートその他の法定備品については船舶と一括してその耐用年数を適用することになります（耐通 2 − 4 − 1 ）。

ロ．各種船舶の耐用年数

事例 37　海洋無人探査機の耐用年数

　採介藻（さんご）の漁業を行うため、軽合金製の海洋無人探査機を取得しました。この耐用年数は、何年でしょうか。

答　この海洋無人探査機については、国土交通省海事局では「船舶」であるとしています。また、船舶法第 4 条から第19条までの規定の適用はありませんが、漁船法により登録（動力漁船登録）が必要になっています。

　したがって、海洋無人探査機は、軽合金製であるため「鋼船」及び「木船」には該当しませんので、別表第一の「船舶」の「その他のもの」の「その他のもの」の「その他のもの」の「 5 年」を適用することになります。

事例 38　焼玉機関船舶（通称チャッカ船）の耐用年数

　海底しゅんせつにより採取する土砂で公有水面を埋め立てる工事の監督に使用するチャッカ船に適用する耐用年数は何年でしょうか。チャッカ船はしゅんせつ船と一体となってしゅんせつ工事に使用されるものです。なお、そのチャッカ船は木船で、船舶法の適用を受けません。

答　船舶に適用する耐用年数は、船舶法第4条から第19条までの適用を受ける船舶と、これらの規定の適用を受けない船舶とに区分し、さらに主要骨格の材質によって「鋼船」、「木船」及び「その他のもの」に区分し、それぞれの用途に応じ別表第一「船舶」の「構造又は用途」又は「細目」に掲げられた耐用年数を適用します。

　特掲されていない場合には、その細目欄の「その他のもの」の耐用年数を適用することとなります。

　したがって、チャッカ船はしゅんせつ船ではありませんから、しゅんせつ船の耐用年数は適用されず、別表第一「船舶」の「その他のもの」の「木船」の「その他のもの」の「8年」を適用します。

5 航空機関係

（1）耐用年数表の構成

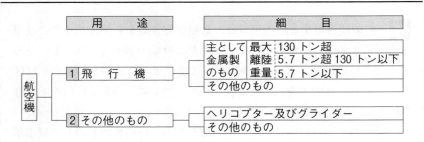

　航空機の耐用年数は、「飛行機」と「その他のもの」に区分され、さらに、前者については「主として金属製のもの」と「その他のもの」に、後者については「ヘリコプター及びグライダー」と「その他のもの」に区分されて定められています。また、主として金属製の飛行機は最大離陸重量により区分されて定められています。

　平成27年12月10日に平成27年9月に改正された航空法が施行され、無人航空機も航空機に含めることとされました。

　航空機とは、人が乗って航空の用に供することができる飛行機、回転翼航空機（ヘリコプター）、滑空機（グライダー）及び飛行船その他政令で定める機器をいいます（航空法2①）。

　航空法第2条第22項に「無人航空機」とは、航空の用に供することができる飛行機、回転翼航空機、滑空機、飛行船その他であって構造上人が乗ることができないもののうち、遠隔操作又は自動操縦により飛行させることができるもの（その重量その他の事由を勘案してその飛行により航空機の航行の安全並びに地上及び水上の人及び物件の安全が損なわれるお

それがないものとして国土交通省令で定めるものを除く。）とされました。なお、重量（機体本体の重量とバッテリーの重量の合計）200グラム未満のものについては、「無人航空機」には該当しません（航空法規則5の2）。
(注)　「最大離陸重量」とは、飛行機が製造されるときあらかじめ設定されている条件で、当該飛行機の構造に応じて飛行機が離陸するときに許容される最大重量（自重と搭載重量との合計重量）をいいます。

（2）耐用年数の適用事例

事例 39　広告宣伝用の無人飛行船の耐用年数

　船体に広告のための商品名を掲示した飛行船を改造してリモートコントロールで都市の空の上を飛ばして広告宣伝を行っています。
　このように広告宣伝用に使用する無人飛行船の耐用年数は何年になりますか。

答　「飛行船」は、航空法上の「航空機」には該当しますが、「飛行機」には該当しません。
　したがって、別表第一の「航空機」の「その他のもの」の「その他のもの」の「5年」を適用することになります。
　なお、地上からのリモートコントロールで運転される飛行船は、航空法上の「無人航空機」に該当します。さらに、改造等をして人が乗れる状態にあるものは、航空法第2条第1項の「航空機」に該当します。

事例 40　農業用無人ヘリコプターの耐用年数

　病害虫防除用の薬剤散布又は播種用等に使用する農業用の無人ヘリコ

プター（全備重量：90kg（機体＋散布装置＋燃料＋薬剤）、エンジン240cc、燃料：ガソリン）の耐用年数は何年でしょうか。

答 無人ヘリコプターは、航空法上の「無人航空機」に該当します（航空法2㉒）。したがって、別表第一の「航空機」の「その他のもの」の「ヘリコプター及びグライダー」の「5年」を適用することになります。
（注） 航空法は、平成27年9月の改正により、無人航空機も航空機に含めることとなりました。

改正前は、航空機に該当しない、この農業用の無人ヘリコプターは手作業では困難な種まきや肥料・農薬散布などの際に使用されるものですから、農業用の減価償却資産に該当すると考えられており、別表第二「25　農業用設備」の「7年」を適用することとされていました。

なお、耐通2－5－5にあるように、特殊自動車であっても、機械及び装置に該当する場合があり、今後、航空機であっても、機械及び装置に該当する旨の取扱いが示される可能性もあります。

事例 41　ドローンの耐用年数

当社は、物資の輸送のため、回転翼が6枚装備された幅1メートル数十センチ程度の回転翼機（マルチコプター）で、最大積載量30kgのドローンを購入しました。
このドローンの耐用年数は何年になるでしょうか。

答 ドローンとは、無人で遠隔操作や自動制御によって飛行できる航空機の総称とします。

ドローンと呼ばれる機器には、さまざまな用途、大きさ、形状の無人航空機が含まれます。

このドローンは航空法の適用を受け、航空法の無人航空機に該当します（航空法2㉒）から、その耐用年数は別表第一の「航空機」の「その

他のもの」の「ヘリコプター及びグライダー」の「5年」となります。

車両及び運搬具関係

（１）耐用年数表の構成

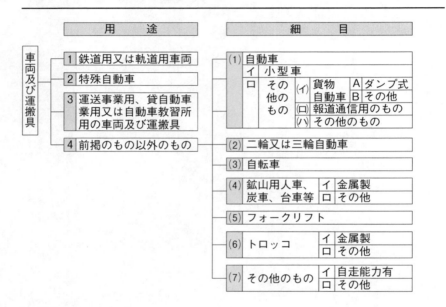

（２）小型車、普通車及び大型車の総排気量による区分

① 例えば、運送事業用のディーゼルエンジン車の一部のように、総排気量は２リットルを超えているが、自動車の登録上は小型車とされているもの（貨物自動車に該当するもので、積載量が２トン以下のものを除きます。）は別表第一の「小型車（～その他のものにあっては総排気量が２リットル以下のものをいう。）」に該当しません。

② 総排気量とは、ピストンの一往復運動、すなわち一行程（ストロー

ク）によって排出される全容積です。

(注)　総排気量(cc) ＝ シリンダ1個の断面積(cm²) × ストローク(cm) × シリンダ数

③　ロータリーエンジン車については、総排気量の定義が明確でないので、車体の規格（長さ、幅）により小型車かどうかを判定しています。

（3）貨物自動車と乗用自動車との区分

　貨客兼用の自動車いわゆるライトバンは、貨物用にも乗用にも用いられるので、耐通1－1－1によりその用途を判定することになりますが、その判定が困難なことが予想されることから、自動車登録番号の分類番号により判定することとされています（耐通2－5－8）。

　登録番号を例示すると次の＜参考＞のとおりです。

＜参考＞　自動車登録規則

別表第二

自動車の範囲	分類番号
1　貨物の運送の用に供する普通自動車	1、10から19まで、100から199まで、10Aから19Zまで、1A0から1Z9まで及び1AAから1ZZまで
2　人の運送の用に供する乗車定員11人以上の普通自動車	2、20から29まで、200から299まで、20Aから29Zまで、2A0から2Z9まで及び2AAから2ZZまで
3　人の運送の用に供する乗車定員10人以下の普通自動車	3、30から39まで、300から399まで、30Aから39Zまで、3A0から3Z9まで及び3AAから3ZZまで

4	貨物の運送の用に供する小型自動車	4、6、40から49まで、60から69まで、400から499まで、600から699まで、40Aから49Zまで、60Aから69Zまで、4A0から4Z9まで、6A0から6Z9まで、4AAから4ZZまで及び6AAから6ZZまで
5	人の運送の用に供する小型自動車	5、7、50から59まで、70から79まで、500から599まで、700から799まで、50Aから59Zまで、70Aから79Zまで、5A0から5Z9まで、7A0から7Z9まで、5AAから5ZZまで及び7AAから7ZZまで
6	散水自動車、広告宣伝用自動車、霊きゅう自動車その他特種の用途に供する普通自動車及び小型自動車	8、80から89まで、800から899まで、80Aから89Zまで、8A0から8Z9まで及び8AAから8ZZまで
7	大型特殊自動車（次号に規定するものを除く）	9、90から99まで、900から999まで、90Aから99Zまで、9A0から9Z9まで及び9AAから9ZZまで
8	自動車抵当法第2条ただし書に規定する大型特殊自動車	0、00から09まで、000から099まで、00Aから09Zまで、0A0から0Z9まで及び0AAから0ZZまで

別表第三

	自動車の区分	平仮名及びローマ字
1	自動車運送事業の用に供する自動車	あいうえかきくけこを
2	自家用自動車（次号及び第4号に規定するものを除く。）	さすせそたちつてとなにぬねのはひふほまみむめもやゆらりるろ
3	道路運送法施行規則（昭和26年運輸省令第75号）第52条の規定により受けた許可に係る自家用自動車	れわ
4	日本国籍を有しない者が所有する自家用自動車で、法令の規定により関税又は消費税が免除されているもの及び別に国土交通大臣が指定するもの	EHKMTYよ

(4)「車両及び運搬具」と別表第二「機械及び装置」の区分

　トラッククレーン、ブルドーザー等の建設用車両は、主として作業現場で作業を行うもので、人又は物を搭載して目的地まで移送するためのものではないので、車両及び運搬具に該当せず機械及び装置に該当します（耐通2－5－5）。

事例42　車両と自走式作業用機械設備の区分

　別表第一の「車両及び運搬具」と別表第二の「55　前掲の機械及び装置以外のもの並びに前掲の区分によらないもの」の「ブルドーザー、パワーショベルその他の自走式作業用機械設備」との適用区分は、どのようになりますか。

答

区分＼項目	別表第一「車両及び運搬具」	別表第二「55　前掲の機械及び装置以外のもの並びに前掲の区分によらないもの」の「ブルドーザー、パワーショベルその他の自走式作業用機械設備」
意義	自走能力の有無を問わず、人又は物の運搬を主目的とするもの	作業現場において、掘削、積込み、てん圧等の作業を行う機械で、自らの動力により移動することのできるもの
例示	電車、乗用車、貨物自動車、フォークリフト及び自転車等自走式作業用機械設備	ブルドーザー、パワーショベル、くい打機、ロードローラー、アースドリル、積込機、コンクリートフィニッシャー等

　機械装置が別表第二のいずれに該当するのかは、原則として、設備の

使用状況等からいずれの業種用の設備として通常使用しているかで判定することとされています（耐通1－4－2）。そこで、別表第二の「26　林業用設備」は「5年」、「30　総合工事業用設備」は「6年」、「41　運輸に附帯するサービス業用設備」は「10年」等を適用することになります。

事例 43　万能掘削機の耐用年数

アタッチメントを取り替えることにより、掘削、溝掘り、平面削土、土砂の運搬、積込み、クレーン等の各種作業をすることができる万能掘削機に適用すべき耐用年数は、「車両及び運搬具」、「機械及び装置」のいずれでしょうか。

答　一つの減価償却資産が2以上の用途に共通して使用されているときは、主たる用途によってその適用すべき耐用年数を判定することとされています。

ところで、この万能掘削機は、アタッチメントを取り替えることにより、掘削、溝掘り、平面削土等の作業をすることができるほか、土砂の運搬もできるとのことです。

したがって、主として掘削、構掘り、平面削土等の作業の用に供するものであれば、別表第二の「機械及び装置」に該当し、区分55番に該当する事業で使用している場合には「55　前掲の機械及び装置以外のもの並びに前掲の区分によらないもの」の「ブルドーザー、パワーショベルその他の自走式作業用機械設備」の「8年」を適用し、主として運搬の用に供するものであれば、別表第一の「車両及び運搬具」の「特殊自動車」の「タンク車～その他特殊車体を架装したもの」の「3年」又は「4年」、あるいは、「前掲のもの以外のもの」の「自動車」の「その他のもの」の「貨物自動車」の「4年」又は「5年」を適用することになります。

なお、機械装置が別表第二のいずれかに該当するのかは、原則として、設備の使用状況等からいずれの業種用の設備として通常使用しているかで判定することとされています（耐通1−4−2）。そこで、別表第二の「26　林業用設備」は「5年」、「30　総合工事業用設備」は「6年」、「41　運輸に附帯するサービス業用設備」は「10年」等を適用することになります。

(5) 耐用年数の適用事例

イ．車両に搭載する機器

車両に常時搭載する機器（例えば、ラジオ、メーター、無線通信機器、クーラー、工具、スペアータイヤ等をいいます。）については、その車両と一括してその耐用年数を適用します（耐通2−5−1）。

なお、公害防止条例の排気ガス規制により装着が義務づけられることとなるディーゼル微粒子除去フィルターについても、その車両と一括してその耐用年数を適用します（ただし、既に所有している車両に装着する場合は、修繕費として処理することができます。）。

事例 44　タクシー無線機器の耐用年数

タクシー搭載用無線機器に適用する耐用年数は何年になるでしょうか。

答　車両に常時搭載する機器（例えば、ラジオ、メーター、無線通信機器、クーラー、工具、スペアータイヤ等）については、車両と一括してその耐用年数を適用することとされています（耐通2−5−1）。

したがって、タクシー搭載用無線機器については、その搭載する車両の耐用年数が適用されます。

事例 45　カーナビゲーションの耐用年数

　中古車を下取りに出し、新車に中古車に搭載していたカーナビゲーションを付け替えましたが、耐用年数はどうなるのでしょうか。

答　カーナビゲーションは、通常、自動車用ラジオやクーラー等と同様に自動車に常時塔載するものですので、自動車と一括してその自動車の耐用年数を適用するのが相当と思われます（耐通2－5－1）。

　したがって、新車に買い換えて中古車から取り外したカーナビゲーションを取り付けた場合には、新車の取得価額は、購入代金にカーナビゲーションの取付費とその未償却残額を加算した金額になります。この場合のカーナビゲーションの耐用年数は、原則どおり新車の耐用年数が適用されます。

ロ．特殊自動車の範囲

　特殊自動車とは、シャーシーに特殊車体を架装したものをいいますから、例えば、通常の自動車に放送宣伝のため、スピーカー等を取り付けて使用する程度のものは、特殊自動車には該当しません。

ハ．運送事業用、貸自動車業用又は自動車教習所用の車両及び運搬具

事例 46　非指定の自動車教習所の教習用車両の耐用年数

　公安委員会の指定を受けていない自動車教習所の所有する教習用の自動車について、別表第一の「車両及び運搬具」の「～自動車教習所用の車両～」の耐用年数を適用することができるのでしょうか。

答　公安委員会は、自動車の運転に関する技能及び知識について教習を行っている施設のうち、一定の基準に適合するものを、その施設を設

置し、又は管理する者の申請に基づき、「指定自動車教習所」として指定することができるものとされています。

この場合、道路交通法第99条第1項に規定する公安委員会の指定を受けていないことから、「前掲のもの以外のもの」の耐用年数を適用すべきとの考えもありますが、別表第一においては、自動車教習所について「公安委員会の指定を受けたものに限る」旨の規定はありません。

したがって、この自動車教習所が教習所としての実態を備えている限り、公安委員会の指定の有無にかかわらず、別表第一の「車両及び運搬具」の「〜自動車教習所用の車両〜」の耐用年数を適用することが認められます。

二．その他の車両及び運搬具

事例 47　自動搬送台車の耐用年数

光学誘導方式による自動搬送台車（小型軽量無人搬送機）の耐用年数は何年でしょうか。

この自動搬送台車は、マイクロプロセッサによる車上制御方式であり、超音波センサー及び光電センサーを内蔵しており、床面に貼付したアルミ箔又はステンレスなどの光反射テープの上を自動的に運行するものです。

答　この自動搬送台車は、その外観、構造、性能及び使用状況等を総合勘案して判定すると、加工、組立等の直接的な付加価値の増加のための生産活動を行うものではなく、原材料、仕掛品、製品等の物の運搬を目的としているものです。したがって、別表第一の「車両及び運搬具」の「前掲のもの以外のもの」の「その他のもの」の「自走能力を有するもの」の「7年」を適用します。

事例 48　オートカートの耐用年数

　ゴルフコース内においてゴルフバッグの運搬に使用する「オートカート」の耐用年数は何年になるのでしょうか。
　この「オートカート」は、エンジン式のものとバッテリー式のものとがありますが、いずれも歩行型のもので、キャディ、プレーヤーの乗車はできません。

答　この「オートカート」は、キャディ、プレーヤーの乗車はできないとのことですので、手押し型の運搬具にエンジン又は電動モーターを搭載することにより自走能力を付加したものと認められ、手押し型のゴルフカートと同様「車両及び運搬具」に該当します。
　この耐用年数は、いずれのカートも別表第一の「車両及び運搬具」の「前掲のもの以外のもの」の「その他のもの」の「自走能力を有するもの」の「7年」を適用します。

事例 49　不整地走行車両の耐用年数

　不整地走行車両の耐用年数は何年でしょうか。
　この車両は、八輪の全輪駆動の不整地走行車両で水陸両用車です。

答　道路運送車両法第2条第2項において「自動車」の定義を「原動機により陸上を移動させることを目的として製作した用具で軌条若しくは架線を用いないもの又はこれにより牽引して陸上を移動させることを目的として製作した用具であって、次項に規定する原動機付自転車以外のものをいう。」と定めています。
　不整地走行車両は、主として陸上を人や物を乗せてエンジンで走行するものですから、「自動車」として取り扱うことになります。
　また、不整地走行車両は何ら特殊な車体を架装したものではないので、「車両及び運搬具」の「特殊自動車」には該当しません。

したがって、別表第一の「車両及び運搬具」の「前掲のもの以外のもの」の「自動車（二輪又は三輪自動車を除く。）」の「その他のもの」の「その他のもの」の「6年」を適用します。

事例 50　ディーゼル電気式機関車の耐用年数

　このディーゼル電気式機関車（機関内蔵型）とは、ディーゼルエンジンを搭載する機関車のことで、ディーゼルエンジンが交流発電機を駆動し、その電力をもって牽引モーターを作動して車軸に回転運動を伝達するものです。

　耐用年数は何年を適用しますか。

答　このディーゼル電気式機関車（機関内蔵型）は、電気を外部から取り入れて動力化するものではなく、あくまでも、内燃機関により発電機をまわして、その電力により駆動発電機を回転させるものです。

　つまり、動力のもとは、あくまでもディーゼルエンジンであり、電気ではありませんから電気機関車の耐用年数「18年」を適用する必要はありません。

　ディーゼル機関車と同じく、内燃機関車になります。

　内燃機関車は、耐用年数表の細目においては、「内燃動車」に該当します（昭63.10.6直法2－13）。したがって、ディーゼル電気式機関車は、別表第一の「車両及び運搬具」の「鉄道用又は軌道用車両～」の「内燃動車（制御車又は附随車を含む。）」の「11年」を適用します。

7 工具関係

(1) 耐用年数表の構成

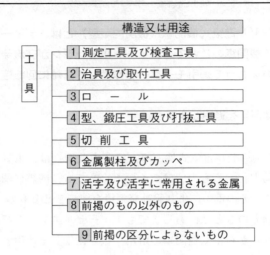

　工具とは、作業をする人の補助的な機能道具（手工具）で、それ自体が単体で独自の起動するもの（機械）ではありません。しかし、治具術革新により手工具の自動化、機械の小型化等のため、機械及び装置との区分が困難になっています。そこで、別表第一の「工具」として特掲されているものから工具の範囲を考えると、その範囲は次のようになると考えられます（耐通2－6－1参照）。

① 　固有の機能を有する機械類で可搬式のもの（測定工具、検査工具等）
② 　機械に取り付けて機能を果たすもので、機構上機械を構成しないもの（治具、ロール等）
③ 　手動により効果を果たす用具類及びそれを電動化したもの（作業工具、運搬工具等）

（2）耐用年数の適用事例

事例 51　工具の範囲（「前掲のもの以外のもの」）

別表第一の「工具」の「前掲のもの以外のもの」に該当する工具には、どのようなものがありますか。

答
1　作業工具
　①　レンチ、スパナ、ペンチ、パンチ、ドライバー、万力、バイス、ハンマー、ヤットコ、金床その他手動による作業工具
　②　電気ハンドドリル、電気ドライバー、携帯用電気グラインダーその他機動による作業工具
2　運搬工具
　ジャッキ、チェーンブロックその他の運搬工具
3　建設用、造船用又は鉱山用工具
　①　シャベル、スコップ、スペード、ホーク、ツルハシ、石工道具
　②　しゅんせつ用カッター、ロックビット
4　ねん糸製造設備及び織物設備等において使用されるボビン及びシリンダー

8 器具及び備品関係

(1) 耐用年数表の構成

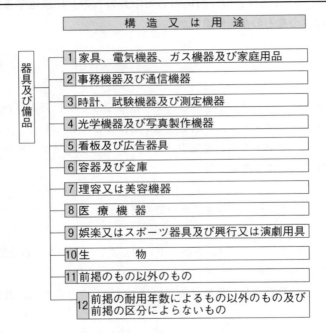

　税務上における器具及び備品の範囲は、社会通念上、器具及び備品と認められているものとおおむね同様で、具体的に個々の器具及び備品についての耐用年数が定められています。ただし、器具及び備品として特異な点を挙げれば、耐用年数表の構成に当たって、電子計算機及びこれらの附属機器、並びに動物、植物等の生物で、観賞用、興行用その他これらに準ずる用に供するものについても器具及び備品とされていること等です。

　器具及び備品の耐用年数は、その用途等により1から11までに区分さ

れたその細目に該当するものを適用しますが、その1から11までの区分によらないで一括して器具及び備品として償却する場合は「12 〜前掲の区分によらないもの」に該当し、又は器具及び備品の一部について細目に特掲されている耐用年数を適用し、残りについて一括して償却する場合には「12 前掲する資産のうち、その資産について定められている前掲の耐用年数によるもの以外のもの〜」に該当し、それぞれが「12〜前掲の区分によらないもの」の耐用年数（主として金属製のもの「15年」、その他のもの「8年」）を適用しなければなりません（耐通1−1−7、2−7−1）。

ただし、品目が同じ器具及び備品については、そのすべてについて細目ごとに区分された耐用年数によるか、「12 〜前掲の区分によらないもの」の耐用年数によるか、どちらか一つを選択しなければなりません。

（2）耐用年数の確認届出

器具及び備品については、構築物と同様に、別表第一の「器具及び備品」の細目欄に特掲してその年数が定められていないために「その他のもの」の耐用年数の適用を受けることとなるものについて、その資産と「構造又は用途」及び使用状況が類似している資産が別表第一に特掲されている場合には、税務署長（調査課所管法人にあっては、国税局長）に申し出て使用すべき耐用年数の確認を受け、その特掲されている器具及び備品の耐用年数を適用することができます（耐通1−1−9）。

(3) 耐用年数の適用事例

イ．「主として金属製のもの」と「その他のもの」との区分

　器具及び備品が別表第一の「器具及び備品」の「細目」欄に掲げる「主として金属製のもの」又は「その他のもの」のいずれに該当するかの判定は、フレームその他の主要構造部分の材質によって行います（耐通2-7-2）。これは、フレームその他の主要構造部分が損耗して使用に耐えられなくなったときに、その器具及び備品の寿命が終わると考えられることによるものです。

ロ．家具、電気機器、ガス機器及び家庭用品

　ジュークボックス、モニターテレビ等は、「1　家具、電気機器〜」の「ラジオ、テレビジョン〜その他の音響機器」の「5年」を適用します。

事例 52　デジタルCATVシステム（チューナー）の耐用年数

　ケーブルテレビの受信機能及びテレビ周辺機器（ビデオ）の制御機能等を有していて、テレビやビデオと連動して動作する「デジタルCATVシステム（チューナー）」の耐用年数は何年になりますか。

　答　このデジタルCATVシステム（チューナー）は、有線放送（CATV）を受信する機器ですが、テレビ又はビデオデッキに接続することによって初めてテレビにその受信した映像等を映し出して機能すること、また、それ自体、単独で、機能するものではないことから、テレビの付属品と認められます。

　したがって、機能面からテレビとデジタルCATVシステム（チューナー）を一体としてとらえ、別表第一の「器具及び備品」の「1　家

具、電気機器、ガス機器及び家庭用品」の「ラジオ、テレビジョン、テープレコーダーその他の音響機器」の「5年」を適用します。

事例 53　展示用高級着物の耐用年数

デパートや呉服小売店のショーウインドウなどに、客寄せ目的のため展示されている高級着物（非売品）の耐用年数は、何年でしょうか。

答　別表第一の「器具及び備品」の「1　家具、〜及び家庭用品」の「〜丹前その他これらに類する繊維製品」の「3年」を適用します。

なお、美術品等のように歴史的価値又は希少価値を有し、代替性のないものと認められるものについては、「時の経過により価値が減少しない資産」に該当することになりますので、減価償却の対象にはなりません。

ハ．事務機器及び通信機器

事例 54　テレビ会議装置の耐用年数

テレビ会議装置（テレビ受像機、テレビカメラ等1セット）を設置しました。この耐用年数は何年になりますか。

答　テレビ会議装置は、テレビ受像機、テレビカメラ、マイク等の設備から構成されており、その構造及び機能等から判断して「器具及び備品」に該当すると認められます。

また、その用途は、長距離間を音声と画像で結ぶものであり、「電話設備その他の通信機器」とみるのが相当と思われます。

したがって、別表第一の「器具及び備品」の「2　事務機器及び通信機器」の「電話設備その他の通信機器」の「その他のもの」の「10年」を適用します。

事例 55　金銭登録機能を有したコンピュータの耐用年数

　金銭登録機能を有したコンピュータは、販売管理、通信機能、給与計算が可能なもので、金銭登録機能が備わってはいますが、主たる機能は電子計算機部分であり、記憶容量が12万ビット以上です。耐用年数は何年でしょうか。

答　別表第一の「器具及び備品」の「2　事務機器及び通信機器」の「電子計算機」の「4年」又は「5年」を適用します。

事例 56　高速自動宛名印刷装置の耐用年数

　ダイレクトメールの代行業で使用する高速自動宛名印刷装置に適用する耐用年数は何年でしょうか。

答　ダイレクトメールの代行業は、郵便物の大量一括処理を要する法人からの依頼により、郵便物の封入から発送までの一切の事務を代行するものであり、この装置は、その事務処理に用いられるものです。
　したがって、別表第一の「器具及び備品」の「2　事務機器及び通信機器」の「その他の事務機器」の「5年」を適用することになります。

事例 57　自動設計装置（CAD）の耐用年数

　建築設計業が使用する自動設計装置（CAD）の耐用年数は何年でしょうか。
　この装置は、コンピュータを利用して建築用又は工業用の設計を行うもので、コンピュータ及び自動製図機から構成されています。

答　自動設計装置（CAD）は、「器具及び備品」に該当する電子計算

機と自動製図機とを組み合わせたものであり、一般的にその主たる構成装置は機能的にも価額的にも電子計算機と認められます。また、一般的に、自動設計装置（CAD）に用いられるコンピュータは、いわゆるワークステーションと呼ばれる通常のパーソナルコンピュータより高性能なものです。

　したがって、設計業者又は総合建設業者が使用する場合には、別表第一の「器具及び備品」の「2　事務機器及び通信機器」の「電子計算機」の「その他のもの」の「5年」を適用します。

事例 58　タクシーの位置、動態表示装置の耐用年数

　タクシー業者が指令室に設置した配車指令卓の耐用年数は何年ですか。
　この配車指令卓は、タクシー動態表示ディスプレイ、音声通話装置、配車等入力キーボード等で構成されている無線タクシー位置、動態表示装置（AVMシステム）です。

答　別表第一の「器具及び備品」の「2　事務機器及び通信機器」の「電話設備その他の通信機器」の「その他のもの」の「10年」を適用します。

事例 59　硬貨計算機の耐用年数

　硬貨計算機に適用する耐用年数は、何年ですか。

答　別表第一の「器具及び備品」の「2　事務機器及び通信機器」の「複写機、計算機〜、金銭登録機、タイムレコーダーその他これらに類するもの」の「5年」を適用します。

事例 60　客室冷蔵庫自動管理装置の耐用年数

　温泉旅館に設置された客室の冷蔵庫の物品の利用状況を自動的に記録する客室冷蔵庫自動管理装置の耐用年数は、何年ですか。

答　客室冷蔵庫自動管理装置は、別表第一の「器具及び備品」の「2　事務機器及び通信機器」の「～計算機～」の「5年」を適用します。

事例 61　文書細断機（シュレッダー）の耐用年数

　小型軽量で持ち運び可能な文書細断機（シュレッダー）の耐用年数は、何年ですか。

答　小型軽量で持ち運び可能な「文書細断機（シュレッダー）」の耐用年数は別表第一の「器具及び備品」の「2　事務機器及び通信機器」の「その他の事務機器」の「5年」を適用します。

事例 62　自動電磁カウンターの耐用年数

　パチンコ店の店内において単独で設置された自動電磁カウンターの耐用年数は何年ですか。

答　別表第一の「2　事務機器及び通信機器」の「複写機、計算機（電子計算機を除く。）、金銭登録機、タイムレコーダーその他これらに類するもの」の「5年」を適用します。

二．時計、試験機器及び測定機器

事例 63　凶器発見器の耐用年数

航空会社が設置する凶器発見器の耐用年数は何年ですか。

答　航空会社がハイジャック防止対策として空港に設置するものであり、別表第一の「器具及び備品」の「3　時計、試験機器及び測定機器」の「試験又は測定器」の「5年」を適用します。

ホ．光学機器及び写真製作機器

事例 64　防犯カメラの耐用年数

万引防止のため、撮影用のカメラ、テレビモニター、録画再生用デッキをそれぞれ購入して、店内を監視することにしましたが、耐用年数は何年となりますか。

答　この三つはそれぞれ独立した機能を有し、単独で使用できることから、一つ一つを器具備品として取り扱ってよいと考えられます。

したがって、カメラは、別表第一の「器具及び備品」の「4　光学機器及び写真製作機器」の「カメラ～」の「5年」を、テレビモニター及び録画再生用デッキについては、同表の「器具及び備品」の「1　家具、～家庭用品」の「ラジオ、テレビジョン、テープレコーダーその他の音響機器」の「5年」を適用します。

ヘ．看板及び広告器具

事例 65　染色見本の耐用年数

　染色業者等が、顧客のために色、柄等の選択の用に供するために使用する、台紙に数種の見本柄が貼付されているもの等の、いわゆる染色見本の耐用年数は何年ですか。

　答　別表第一の「器具及び備品」の「5　看板及び広告器具」に掲げる「マネキン人形及び模型」に準ずるものとして、「模型」の「2年」となります（耐通2－7－11）。

ト．容器及び金庫

　銀行等の金庫室等建物に組み込まれた金庫は一つの部屋であって、建物に含まれ、器具及び備品に該当しません（耐通2－7－12）。

　これに類するものは、肉類販売業者、氷販売業者等が有する建物に固着して造作した冷蔵庫室がありますが、これらも器具及び備品ではなく、建物に含めます。

チ．医療機器

事例 66　人工腎臓装置の耐用年数

　病院で使用する、透析液供給装置、ベッドサイドモニター、透析装置及び血液ポンプにより構成されている人工腎臓装置の耐用年数は、何年でしょうか。

　答　人工腎臓装置は、血液を透析して血液中の老廃物等を除去する装置ですから、別表第一の「器具及び備品」の「8　医療機器」の「血液

透析又は血しょう交換用機器」の「7年」を適用します。

事例 67　ファイバースコープの耐用年数

　内視鏡検査及び内視鏡手術に使用されているファイバースコープの耐用年数は、何年でしょうか。
　これは内視鏡の先端部分にCCD（電荷結合素子）カメラを内蔵し、体内映像をビデオモニター等に出力しながら、機能消化管（食道、大腸、小腸等）の内視鏡検査及び切開や止血等の内視鏡手術を行います。

答　別表第一の「器具及び備品」の「8　医療機器」のうちの「光学検査機器」の「ファイバースコープ」の「6年」を適用します。

事例 68　携帯できるレントゲン装置の耐用年数

　ポータブル式のように携帯することができる構造の診断用（歯科用のものを含む。）のレントゲン装置の耐用年数は、何年ですか。

答　別表第一の「8　医療機器」の「その他のもの」の「レントゲンその他の電子装置を使用する機器」の「移動式のもの〜」の「4年」を適用します。

リ．娯楽又はスポーツ器具及び興行又は演劇用具

事例 69　ゴルフシミュレーターの耐用年数

　ゴルフシミュレーターは、本物のクラブとボールを使用し、前面のスクリーンに向かってボールを打つものです。そのスクリーンには、プロジェクターにより各ホールの所定の場面が写しだされ、プレーヤーが

打ったボールが赤外線センサーとコンピュータにより計算された軌道によりスクリーン上を移動します。

なお、主要機器の構成は、①プロジェクター（映写機）、②センサー、③コンピュータ、④赤外線照明装置、⑤ボールカップ、⑥ボールトレックから構成されています。

このゴルフシミュレーターの耐用年数は、何年になるのでしょうか。

答　このゴルフシミュレーターは、ゴルフの練習に使用する簡易なネット設備をスクリーンとして使用し、そこに、コンピュータにより計算された打球の軌道及びゴルフコースの映像を映写することにより、実際に屋外でそのゴルフコースをラウンドしているようにシミュレートするもので比較的に小規模なものであり、一種のテレビゲーム機器と考えられます。

したがって、別表第一の「器具及び備品」の「9　娯楽又はスポーツ器具及び興行又は演劇用具」の「スポーツ具」の「3年」を適用します。

事例 70　バッティングセンターのピッチングマシンの耐用年数

バッティングセンターのピッチングマシンの耐用年数は、何年になりますか。

答　別表第一の「器具及び備品」の「9　娯楽又はスポーツ器具及び興業又は演劇用具」の「スポーツ具」の「3年」を適用します。

ヌ．生物

事例 71　つり堀の魚の耐用年数

　つり堀で客が釣り上げても原則として持ち帰らせたり、販売したりすることをしないで、つり堀に放流して飼育している魚の耐用年数は何年ですか。

答　「器具及び備品」に該当する生物とは、観賞用、興行用その他これらに準ずる用に供されるものです（令13七）。
　つり堀の魚は、別表第一の「器具及び備品」の「10　生物」の「動物」の「魚類」の「2年」を適用します。
（注）　生物のうち生産用等の牛、馬、豚、綿羊及びやぎの生物は別表第四に限定列挙されており、これらは定額法により償却することとされています。

ル．その他の器具及び備品

事例 72　空き缶圧縮機の耐用年数

　廃品回収業者が回収した空き缶をプレスしてその体積を圧縮する機能を有する金属製の「空き缶圧縮機」に適用する耐用年数は何年でしょうか。
　なお、空き缶圧縮機には足踏み式のものと電動式のものとがあります。

答　この空き缶圧縮機には、足踏み式のものと電動式のものとがあるようですが、空き缶をプレスしてその体積を圧縮するという単純作業を繰り返すものであれば、いずれについても「器具及び備品」の範ちゅうに属するものと認められます。
　したがって、別表第一の「器具及び備品」の「11　前掲のもの以外の

もの」の「その他のもの」の「主として金属製のもの」の「10年」を適用します。

事例 73　シート門扉（建設現場用）の耐用年数

　建設工事期間中、建設現場のダンプカー等の出入口に取り付けられるシート門扉の耐用年数は何年になりますか。
　なお、このシート門扉は、工事が完了した時点で撤去することになります。
　構造は次のとおりです。
① 　建柱……………金属製のもの２本
② 　シート…………布製のもの１～２枚
③ 　走行パイプ……金属製のもの11～18本
※ 　２～３人で30分程度で組み立てられるものです。

答　シート門扉のうち、建柱及び走行パイプ等の金属部分については、建設工事現場等において出入口の簡易な門扉として使用されるものであり、いわゆる土地に定着（固着）する土木設備又は工作物としての門へいに該当する程の規模等は有していないと認められますので、別表第一の「器具及び備品」の「11　前掲のもの以外のもの」の「その他のもの」の「主として金属製のもの」の「10年」を適用します。
　一方、シート部分については、布製のことであり金属部分とシート部分とが材質的に異なるため、その耐久性に著しい差異があるといえます。したがって、金属部分と区分して耐用年数を適用し、同「シート及びロープ」の「２年」を適用します。

事例 74　雨傘脱水機の耐用年数

　雨天時、建物の入り口に雨傘の雫を取る雨傘脱水機（フレームはプラ

スチック製）を設置していますが、この雨傘脱水機の耐用年数は何年になりますか。

答 脱水機は、構造的にはキャスター付きで可搬性があり、また、機能的にも傘の水分をふき取るのみであることから、機械及び装置のようにそれ自体が工作作業をするような工場等の設備を構成するものではないため、別表第一の「器具及び備品」に該当します。

また、この雨傘脱水機は、その構造又は用途が、「1　家具～」等の特掲されている資産ではないため、「11　前掲のもの以外のもの」を適用することになります。

さらに、「11　前掲のもの以外のもの」のうち、特掲されている「映画フィルム～」から「焼却炉」のいずれにも該当せず、その構造はフレーム等の主たる部分がプラスチック製であるため、「主として金属製のもの」には該当しません。

したがって、「その他のもの」の「その他のもの」の「5年」を適用します。

事例 75　テレビ放映権の耐用年数

米国の映画会社から取得した日本国内におけるテレビ放映権の耐用年数は何年ですか。

答 映画フィルムの上映権の取得については、その実態が映画フィルムを取得したこととほとんど変わりませんので、映画フィルムに類似するものとして取り扱われています。

したがって、日本国内におけるテレビ放映権の取得の対価とされるものについては、この取扱いに準じて、別表第一の「器具及び備品」の「11　前掲のもの以外のもの」の「映画フィルム～」として「2年」を適用します。

事例 76　指紋による個人識別装置の耐用年数

　指紋による個人識別装置は、予め登録された指紋データと入力された指紋データを照合・判定する機能を有し、ドアの施錠及び解錠を自動的に行うものです。
　壁掛型で、壁面に比較的容易に設置できるものです。

答　この「指紋による個人識別装置」はドア管理装置であり、建物の効用を高めるために建物に取り付けられたものであることから、「建物附属設備」の耐用年数を適用すべきとの考えもあります。
　しかしながら、この装置は、壁掛型で、簡易、かつ、比較的容易に設置することができるものであり、鍵の代わりに指紋を用いた一種の錠前とも考えられますので、「器具及び備品」の耐用年数を適用するのが相当と認められます。
　したがって、別表第一の「器具及び備品」の「11　前掲のもの以外のもの」の「その他のもの」の「主として金属製のもの」の「10年」を適用します。

事例 77　PR用映画フィルムの耐用年数

　創立20周年を記念して作成された会社のPR用映画フィルムの耐用年数は何年ですか。次の30周年記念を作成するまで使用する予定です。

答　別表第一の「器具及び備品」の「11　前掲のもの以外のもの」の「映画フィルム（スライドを含む。）、磁気テープ及びレコード」の「2年」を適用します。

事例 78　社旗の耐用年数

社旗の耐用年数は何年でしょうか。

答　社旗は、器具備品として、別表第一の「器具及び備品」の「11　前掲のもの以外のもの」の「その他のもの」の「その他のもの」の「5年」を適用します。

事例 79　救助袋の耐用年数

災害時の避難用に、ビルに設備された救助袋の耐用年数は何年でしょうか。

答　救助袋は、器具備品に該当します。その耐用年数は、別表第一の「器具及び備品」の「11　前掲のもの以外のもの」の「その他のもの」の「その他のもの」の「5年」を適用します。

事例 80　電子自動梱包器の耐用年数

単体として事務用に使用する電子自動梱包器の耐用年数は何年ですか。

答　別表第一の「器具及び備品」の「11　前掲のもの以外のもの」の「その他のもの」の「主として金属製のもの」の「10年」を適用します。

事例 81　ブイの耐用年数

航路標識用のブイの耐用年数は、何年ですか。

答　別表第一の「器具及び備品」の「11　前掲のもの以外のもの」の「その他のもの」の「主として金属製のもの」の「10年」を適用します。

事例 82　駐輪場の無人駐輪管理装置の耐用年数

駐輪場の無人駐輪管理装置の耐用年数は、何年でしょうか。

答　別表第一の「器具及び備品」の「11　前掲のもの以外のもの」に掲げる「無人駐車管理装置」には、バイク又は自転車用の駐輪装置は含まれないこととされています（耐通2－7－19）。また、同通達の注書きにおいて、バイク又は自転車用の駐輪装置は、「11　前掲のもの以外のもの」の「主として金属製のもの」に該当するとされていますので、「10年」を適用します。

(注)　同通達の制定趣旨の解説として、国税庁は「平成20年12月26日付課法2－14ほか1課共同「法人税基本通達等の一部改正について」（法令解釈通達）の趣旨説明」を次のように明らかにしています。

「無人駐車管理装置」とは、自動車用の無人駐車管理装置をいい、オートロック式パーキング装置やゲート式パーキング装置がこれに該当することになります。

このオートロック式パーキング装置とは、駐車時に自動車を所定の位置に止めると車輪が車止めに固定され、また、発車時に自動料金装置に駐車料金を入金すると自動的に車止めが解除される仕組みのもので、大別して、油圧シリンダー機構と料金計算機構から構成されるものをいいます。

また、ゲート式パーキング装置とは、自動車の入出庫時に機械的に遮断できるゲートを備えているもので、駐車券発行機、入口専用

ゲート機、料金自動精算機、出口専用ゲート機からなる一体のものをいいます。

　従来から、自動車用の無人駐車管理装置については、排気ガスなどの影響を直接受けやすく、腐食しやすいなどの理由から耐用年数の短縮制度の適用を受ける例が相当多かったものであり、平成20年度の税制改正により、別表第一の「器具及び備品」の「11　前掲のもの以外のもの」に新たに特掲資産（耐用年数5年）として追加されたものです。

　バイク又は自転車用の駐輪装置には、通常、このような耐用年数の短縮制度の適用対象となるような事情がないことから、「無人駐車管理装置」には含まれないことになります。

機械及び装置関係

（1）耐用年数表の構成

　別表第二の機械及び装置については、設備の種類ごとに区分して耐用年数が定められています。設備の種類は、1から55までに区分され、おおむね次のような配列となっています。

　通常、機械とは、次の三つの要素を充足するものであるといわれています。
① 　剛性のある物体から構成されている。
② 　一定の相対運動をする機能をもっている。
③ 　それ自体が仕事をする。
　耐用年数表における機械も、基本的には上記の定義を基礎においたも

ので、航空機、車両等別表第一に該当する機器を除いたものが、別表第二の適用を受ける機械となります。

　次に装置の概念は、広義には工場等の用役設備全体をいうことになりますが、耐用年数表では、上記機械のうち、②又は③が欠如したもので、機械とともに、又は補助用具として工場等の設備を形成し、総合設備の一部として用役の提供を行うもの（別表第一の工具等に該当するものを除きます。）の総称と考えられます。

　なお、ドライビングシミュレーターのように器具備品等から構成されていても、それぞれが有機的に結合し、一体となってその機能が発揮されるものについても、「機械及び装置」として取り扱うことが適当です。

（２）「設備の種類」の基本的判定基準

イ．第１の判定基準（耐通１－４－２、１－４－３）

　機械及び装置が別表第二に掲げる「設備の種類」のいずれに該当するかは、原則として、その機械及び装置をいずれの業種用の設備として通常使用しているかにより判定します。この場合の業種は、その設備に係る製品（役務の提供を含みます。）のうち最終的な製品に基づき、原則として、日本標準産業分類の分類によって判定します。

（注）　「耐用年数の適用等に関する取扱通達の付表８「設備の種類」と日本標準産業分類の分類との対比表」を使います。

　　　本書では、174頁からの「別表第二　機械及び装置の耐用年数表」に「付表８」を結合させて掲載していますので、参照して下さい。

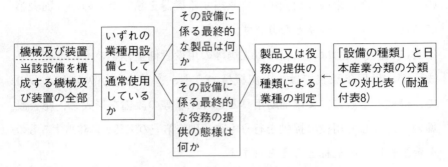

(例1) 最終製品がシャンプーである場合の設備の種類の判定

　シャンプー製造業は、「日本標準産業分類」の中分類「16　化学工業」の中の小分類「166　化粧品・歯磨・その他の化粧用調整品製造業」の「1662　頭髪用化粧品製造業」に含まれていますので、耐通付表8により別表第二の「8　化学工業用設備」の「その他の設備」に該当します。

別表第二の番号	設備の種類	日本標準産業分類の小分類番号
8	「化学工業用設備」の「その他の設備」	〔161〕から〔169〕

(例2) 最終製品が自動車のバンパーやボディーなどのプレス加工製品である場合の設備の判定

　自動車車体のプレス加工を行う事業所は、「日本標準産業分類」の中分類「24　金属製品製造業」の中の小分類「245　金属素形材製品製造業」の中の「2451　アルミニウム・同合金プレス製品製造業」又は「2452　金属プレス製品製造業（アルミニウム・同合金を除く）」に含まれていますので、耐通付表8により別表第二の「16　金属製品製造業用設備」の「その他の設備」に該当します。

別表第二の番号	設備の種類	日本標準産業分類の小分類番号
16	「16 金属製品製造業用設備」の「その他の設備」	〔241〕から〔249〕

(**注**) 別表第二「23 輸送用機械器具製造業用設備」に該当する「日本標準産業分類の小分類番号」は「311」で、主として自動車車体の製造並びに車体のシャーシに組付けを行う事業所である。

ロ．第2の判定基準（耐通1－4－4）

　第1の判定基準は、一連の設備を全部総合して最終製品の判定を行うというものですが、その一連の設備を構成する中間製品についての設備の規模がその一連の設備の規模に占める割合が相当程度であるときは、その中間製品に係る業用設備の耐用年数によることとされています。これが第2の判定基準です。

```
┌──────────────┐    ┌────────────────────────┐
│一連の設備のうち中│    │中間製品を他に販売するとともに、自己│    ┌──────────┐
│間製品製造設備の機│───▶│の最終製品の材料、部品等として使用し│    │中間製品  │
│械及び装置がある  │    │ている場合において、他に販売している│    │に係る業  │
└──────────────┘    │数量等のその中間製品の総生産量等に占│───▶│用設備の  │
                    │める割合がおおむね50％を超えるとき │    │耐用年数  │
                    └────────────────────────┘    └──────────┘
                    ┌────────────────────────┐
                    │工程の一部をもって、他から役務の提供│
                    │を請け負う場合において、その工程にお│
                    │ける稼動状況に照らし、その請負に係る│
                    │役務の提供の工程に占める割合がおおむ│
                    │ね50％を超えるとき                 │
                    └────────────────────────┘
```

ハ．第3の判定基準（耐通1－4－5、1－4－6）

　第3の判定基準は、第1の判定基準の例外で、設備から生ずる最終製品を専ら用いて他の最終製品が生産される場合や、複合的なサービス業に係る設備に関しての取扱いです。

① 次に掲げる設備のように、(イ) その設備から生ずる最終製品を専ら用いて、(ロ) 他の最終製品が生産される場合には、他の最終製品に係る設備として第１の判定基準に基づく判定を行います（耐通１－４－５）。

　　㋑　製造業を営むために有する発電設備及び送電設備
　　㋺　製造業を営むために有する金型製造設備
　　㋩　製造業を営むために有するエレベーター、スタッカー等の倉庫用設備
　　㊁　道路旅客運送業を営むために有する修理工場用設備、洗車設備及び給油設備

　　(例)

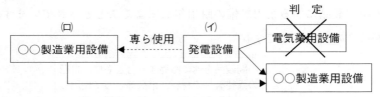

② また、複合的なサービス業に係る設備に関しては、それぞれの設備から生ずる役務の提供が複合して一の役務の提供を構成している場合には、それぞれの設備から生ずる役務の提供に係る業種用の設備の耐用年数を適用しないで、当該一の役務の提供に係る業種用の設備の耐用年数を用いることとされています（耐通１－４－６）。

　(例)　ホテルにおいては宿泊業の業種用の設備の一部として通常使用しているクリーニング設備や浴場設備については、別表第二の「47　宿泊業用設備」の耐用年数を適用することとなります。

（3）プレス及びクレーンの基礎

　機械及び装置の基礎は、一般的には、その機械及び装置に含めて償却することとなりますが、その基礎の構造、規模のいかんによっては、建物の造作又は構築物の一部としての属性を有していて、建物又は構築物に含めて償却することが相当と認められている場合があります（耐通1－4－7）。

　例えば、次に掲げるものがあります。

① 　プレス

　　自動車ボディのタンデムプレスラインで多量生産方式に即するため、ピットを構築してプレスを装架する等の方式（例えば「総地下式」、「連続ピット型」、「連続基礎型」等と呼ばれているものをいいます。）の場合における当該ピットの部分は、建物に含めます。

② 　クレーン

　　造船所の大型ドック等において、地下組立用、船台取付用、ドック用又はぎ装用等のために有する走行クレーン（門型、ジブ型、塔形等）でその走行区間が長く、構築物と一体となっていると認められる場合には、その基礎に係る部分についてはその施設されている構築物に含め、そのレールに係る部分についてはその施設されている構築物以外の構築物に該当することになります。

（4）特殊自動車に該当しない建設車両等

事例 83　自走式芝刈機の耐用年数

　ゴルフ場で使用する自走式芝刈機の耐用年数は何年ですか。

　この自走式芝刈機は、乗用でゴルフ場の芝生を刈る作業を行います。なお、ゴルフ場内で使用していますが、小型特殊自動車として、ナンバープレートが付いています。

答　トラッククレーン、ブルドーザー、ショベルローダー、ロードローラー、コンクリートポンプ車等のように人又は物の運搬を目的とせず、作業場において作業することを目的とするものは、「特殊自動車」に該当せず、機械及び装置に該当します（耐通2－5－5）。

　そして、別表第二の機械及び装置のいずれに該当するかは、原則として、法人のその設備の使用状況等からいずれの業種用の設備として通常使用しているかにより判定することになります（耐通1－4－2）。

　したがって、ゴルフ場で使用される乗用型の自走式芝刈機の耐用年数は、別表第二の機械及び装置の「51　娯楽業用設備」の「その他の設備」の「主として金属製のもの」の「8年」を適用します。

（5）耐用年数の適用事例

イ．「機械及び装置」と「器具及び備品」の適用区分

事例 84　半導体集積回路製造業者が回路設計に使用する自動設計装置（CAD）の耐用年数

　半導体集積回路製造業者が回路設計に使用するため、次のような機能及び構成の自動設計装置（CAD）を購入しましたが、耐用年数は何年でしょうか。

① **機能（用途）**
　コンピュータを利用して設計を行うもので、建築用又は工業用の設計を行うものです。
② **機器の構成**
　コンピュータ及び自動製図機から構成されています。

答　この自動設計装置（CAD）を半導体集積回路製造業者が回路設計に使用するような場合には、最終製品を製造するための「機械及び装置」の一部分として稼働することになりますので、その製造業者が使用している製造設備と一体のものとして、別表第一の「器具及び備品」ではなく、別表第二の「機械及び装置」の「20　電子部品、デバイス又は電子回路製造業用設備」の耐用年数を適用することになります。

ロ．業用設備の判定

事例 85　化粧品製造業者が工場に施設した給食用ちゅう房設備の耐用年数

　化粧品製造業者が工場に施設した給食用ちゅう房設備の耐用年数は何年になりますか。

答 給食用ちゅう房設備は、業務用機器ですので、機械及び装置に該当します。

機械及び装置が別表第二のいずれの「設備の種類」に該当するかはその設備から生産等される最終製品（役務の提供を含みます。）に基づき判定します。

ちゅう房設備は、食事の提供という役務の提供を行うもので、化粧品製造設備の最終製品は化粧品であり、それぞれ最終製品を異にしていますので、このちゅう房設備については、別表第二「48　飲食店業用設備」の「8年」を適用します。

事例 86　倉庫のエレベーターの耐用年数

事務用機器の製造業者が、工場構外にある営業所所管の倉庫用に、各工場で生産された製品を集荷保管し、出荷するために使用するエレベーター、スタッカー等の倉庫用機械設備を取得しました。耐用年数は何年でしょうか。

答　倉庫用機械設備は工場構外にある営業所所管の倉庫で使用し、その構成や使用状況が通常の倉庫業用の設備と同様ですから、別表第二の「40　倉庫業用設備」に該当し「12年」を適用します。

ハ．合成樹脂の製造設備の適用区分（使用原料の腐食性等の要素により区分）

事例 87　ポリエチレンテレフタレート系樹脂製造設備の耐用年数

ポリエチレンテレフタレート系樹脂の製造設備の耐用年数は、何年になりますか。

答 ポリエチレンテレフタレート系樹脂製造設備の耐用年数は、別表第二「8　化学工業用設備」の「その他の設備」の「8年」を適用します。

二．日本標準産業分類を参考にした業種名の判定

耐通付表8については、別表第二に結合させて174頁に掲載しています。

事例 88　自動販売機の製造設備の耐用年数

自動販売機（電動式、手動式のもの）を製造する機械及び装置に適用する耐用年数は何年でしょうか。

答　日本標準産業分類によりますと、自動販売機の製造業は、小分類番号「2723　自動販売機製造業」に該当します。そして、耐通付表8によれば、小分類「272　サービス用・娯楽用機械器具製造業」に含まれますので、これに対応する別表第二の「19　業務用機械器具製造業用設備」に該当します。
したがって、「7年」を適用します。

事例 89　展示実演用機械の耐用年数

半導体集積回路の製造工程に要する半導体チップ組立装置の製造業者が、商品である半導体チップ組立装置の1台を実演用として展示し、随時実演サービスを行っています。
この場合の耐用年数は何年を適用すべきでしょうか。

答　半導体チップ組立装置は、専ら展示実演に使用されるものであり、半導体集積回路の製造工程の一部として半導体集積回路製造業の用に供

されるものではありませんので、半導体チップ組立装置の製造業者である半導体製造装置製造業者の業種用の設備として使用しているものとして判定することになります。具体的には、半導体製造装置製造業者は、日本標準産業分類上、中分類「26　生産用機械器具製造業」とされており、別表第二に掲げる「18　生産用機械器具製造業用設備」の「その他の設備」の「12年」を適用します。

ホ．配電施設の属性

事例 90　2以上の製造設備に共用されている電源設備の耐用年数

　別表第二の「8　化学工業用設備」の「塩化りん製造設備」（耐用年数4年）と「よう素化合物製造設備」（耐用年数5年）の各製造工場があり、それぞれを製品として出荷しています。これらの製造工場に共通して使用される電源設備（変圧器、配電盤）を有していますが、その耐用年数は何年を適用すべきでしょうか。
　なお、製造設備の取得価額、製品生産量、電気の使用量等については、「塩化りん製造設備」が全体の7割を占めています。

答　電源設備は、工場において使用する電気の供給源として使用されていますので、その属する機械及び装置のなかに含めて償却することとなりますが、適用する耐用年数を4年、5年のいずれの年数とすべきかが問題となります。
　同一の減価償却資産について、その用途により異なる耐用年数が定められている場合において、減価償却資産が2以上の用途に共通して使用されているときは、その減価償却資産の用途は、その使用目的、使用の状況等により勘案して合理的に判定するものとされています（耐通1−1−1）。
　この電源設備については、各製造設備の規模、生産量、電気の使用量などを参考にして、いずれの製造設備に専ら使用されているかというこ

とを合理的に判定し、その判定された製造設備に含めたところにより、その製造設備の耐用年数を適用します。

したがって、製造設備の取得価額、製品生産量、電気の使用量等については、「塩化りん製造設備」が全体の7割を占めていますので、耐用年数は、「塩化りん製造設備」の「4年」を適用します。

なお、以上により判定した耐用年数は、その判定の基礎となった事実が著しく異ならない限り継続して適用することとされています（耐通1－1－1）。

事例 91　製造業用の自家発電設備等の耐用年数

合金鉄製造業を営む工場構内には、合金鉄製造設備以外にその補助設備として自家発電設備（ガスタービン発電設備）を設置しています。

この場合、自家発電設備については、電気業用の設備について適用すべき別表第二の「31　電気業用設備」の「内燃力又はガスタービン発電設備」の耐用年数「15年」を適用してもよいのでしょうか。

【答】　一般に生産設備などの工場設備には、その補助設備として自家発電設備を設置している場合があります。

この場合の合金鉄製造業を営むために所有する自家発電設備のように、その設備から生ずる最終製品を専ら用いて他の最終製品が生産等される場合のその設備については、その最終製品に係る設備ではなく、その他の最終製品に係る設備として、その使用状況等からいずれの業種用の設備に該当するかを判定することになります。

したがって、この自家発電設備については、「14　鉄鋼業用設備」の「純鉄、原鉄、ベースメタル、フェロアロイ、鉄素形材又は鋳鉄管製造業用設備」の「9年」を適用することになります。

ただし、自家発電設備のうち構築物については、別表第一の「構築物」の耐用年数を適用することになります。

なお、受配電設備のうち製造設備に属するものは、それぞれの製造設

備の耐用年数の算定の基礎に含まれていますので、製造設備と一括して償却することとなります。

ヘ．その他の機械及び装置

事例 92　オイルフェンスの耐用年数

　湾内に係留したタンカーを利用して石油の備蓄を行うために設置した海洋流出油拡散防止設備（鎖により固定する方式の浮沈式オイルフェンス）の耐用年数は何年になりますか。

　答　このオイルフェンスがどの程度の規模かわかりませんが、一般に、係留したタンカーの周囲を囲む程の規模で、可搬性のない浮沈式のオイルフェンスであれば、もはや「器具及び備品」というよりは、機械及び装置の「装置」に該当すると認められます。
　したがって、別表第二の「55　前掲の機械及び装置以外のもの〜」の「その他の設備」の「主として金属製のもの」の「17年」を適用します。

事例 93　ガントリークレーンの耐用年数

　港湾荷役を業とする法人が取得したガントリークレーンの耐用年数は何年でしょうか。
　ガントリークレーンとは、レール部分と走行荷役設備（クレーン）から構成されていて、敷設されたレールの上を走行してコンテナ船とターミナルの間で海上コンテナを積み上げするものです。

　答　クレーンのレール部分は原則的には機械及び装置に含めますが、走行区間が長く、その施設されている構築物と一体となっていると認められる場合には、別個の構築物に該当するものとして取り扱うこととさ

9 機械及び装置関係　97

れています。

　このガントリークレーンについてはその形状、機能等から、走行荷役設備部分については別表第二の「機械及び装置」に該当し、荷役業を営んでいることから、「41　運輸に附帯するサービス業用設備」の「10年」を適用します。

　また、レールについては、別表第一の「構築物」の「金属造のもの」の「その他のもの」の「45年」を適用します。

　ただし、レール部分については税務署長（調査課所管法人にあっては、国税局長）の確認を受けて、別表第一の「構築物」の「その他の鉄道用又は軌道用のもの」の「軌条～」の「15年」を適用することもできると考えられます。

事例 94　トラックスケールの耐用年数

　鋼材スクラップの回収業（卸売を業としています。）を営む法人が、スクラップの計量のために使用するトラックスケールの耐用年数は何年でしょうか。

　答　トラックスケールは、その構造、規模及び使用状況からみて「機械及び装置」に該当します。

　その機械及び装置に適用すべき耐用年数は、その機械及び装置により生産される最終製品（加工、修理等に係る機械及び装置にあっては、その加工、修理等の態様）によっていずれの業用設備に該当するかを判定することとされています。

　したがって、計量業者が所有している場合は、別表第二の「46　技術サービス業用設備」の「計量証明業用設備」に該当し「8年」を適用します。

　また、製造業者の場合には、それぞれの設備に含めてそれぞれの耐用年数を適用することになります。

　鉄くず処理業者が所有している場合は、別表第二の「43　建築材料、

鉱物又は金属材料等卸売業用設備」の「その他の設備」の「8年」を適用します。

事例 95　動く歩道の耐用年数

ゴルフ場で使用される動く歩道の耐用年数は何年ですか。

答　動く歩道は、機械及び装置に該当します。したがって、ゴルフ場で使用される動く歩道については、別表第二の「51　娯楽業用設備」の「その他の設備」の「主として金属製のもの」の「17年」を適用します。

事例 96　コンクリートポンプ車の耐用年数

生コンクリートの製造業者が、コンクリートポンプ車により、製造された生コンクリートをミキサーで流動性を保たせながら建設現場に搬送し、建設現場でその生コンクリートを型枠等に注入しています。このコンクリートポンプ車について、別表第二の「30　総合工事業用設備」の耐用年数6年を適用してよろしいでしょうか。

答　一般的には、コンクリートポンプ車は、製造された生コンクリートをミキサーで流動性を保たせながら建設現場に搬送し、建設現場でその生コンクリートを型枠等に注入するために使用されており、その使用状況からみて機械及び装置に該当することとされています。

したがって、生コンクリート製造業者の有するコンクリートポンプ車は、生コンクリート製造業用の設備として、別表第二の「13　窯業又は土石製品製造業用設備」の「9年」を適用します。

また、建設業者が、自己が請け負った建築物等の建設のために使用するコンクリートポンプ車については、別表第二の「30　総合工事業用設備」の「6年」を適用します。

事例 97　自家用の給油設備の耐用年数

　トラック運送事業者が自社トラックに給油するために事業所構内に設置した給油設備は、通常のガソリンスタンドとして使用されている状況にありますから、別表第二「45　その他の小売業用設備」の「ガソリン又は液化石油ガススタンド設備」の「8年」の耐用年数を適用することができるでしょうか。

答　機械及び装置が別表第二のいずれの「設備の種類」に該当するかはその設備から生産等される最終製品（役務の提供を含みます。）に基づき判定します。

　トラック運送事業は、物の運送という役務の提供が最終製品となりますので、別表第二「39　道路貨物運送業用設備」の「12年」を適用します。

　ところで、この給油設備は、自社のトラックに給油するものですが、通常のガソリンスタンドとして使用されている状況にありますから、ガソリン等の販売設備といえます。

　しかし、このガソリンスタンドは、自社がトラックを運用するために必要なものであって、道路貨物運送業用設備の附帯的設備となるため、「45　その他の小売業用設備」の「ガソリン又は液化石油ガススタンド設備」は適用できません。

事例 98　サウナ風呂の設備の耐用年数

　会員制のアスレチックジムの施設内に設置したサウナ風呂の設備の耐用年数は何年でしょうか。

答　機械及び装置が別表第二に掲げるいずれの「設備の種類」に該当するかは、その設備により生産等される最終製品（役務の提供を含みます。）により判定することとされています。そして、最終製品に係る設

備が業用設備のいずれに該当するかの判定は、原則として、日本標準産業分類の分類によることとされています。

その日本標準産業分類によると、アスレチッククラブとは、室内プール、トレーニングジム、スタジオなどの運動施設を有し、会員に提供する事業所をいい、サウナ風呂業とは、薬治、美容など特殊な効果を目的として公衆又は特定多人数を対象として入浴させる事業所をいうとされています。

このことから、アスレチッククラブの会員に対してサウナ風呂を設置して会員の入浴の便に供することは、アスレチッククラブ業と一体となったサービスといえますので、サウナ風呂も別表第二「51　娯楽業用設備」の「その他の設備」に含め、「主として金属製のもの」の「17年」若しくは「その他のもの」の「8年」を適用します。

事例 99　電気自動車用充電設備の耐用年数

　道路貨物運送業を営む法人が事業所構内の給油設備に隣接して設置した電気自動車用急速充電設備の耐用年数は、何年でしょうか。

答　電気工事及び基礎工事を伴う急速充電設備は、「機械及び装置」に該当します。

この電気自動車用急速充電設備は、道路貨物運送業設備の附帯設備ですので、自家用設備として別表第二の「39　道路貨物運送業用設備」の「12年」を適用します（耐通1－4－5）。

10 減価償却資産の償却の方法（定額法・定率法）

(1) 計 算 方 法

　平成19年度の税制改正により、新たな「定額法」、「定率法」等が定められ、それまでの「定額法」、「定率法」等は「旧定額法」、「旧定率法」等と改称されました（令48、48の2）。

　また、耐用年数省令の別表も改正されました。

償却方法	計　算　方　法
旧定額法	(取得価額 − 別表第十一の残存割合により計算した残存価額) × 耐用年数に応じた旧定額法の償却率
旧定率法	(取得価額 − 前事業年度までの償却の額で損金算入された金額) × 耐用年数に応じた旧定率法の償却率
定額法	取得価額×別表第八の償却率
定率法	下図のとおり。

○定率法の計算方法

　(取得価額 − 前事業年度までの償却の額で損金算入された金額) × 耐用年数に応じた定率法の償却率 ……①

　　　　　　↓ ①の金額が償却保証額（注2）に満たない場合

　改定取得価額（注3）× 耐用年数に応じた定率法の改定償却率

(注) 1　定率法の償却率は、平成19年4月1日から平成24年3月31日までに取得した場合は、定額法の償却率を2.5倍した償却率（以下この償却率による償却方法を「250％定率法」といいます。）が適用され、平成24年4月1日以後に取得した場合は、定額法の償却率を2倍した償却率（以下この償却率による償却方法を「200％定率法」といいます。）が適用されます（令48の2①一イ(2)、二ロ）。

2　償却保証額とは、取得価額に耐用年数に応じた保証率を乗じて計算した金額をいいます（令48の2⑤一）。

3　改定取得価額とは、原則として、①の金額が最初に償却保証額に満たなくなる事業年度の期首償却残高をいいますが、次の区分に応じ、それぞれ次の金額をいいます（令48の2⑤二）。

(1)　前期の①の金額が償却保証額以上である場合
　　取得価額－前事業年度までの償却の額で損金算入された金額

(2)　連続する2以上の事業年度において①の金額がいずれも償却保証額に満たない場合
　　連続する2以上の事業年度のうち最も古い事業年度における(1)の金額

（2）適　用　関　係

イ．旧定額法、旧定率法

　平成19年3月31日以前に取得をされた減価償却資産について適用されます（令48①）。

ロ．定額法、定率法

　平成19年4月1日以後に取得をされた減価償却資産について適用されます（令48の2①）。

　なお、法人が平成19年4月1日前に取得をし、かつ、平成19年4月1

日以後に事業の用に供した減価償却資産については、その事業の用に供した日においてその減価償却資産を取得したものとみなして、償却方法の規定が適用されます（平19改正令附則11②）。

　定率法の償却率は、平成19年4月1日から平成24年3月31日までの間に取得した場合は、定額法の償却率を2.5倍した償却率（以下この償却率による償却方法を「250％定率法」といいます。）が適用され、平成24年4月1日以後に取得した場合は、定額法の償却率を2倍した償却率（以下この償却率による償却方法を「200％定率法」といいます。）が適用されます（令48の2①一イ(2)、二ロ）。

（3）定額法又は定率法を適用している減価償却資産に係る累積限度額による償却限度額の特例

イ．原　　　則

　前事業年度までにした償却の額の累積額と当該事業年度における償却限度額に相当する金額との合計額が次の金額を超える場合には、当該減価償却資産については、当該償却限度額に相当する金額からその超える部分の金額を控除した金額をもって当該事業年度の償却限度額とされます（令61①）。

　① 平成19年3月31日以前に取得をされたもの
　　(イ) 建物、建物附属設備、構築物、機械及び装置、船舶、航空機、車両及び運搬具、工具並びに器具及び備品（坑道を除きます。）……その取得価額（減価償却資産の償却限度額の計算の基礎となる取得価額をいいます。以下（3）において同じです。）の95％相当額
　　(ロ) 坑道及び無形固定資産……その取得価額に相当する金額
　　(ハ) 生物……その取得価額から残存価額を控除した金額に相当する

金額

② 平成19年4月1日以後に取得をされたもの

(イ) 建物、建物附属設備、構築物、機械及び装置、船舶、航空機、車両及び運搬具、工具、器具及び備品並びに生物（坑道を除きます。）……その取得価額から1円を控除した金額に相当する金額

(ロ) 坑道及び無形固定資産……その取得価額に相当する金額

ロ．平成19年3月31日以前に取得をした減価償却資産に係る特例

前記イ①(イ)又は(ハ)の減価償却資産で、前事業年度までの償却の額の累積額が前記イ①(イ)又は(ハ)の金額に達している場合には、次の金額をもって当該各事業年度の償却限度額とみなされます（令61②）。

$$\frac{取得価額-(イ①(イ)又は(ハ)の金額+1円)}{60} \times 当該事業年度の月数$$

この規定は、平成19年4月1日以後に開始する事業年度から適用されます（平19改正令附則2、11①かっこ書）。

		償却方法	使用する別表
平成19年3月31日以前に取得した資産	改正前の償却限度額まで償却済みの資産	残存価額について(3)ロ．の算式により償却を行う。	別表第七、別表第十一
	償却中の資産	改正前の償却限度額に達するまでこれまでと同じ償却計算を行う。 その償却限度額に達した翌事業年度からは残存価額について(3)ロ．の算式により償却を行う。	
平成19年4月1日以後に取得した資産		改正後の償却率又は改定償却率に基づき償却計算を行う。	別表第九、別表第十

（4）事業年度が1年に満たない場合の償却率

事業年度が1年に満たない場合の償却率は次のとおりです（耐用年数省令4②、5②）。

イ．旧定額法

$$\text{別表第七の償却率} \times \frac{\text{当該事業年度の月数}}{12}$$

ロ．旧定率法

$$\text{別表第七の耐用年数} \times \frac{12}{\text{当該事業年度の月数}}$$

ハ．定額法

$$\text{別表第八の償却率（改定償却率）} \times \frac{\text{当該事業年度の月数}}{12}$$

ニ．定率法

$$\text{別表第九、第十の償却率（改定償却率）} \times \frac{\text{当該事業年度の月数}}{12}$$

<定率法の計算例>

(前提)(1) 平成22年4月に取得・事業供用
　　　(2) 耐用年数8年
　　　(3) 取得価額12,000,000円
　　　(4) 各期の償却限度額と同額を損金経理

事業年度	期首帳簿価額 ①	定率法の償却率 ②	改定償却率 ③	保証率 ④
22.4～23.3	12,000,000	0.313	0.334	0.05111
23.4～24.3	8,244,000	0.313	0.334	0.05111
24.4～25.3	5,663,628	0.313	0.334	0.05111
25.4～26.3	3,890,913	0.313	0.334	0.05111
26.4～27.3	2,673,058	0.313	0.334	0.05111
27.4～28.3	►1,836,391	0.313	0.334	0.05111
28.4～29.3	1,223,037	0.313	0.334	0.05111
29.4～30.3	609,683	0.313	0.334	0.05111

改定取得価額

10 減価償却資産の償却の方法（定額法・定率法）

調整前償却額 （①×②）	償却保証額 （取得価額×④）	改定償却率に よる償却額 （改定取得価額×③）	償却限度額	期末帳簿価額 （①－⑧）	
⑤	⑥	⑦	⑧	⑨	
3,756,000	613,320		3,756,000	8,244,000	⑤＞⑥の 事業年度 償却限度額 ＝帳簿価額 ×償却率②
2,580,372	613,320		2,580,372	5,663,628	
1,772,715	613,320		1,772,715	3,890,913	
1,217,855	613,320		1,217,855	2,673,058	
836,667	613,320		836,667	1,836,391	
574,790	613,320	613,354	613,354	1,223,037	⑤＜⑥の 事業年度 償却限度額 ＝改定取得価額 ×改訂償却率③
382,810	613,320	613,354	613,354	609,683	
190,830	613,320	613,354	609,682	1	

⑤と⑥を比較し、⑤＜⑥の事業年度から切替計算を行う。

帳簿価額1円が残る金額までが償却限度額となる。

11 最近の税制改正の概要（減価償却関係）

（1）平成16年度税制改正

イ．「りんご樹」の耐用年数の改正

　平成16年度の税制改正において別表第四の「りんご樹」の耐用年数が改正されました。

　従来、「りんご樹」の耐用年数は「27年」とされていましたが、わい化りんごについては「20年」、その他のものについては「29年」とされました。

　この改正は、平成16年4月1日以後に開始する事業年度及び連結事業年度について適用されます。

ロ．そ　の　他

　平成10年3月31日以前に取得をされた営業権の償却方法である任意償却が廃止されました（旧令48①六）。

（2）平成19年度税制改正

イ．3設備の耐用年数の改正

　次の3設備の耐用年数が新たに定められ、それぞれ耐用年数が5年とされました。

① 　半導体用フォトレジスト製造設備
② 　フラットパネルディスプレイ製造設備
③ 　フラットパネル用フィルム材料製造設備

この改正は、平成19年4月1日以後に開始する事業年度又は連結事業年度について適用されます。

ロ．定額法、定率法の改正

　従来の定額法、定率法がそれぞれ「旧定額法」、「旧定率法」と改称されたことから、別表第九が「平成十九年三月三十一日以前に取得をされた減価償却資産の償却率表」と改められました。

　一方、定額法、定率法の償却率等を明らかにした別表第十（平成十九年四月一日以後に取得をされた減価償却資産の償却率、改定償却率及び保証率の表）が設けられました。

ハ．残存割合表の改正

　別表第十（減価償却資産の残存割合表）が別表第十一（平成十九年三月三十一日以前に取得をされた減価償却資産の残存割合表）に改められました。

（3）平成20年度税制改正

イ．資産区分及び法定耐用年数の改正

　法定耐用年数について、機械及び装置を中心に、実態に即した使用年数を基に資産区分を整理するとともに、法定耐用年数の見直しが行われました。

　なお、この改正は、既存の減価償却資産を含め、平成20年4月1日以後開始する事業年度について適用されます。

ロ．法定耐用年数の短縮特例の改正

　耐用年数の短縮特例について、本特例の適用を受けた減価償却資産について軽微な変更があった場合、本特例の適用を受けた減価償却資産と同一の他の減価償却資産の取得をした場合等には、改めて承認申請をすることなく、変更点等の届出により短縮特例の適用を受けることができることとされました。

（4）平成23年6月税制改正

　減価償却資産の範囲の見直しが行われ、公共施設等運営権が、減価償却資産（無形固定資産）とされました。

（5）平成23年12月税制改正

イ．定率法の償却率の改正

　平成24年4月1日以後に取得をされた減価償却資産の定率法の償却率が、定額法の償却率の200％相当となる率とされました。

ロ．資本的支出の取得価額特例の改正

　資本的支出の対象となった減価償却資産が平成24年3月31日以前に取得をされたものである場合には、資本的支出により新たに取得をしたものとされた減価償却資産と、資本的支出の対象となった減価償却資産とを、翌事業年度開始の時において合算することはできないこととされました。

ハ. 定率法の償却限度額計算の改正

　種類等を同じくする減価償却資産の償却限度額の計算について、法人がそのよるべき償却の方法として定率法を採用している減価償却資産のうちに平成24年3月31日以前に取得をされた減価償却資産と平成24年4月1日以後に取得をされた減価償却資産とがある場合には、これらの減価償却資産は、それぞれ償却の方法が異なるものとすることとされました。

（6）平成25年度税制改正

　別表第二「55　前掲の機械及び装置以外のもの並びに前掲の区分によらないもの」に区分される機械及び装置のうち、ブルドーザー、パワーショベルその他の自走式作業用機械設備の耐用年数が8年（改正前：17年）に短縮されました。

（7）平成26年度税制改正

　平成26年12月19日付課法2－12ほか1課共同「法人税基本通達等の一部改正について」（法令解釈通達）等が発遣され、美術品等が減価償却資産に該当するかどうかの判定について取扱通達（基通7－1－1）の改正が行われており、平成27年1月1日以後取得する美術品等について新しい取扱いが適用されました。

　改正後の通達では、取得価額が1点100万円未満である美術品等は原則として減価償却資産に該当し、取得価額が1点100万円以上の美術品等は原則として非減価償却資産に該当するものとして取り扱うこととしました。なお、取得価額が1点100万円以上の美術品等であっても、「時

の経過によりその価値が減少することが明らかなもの」に該当する場合は、減価償却資産として取り扱います。逆に、取得価額が1点100万円未満の美術品等であっても「時の経過によりその価値が減少しないことが明らかなもの」は、減価償却資産に該当しません。

(8) 平成27年度税制改正

平成27年12月10日に平成27年9月に改正された航空法が施行され、「無人航空機」が別表第一に規定する「航空機」に該当することになりました。

航空法第2条第22項に「無人航空機」とは、航空の用に供することができる飛行機、回転翼航空機、滑空機、飛行船その他であって構造上人が乗ることができないもののうち、遠隔操作又は自動操縦により飛行させることができるもの（その重量その他の事由を勘案してその飛行により航空機の航行の安全並びに地上及び水上の人及び物件の安全が損なわれるおそれがないものとして国土交通省令で定めるものを除く。）とされました。なお、重量（機体本体の重量とバッテリーの重量の合計）200グラム未満のものについては、「無人航空機」には該当しません（航空法規則5の2）。

(9) 平成28年度税制改正

イ．償却の方法の改正

平成28年4月1日以後に取得をされた建物附属設備及び構築物について、選定可能な償却の方法が定額法のみとされました。また、同日以後に取得をされた鉱業用減価償却資産のうち建物、建物附属設備及び構築物についても、定率法による償却を選定できなくなり、これらの資産の

選定可能な償却の方法が定額法と生産高比例法とのいずれかとされました。

なお、軌条や枕木といった取替資産に該当する構築物については、平成28年4月1日以後に取得されたものであっても、これまでどおり、取替法を選定することができます。

ロ．**特別な償却の方法の改正**

特別な償却の方法を選定することができる減価償却資産の範囲から、平成28年4月1日以後に取得をされた建物附属設備及び構築物が除かれるとともに、同日以後に取得をされた鉱業用減価償却資産のうち建物、建物附属設備及び構築物について選定することができる特別な償却の方法から、定率法その他これに準ずる方法が除かれました。

第3章
中古資産の耐用年数の見積方法

1 見積りの簡便法

　中古資産（試掘権以外の鉱業権及び坑道を除きます。）を取得して事業の用に供した場合には、法定耐用年数によることなくその後の使用可能期間を見積もって当該資産の耐用年数とすることができることとされていますが（見積法。耐用年数省令3①一）、その耐用年数を見積もる場合において、その見積りが困難であるときは、次により計算した年数を耐用年数とすることができます（簡便法。ただし、無形固定資産、生物及び総合償却資産を除きます。耐用年数省令3①二）。

① 法定耐用年数の全部を経過したもの

　　その法定耐用年数 $\times \dfrac{20}{100}$ ＝耐用年数

② 法定耐用年数の一部を経過したもの

　　（法定耐用年数－経過年数）＋$\left(経過年数 \times \dfrac{20}{100}\right)$＝耐用年数

(注)　1年未満の端数は切り捨て、その年数が2年未満の場合は2年とします（耐用年数省令3①二、⑤）。

(計算例)

　法定耐用年数が12年の資産で、

① 12年を経過したもの
　　12年×0.2＝2.4年　→　2年
② 7年を経過したもの
　　（12年－7年）＋（7年×0.2）＝6.4年　→　6年

(注)　通常、中古資産の経過期間が月数まで正確に把握できるケースは少な

いものと考えられますが、もし経過期間が月数まで明確である場合には、上記算式を月数に換算して、耐用年数を計算することができます。

なお、法人税法に規定する適格合併、適格分割、適格現物出資又は適格現物分配（以下「適格組織再編成」といいます。）により合併法人、分割承継法人、被現物出資法人又は被現物分配法人（以下「合併法人等」といいます。）が被合併法人、分割法人、現物出資法人又は現物分配法人（以下「被合併法人等」といいます。）から中古資産の移転を受けた場合に、その被合併法人等がその中古資産について見積耐用年数の適用を受けていたときは、その中古資産の耐用年数については、その被合併法人等においてその中古資産の耐用年数とされていた年数によることができます（耐用年数省令3②）。

つまり、合併法人等が適格組織再編成により移転を受けた減価償却資産の耐用年数については、①法定耐用年数、②移転時における移転資産（中古資産）の見積耐用年数又は③被合併法人等が使っていた見積耐用年数のいずれかを選択して適用することとされています。

また、法人が、適格組織再編成により被合併法人等から資産の移転を受けた場合において、法人がその資産について耐用年数省令第3条第1項の規定の適用を受けるときは、その資産の取得価額には、その被合併法人等がした償却の額でその被合併法人等の各事業年度の所得の金額の計算上損金の額に算入された金額を含まないものとされています（耐用年数省令3③）。

2 取得後用途変更した場合の見積り

　簡便法は、その算定方法から判断して用途変更をした場合には、その適用ができないこととなりますが、資産はいずれの用途に供された場合においても一般的にその資産の用途ごとの法定耐用年数に対応して比例的に減耗すると考えられます。

　したがって、用途変更後の耐用年数の見積りは、耐用年数省令第3条第1項第2号の取扱いに準じ、同省令に定める簡便法の算式により得た年数に次の算式により計算した「置換率」を乗じて行っている場合には、それは合理的な見積りと認めらます。

$$置換率 = \frac{取得後の用途に適用される法定耐用年数}{取得前の用途に適用される法定耐用年数}$$

3 事業の用に供するに当たり資本的支出をした中古資産の耐用年数

　中古資産を取得して、それを事業の用に供するに当たって支出した金額は、法人税法施行令第54条（減価償却資産の取得価額）の規定に基づきその資産の取得価額に算入されます。この場合、支出した金額の程度により耐用年数の伸長の程度が異なるものと考えられますので、それぞれの区分による耐用年数を適用することとされています。

	資本的支出の金額の程度	適用すべき耐用年数	参　考　例
1	取得した中古資産の取得価額の½相当額以下である場合	前記1の簡便法を適用することができる（耐用年数省令3①）。	
2	上記1を超え中古資産の再取得価額の½相当額以下である場合	次の算式により計算した年数によることができる（耐通1－5－6）。 （算式） $$\frac{\text{その中古資産の取得価額（資本的支出の金額を含む）}}{\dfrac{\text{その中古資産の取得価額（資本的支出の金額を含まない）}}{\text{その中古資産につき簡便法により算定した耐用年数}} + \dfrac{\text{その中古資産の資本的支出の金額}}{\text{その中古資産に係る法定耐用年数}}}$$ （注）簡便法の適用はできない。	中古資産の取得価額 　　　1,400,000円 支出した資本的支出の金額　960,000円 法定耐用年数　12年 経過年数　　　6年 $2,360,000 \div \left(\dfrac{1,400,000}{7} + \dfrac{960,000}{12} \right) = 8.4 \rightarrow 8$年
3	取得した中古資産の再取得価額の½相当額を超える場合	法定耐用年数による（耐通1－5－2）。	

（注） 再取得価額とは、中古資産と同じ新品のものを取得する場合の価額をいいます。

4 中古の総合償却資産を取得した場合の総合耐用年数の見積り

（1）見積りができるかどうかの判定

　総合償却資産については、法人が、工場を一括して取得する場合等、別表第一、二、五、六に掲げる「設備の種類」又は「種類」に属する資産の相当部分につき、中古資産を一時に取得した場合に限り、その中古資産以外の資産と区別して総合耐用年数を見積もることができることとされています（耐通1-5-8）。

　ここで、「総合償却資産」とは、「機械及び装置」及び「構築物」で、その資産に属する個々の資産の全部につき、その償却の基礎となる価額を個々の価額を総合して定められた耐用年数により償却することとされているものをいいます。

　なお、中古資産が相当部分を占めるかどうかは、次により判定することとされています（耐通1-5-9）。

$$\frac{中古資産の再取得価額の合計額}{中古資産を含めたその資産の属する設備全体の再取得価額}＝30\%以上の場合$$

（参考例）

当初より有していた設備の再取得価額　　　50,000千円
中古資産の再取得価額　　　　　　　　　　25,000千円
25,000千円÷(50,000千円＋25,000千円)＝33％

　すなわち、相当部分かどうかの判定は、33％となるところから、総合耐用年数を見積もることができます。

　したがって、通常、中古機械を1台とか2台程度取得したような場合には、総合耐用年数を見積もることはできないことに注意する必要があ

ります。

　つまり、一の設備の種類に属する相当部分について中古資産を一時に取得した場合にのみ、その部分について見積総合耐用年数によることができることとされたのは、中古の機械を1台とか2台とか取得してもその総合償却資産の全体の耐用年数に、ほとんど影響を及ぼさないと認められるからです。

(2) 見積計算の方法

イ．原則的見積計算

　総合償却資産に係る中古資産の総合耐用年数は、同時に取得した中古資産のうち、別表第一、二、五、六に掲げる一の「設備の種類」又は「種類」に属するもののすべてについて、次の算式により計算した年数（1年未満の端数は切り捨て、この年数が2年未満の場合は、2年）によることとされています（耐通1－5－8）。

（算式）

その中古資産の取得価額の合計額 ÷ その中古資産を構成する個々の資産の全部につき、それぞれ個々の資産の取得価額をその個々の資産について使用可能と見積もられる耐用年数で除して得た金額の合計額

(注)　この算式中、個々の資産の耐用年数の見積りが困難な場合には、その個々の資産の耐用年数の見積りについては、その資産の種類又は設備の種類について定められた旧別表第二の法定耐用年数の算定の基礎となったその個々の資産の個別耐用年数（「機械及び装置の個別年数と使用時間表」の「機械及び装置の細目と個別年数」の「同上算定基礎年数」等をいいます。）を基礎として、耐用年数省令第3条第1項第2号（簡便法）の規定の例によりその耐用年数を算定することができます。

　この場合において、その資産が同項ただし書の場合（前記3の表2）に該当するときは耐通1－5－6の取扱いを準用します（耐通1－5－

8(2))。

(参考例) 一括購入の中古資産の見積り

個々の資産	取得価額（A）	使用可能と見積もられる耐用年数（B）	年要償却額（A/B）
A　機　械	750千円	10年	75千円
B　〃	540〃	5〃	108〃
C　〃	450〃	6〃	75〃
D　〃	360〃	4〃	90〃
計	2,100千円		348千円

$$総合耐用年数 = \frac{2,100千円}{348千円} = 6.03年 \rightarrow \boxed{6年}$$

ロ．特例による見積計算

　法人が工場を一括して取得する場合のように、中古資産である一の設備の種類に属する総合償却資産の全部を一時に取得したときは、上記イの取扱いによらないで、次の算式により見積もることもできます（耐通1－5－10）。

(算式)

$$法定耐用年数 - 経過年数 + 経過年数 \times \frac{20}{100} = 総合耐用年数$$

(注)　1　この場合の経過年数は、その資産の譲渡者が譲渡日において付していたその資産の帳簿価額を、その資産のその譲渡者に係る取得価額をもって除して得た割合に応ずるその法定耐用年数に係る未償却残額割合に対応する経過年数とします。
　　　2　算出年数に1年未満の端数があるときは、その端数を切り捨て、その年数が2年未満の場合には2年とします。
　　　3　租税特別措置法に規定する特別償却をした資産（その特別償却を準備金方式によったものを除きます。）については、未償却残額割合

を計算する場合のその譲渡者が付していた帳簿価額は、合理的な方法により調整した金額によるものとされています。

ハ．見積耐用年数によることができない中古の総合償却資産

総合償却資産に属する中古資産を事業の用に供するに当たって改良等を行い、その改良等のために支出した金額がその減価償却資産の再取得価額の2分の1に相当する金額を超えるときは、その減価償却資産については法定耐用年数によることとなります（耐通1－5－11）。

事例100 中古の工業所有権の耐用年数

法定有効期限が6年残っている中古の特許権（法定耐用年数8年）の耐用年数は何年になりますか。

答 中古資産の耐用年数の見積りは、減価償却資産のうち試掘権以外の鉱業権及び坑道以外のものについて行うことができますので、特許権についても見積りをすることができます（耐用年数省令3）。

ところで、工業所有権（無形減価償却資産のうち、特許権、実用新案権、意匠権及び商標権をいいます。）は、各々その根拠法において権利の存続期間が法定されており、存続期間の満了により消滅するものです。

したがって、工業所有権の使用可能期間の見積りは、次の算式により計算するのが相当と認められます。

この場合、この算式によって計算した使用可能期間が法定耐用年数より長い場合には、法定耐用年数を適用することになります。

（算式）

> 使用可能期間（残存有効期間）＝法定存続期間－経過年数

よって、この特許権は、残存有効期間が6年ですので、残存耐用年数は「6年」とすることができます。

第4章
耐用年数の短縮

1　承認申請の対象となる特別の事由

　法定耐用年数と実際の使用可能期間との間に相違がある場合には、国税局長の承認を受けて耐用年数の短縮ができます。

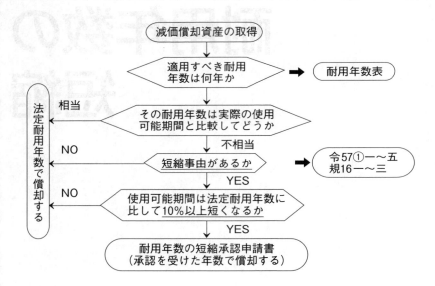

　法定の耐用年数は、標準的な資産を対象として、通常の稼働状況等を基礎として定められていますから、個々の減価償却資産について、次の表の短縮事由のいずれかに該当する場合において、その減価償却資産の使用可能期間のうちいまだ経過していない期間（以下「未経過使用可能期間」といいます。）を基礎としてその償却限度額を計算することにつき、納税地の所轄国税局長の承認を受けたときは、その未経過使用可能期間をもって法定耐用年数とみなすことにより、適用すべき耐用年数を短縮することができます（令57、規16）。

なお、短縮の承認を受けた減価償却資産について軽微な変更があった場合、同一の他の減価償却資産を取得した場合等には改めて承認申請をすることなく、変更点等の届出により短縮の適用を受けることができます（令57⑦③、規18）。

　耐用年数の短縮特例の承認を受けた場合、その資産の旧定額法、旧生産高比例法、定額法又は生産高比例法による償却限度額の計算の基礎となる取得価額及び定率法の償却保証額の計算の基礎となる取得価額には、その資産につきその承認を受けた日の属する事業年度の前事業年度までの各事業年度においてした償却の額の累計額を含まないものとされます（令57⑨）。

	特別な事由	該当条項	事　例
1	減価償却資産の材質又は製作方法がこれと種類及び構造を同じくする他の減価償却資産の通常の材質又は製作方法と著しく異なることにより、その使用可能期間が法定耐用年数に比し著しく短いこと	令57①一	例えば、建設現場などで使われている移動性の仮設建物を、基礎に木材を使用したり、基礎が全くないまま、倉庫や事務所などとして定着的に使用する場合など
2	減価償却資産の存する地盤が隆起し又は沈下したことにより、その使用可能期間が法定耐用年数に比して著しく短いこととなったこと	令57①二	例えば、地下水の大量採取による地盤沈下等によって、建物、構築物等に特別な減損を生じた場合など
3	減価償却資産が陳腐化したことにより、その使用可能期間が法定耐用年数に比して著しく短いこととなったこと	令57①三	例えば、技術革新により、新規製造方式が出現したため、従来の製造設備が陳腐化した場合など

4	減価償却資産がその使用される場所の状況に基因して著しく腐食したことにより、その使用可能期間が法定耐用年数に比して著しく短いこととなったこと	令57①四	例えば、京浜地区の平水区域のように汚濁された水域を常時運行するため、船体の腐食が著しい平水区域専用のガソリン船、貨物船の場合など
5	減価償却資産が通常の修理又は手入れをしなかったことに基因して著しく損耗したことにより、その使用可能期間が法定耐用年数に比して著しく短いこととなったこと	令57①五	例えば、建設機械のうち、いわゆる軽機に属するものを、レンタル用に使用しているためその保守管理が十分に行われない場合など
6	耐用年数省令に定める一の耐用年数を用いて償却限度額を計算すべき減価償却資産の構成が、その耐用年数を用いて償却限度額を計算すべき同一種類の他の減価償却資産の通常の構成と著しく異なること	規16一	例えば、機械工業設備の構成内容について、溶接機等の短命数のものが多量に使われているとか、同じく短命数の自動制御装置、コンピュータ等の構成比が大きいなどのために、他の同一種類の設備の構成内容と著しく異なる場合など
7	減価償却資産が機械及び装置である場合において、その資産の属する設備が別表第二（機械及び装置の耐用年数表）に特掲された設備以外のものであること	規16二	例えば、化学工業、電子工業等の新規製品の製造設備など、特掲された設備以外のもので、旧別表第二「325　前掲以外の製造設備」に該当するため、その設備の実態に合わない場合など
8	その他１から７までに準ずる事由が生じたこと	規16三	その構造が比較的簡易な定型化されたもので、その設備を構成する個々の資産の使用可能期間を基に計算したその設備全体の使用可能期間が、法定耐用年数に比して著しく短い場合に、当該構築物の耐用年数の短縮を認めることなど

2 短縮の承認申請書の記載例

　耐用年数の短縮の承認申請に必要な書類は次のとおりです。
(1)　耐用年数の短縮の承認申請書（2部）
(2)　添付書類（2部）
　①　承認を受けようとする使用可能期間及び未経過使用可能期間の算定の明細書
　②　申請資産の取得価額が確認できる資料
　　（例：請求書等）
　③　個々の資産の内容及び使用可能期間が確認できる資料
　　（例：見積書、仕様書、メーカー作成資料等）
　④　申請資産の状況が明らかとなる資料
　　（例：写真、カタログ、設計図等）
　⑤　申請資産がリース物件の場合、貸与を受けている者の用途等が確認できる書類
　　（例：リース契約書の写し、納品書の写し等）

　申請書類の提出方法は、次のとおりです。
　上記、申請書に添付書類を漏れなく添付し、申請者（連結法人の場合は連結親法人）の納税地の所轄税務署長を経由して所轄国税局長あてに提出してください。
　なお、所轄国税局又は税務署から、追加的に資料の提出を求める場合がありますので、その場合にはできる限り速やかに提出してください。

（1）油そう船（単体法人の場合）

耐用年数の短縮の承認申請書

※整理番号
※連結グループ整理番号

平成29年 5月28日

東京 国税局長殿

提出法人		
☑ 単体法人 / □ 連結親法人	納　税　地	〒110-0000 東京都千代田区大手町〇-〇-〇 電話（03）0000-××××
	（フリガナ）	オオテマチ カイウン カブシキガイシャ
	法 人 名 等	大手町海運株式会社
	法 人 番 号	
	（フリガナ）	コウノ　イチロウ
	代表者氏名	甲野　一郎　㊞
	代表者住所	〒101-0000 東京都千代田区三崎町〇番地
	この申請に応答する係及び氏名	経理部　乙山　二郎 電話（03）0000-××××
	事 業 種 目	沿海運輸　業

連結子法人（申請の対象が連結子法人である場合に限り記載）	（フリガナ）		
	法 人 名 等		
	本店又は主たる事務所の所在地	〒　　（局　署） 電話（　　）　－	
	（フリガナ）		
	代表者氏名	〒	
	代表者住所		
	事 業 種 目	業	

※税務署処理欄
整理番号／部門／決算期／業種番号／整理簿
回付先　□ 親署 ⇒ 子署　□ 子署 ⇒ 調査課

次の減価償却資産については、耐用年数の短縮の承認を申請します。

申　請　の　事　由		1	令第57条第4号該当
資産の種類及び名称		2	油そう船（2,000トン未満のもの）
同上の資産の	所在する場所	3	川崎市
	承認を受けようとする使用可能期間	4	9年
	承認を受けようとする未経過使用可能期間	5	5年
	法定耐用年数	6	11年
使用可能期間が法定耐用年数に比して著しく短い事由及びその事実の概要		7	申請資産は、京浜地区の平水区域のみを航行する油そう船ですが、東京湾の汚染により船舶外板の腐食が著しく現在の塗料では防食効果がうすく、また、常時上架して防食塗装も困難
参考となるべき事項		8	テストホール（外板の腐食検査）の資料…別紙のとおり

税理士署名押印　　　　　　　　　　　　　　　　　　　　　　㊞

※税務署処理欄　部門／決算期／業種番号／番号／整理簿／備考

② 短縮の承認申請書の記載例

承認を受けようとする使用可能期間及び未経過使用可能期間の算定の明細書   No.

a 番号	b 種類(設縮の種類を含む)	c 構造又は用途	d 細目(個々の資産の名称)	e 数量	f 現に適用している耐用年数	g 取得価額	h 経過年数 承認を受けようとする使用可能期間の算定の基礎 年月	i その後の使用可能期間 年月	j 計 年月	k 年僧却額 g/j	l 経過期間に係る償却費相当額 (h×k)	m 未経過期間対応償却基礎価額 (g-l)	n 算出使用可能期間 gの計 kの計	o 承認を受けようとする使用可能期間	p 算出未経過使用可能期間 mの計 kの計	q 承認を受けようとする未経過使用可能期間	r 取得年月 年 月	s 帳簿価額 千円	t 所在地
1	船舶法第4条から第19条までの適用を受ける鋼船	油そう船	総トン数が2,000トン未満のもの第一おおてん丸	1	11	千円 36,000	年 月 4・0	年 月 5・0	9・0	4,000	16,000	20,000	9	9	5	5	25・4	千円 22,896	川崎市
																			計

(2) 油そう船（連結法人の場合）

耐用年数の短縮の承認申請書

※整理番号
※連結グループ整理番号

税務署受付印

平成29年 5月28日

東京 国税局長殿

提出法人 ❷
□ 単体法人
☑ 連結親法人

納 税 地　〒100-0000
東京都千代田区霞ヶ関〇-〇-〇
電話（03）0000-××××

（フリガナ）カスミガセキ カイウン カブシキガイシャ
法 人 名 等　霞ヶ関海運株式会社

法 人 番 号

（フリガナ）オツノ イチロウ
代表者氏名　乙野 一郎　㊞

代表者住所　〒101-0000
東京都千代田区西神田〇-〇-〇

この申請に応答する係及び氏名　経理部 丙山 二郎
電話（03）0000-××××

事 業 種 目　沿海運輸　業

❶

❸ 連結子法人
（申請の対象が連結子法人である場合に限り記載）

（フリガナ）オオテマチ カイウン カブシキガイシャ
法 人 名 等　大手町海運株式会社

本店又は主たる事務所の所在地　〒110-0000　（　局　署）
東京都千代田区大手町〇-〇-〇
電話（03）0000-××××

（フリガナ）コウノ イチロウ
代表者氏名　甲野 一郎

代表者住所　〒101-0000　東京都千代田区三崎町〇番地

事 業 種 目　沿海運輸　業

※税務署処理欄
整理番号
部　門
決算期
業種番号
整理簿

回 付 先　□ 親署 ⇒ 子署　□ 子署 ⇒ 調査課

次の減価償却資産については、耐用年数の短縮の承認を申請します。

❹ 申 請 の 事 由	1	令第57条第4号該当	
❺ 資産の種類及び名称	2	油そう船（2,000トン未満のもの）	
❻ 同上の資産の	所在する場所	3	川崎市
	承認を受けようとする使用可能期間	4	9年
	承認を受けようとする未経過使用可能期間	5	5年
	法定耐用年数	6	11年
❼ 使用可能期間が法定耐用年数に比して著しく短い事由及びその事実の概要	7	申請資産は、京浜地区の平水区域のみを航行する油そう船ですが、東京湾の汚染により船舶外板の腐食が著しく現在の塗料では防食効果がうすく、また、常時上架して防食塗装も困難	
参考となるべき事項	8	テストホール（外板の腐食検査）の資料…別紙のとおり	

税理士署名押印　　　　　　　　　　㊞

※税務署処理欄　部門　決算期　業種番号　番号　整理簿　備考

(注)
❶ 提出法人の区分に応じて、該当する□にレ印を付します。
❷ 「納税地」欄には、必ず本店所在地を記載します。
❸ 「連結子法人」欄は、申請の対象が連結子法人である場合にのみ記載します。
❹ 耐用年数の短縮の承認を受けようとする減価償却資産のその申請事由が、法人税法施行令第57条第1項第1号から第6号まで及び法人税法施行規則第16条各号に掲げる事由のいずれに該当するかを記載します。
❺ 申請する資産について、耐用年数省令別表に掲げる種類又は設備の種類及びその名称を記載します。
❻ 「同上の資産の（3～6）」欄には、申請する資産の所在する事業所名及び所在地、承認を受けようとする使用可能期間の年数、未経過使用可能期間の年数及び法定耐用年数をそれぞれ記載します。
❼ 承認を受けようとする使用可能期間が、法定耐用年数に比して著しく短いことについての具体的な事由及びその事実の概要を記載します。

承認を受けようとする使用可能期間及び未経過使用可能期間の算定の明細書

番号	種類(設備の種類を含む。)	構造又は用途	細目(個々の資産の名称)	数量	現に適用している耐用年数	取得価額	承認を受けようとする使用可能期間の算定の基礎			年要償却額 $\frac{g}{j}$	経過期間に係る償却額相当額 $(h \times k)$	未経過期間対応償却累積額 $(g-l)$	算出使用可能期間 $\frac{g \text{の計}}{k \text{の計}}$	承認を受けようとする使用可能期間	算出未経過使用可能期間 $\frac{m \text{の計}}{k \text{の計}}$	承認を受けようとする未経過使用可能期間	取得年月	帳簿価額	所在地
							経過年数	その後の使用可能期間	計										
a	b	c	d	e	f	g	h	i	j	k	l	m	n	o	p	q	r	s	t
						千円	年 月	年 月	年 月								年 月	千円	
1	船舶法第4条から第19条までの適用を受ける鋼船	油そう船	総トン数が2,000トン未満のもの 第一おてて丸	1	11	36,000	4・0	5・0	9・0	4,000	16,000	20,000	9	9	5	5	25・4	22,896	川崎市
計																			

3 使用可能期間の算定方法

（1）個別償却資産の場合（基通7－3－20、7－3－20の2）

イ．個別償却資産の使用可能期間の算定方法は、次のようになります。なお、合計年数の1年未満の端数は切り捨てます。

特別な事由に該当することと　　　特別な事由に該当すること
なった資産の取得後の経過年数　＋　となった後の見積年数(注)

（注） この場合の見積年数は、使用可能期間を測定しようとする時から通常の維持補修を加え、通常の使用条件で使用する場合に、通常予定される効果をあげることができなくなり更新又は廃棄されると見込まれる時期までの年数によります。

ロ．個別償却資産の未経過使用可能期間は、使用可能期間を算定しようとする時から通常の維持補修を加え、通常の使用条件で使用するものとした場合において、通常予定される効果をあげることができなくなり更新又は廃棄されると見込まれる時期までの見積年数によります。なお、1年未満の端数は切り捨てます。

（2）総合償却資産の場合（基通7－3－21、7－3－21の2）

イ．使用可能期間は、その資産に属する個々の資産の取得価額を償却基礎価額とし、上記の個別償却資産の使用可能期間の算定（基通7－3－20）に準じて算定した個々の資産の使用可能期間により総合償却資産の耐用年数の算定式（耐通1－6－1）に従い算定した年数によります。

個々の機械	取得価額 A	個々の資産の使用可能期間 B	年要償却額 A/B
a	10,000千円	10年	1,000千円
b	6,000 〃	15〃	400 〃
c	8,000 〃	12〃	666 〃
d	1,000 〃	10〃	100 〃
計	25,000千円		2,166千円

$$使用可能期間 = \frac{25,000}{2,166} ≒ 11.54年 \xrightarrow{(端数切捨)} 11年$$

(**注**) 個々の資産の使用可能期間の算定に当たっては、その資産の廃棄等、できるだけ過去の実績を参考にして具体的に見積もるようにします。

ロ．未経過使用可能期間は、その資産に属する個々の資産の取得価額を償却基礎価額とし、上記の個別償却資産の使用可能期間の算定（基通7－3－20）に準じて算定した年数を使用可能期間として、総合償却資産の未経過使用可能期間の算定（耐通1－6－1の2）に従って算定した年数によります。なお、1年未満の端数は切り捨てます。

4 適用上の問題点

① 短縮された耐用年数は、国税局長による承認の処分のあった日の属する事業年度から適用されます（令57⑥）。
② 短縮の承認を受けた資産と同一種類の資産を新たに取得したとしても、その資産について改めて耐用年数の短縮の承認を受けない限り法定耐用年数を適用することとなります（令57①）。

　ただし、承認の事由が法人税法施行規則第16条第2号に掲げる事由又はこれに準ずる事由に該当するものである場合には、いわば、新たな耐用年数を定めたのと同じであることから、その後取得する資産であっても承認を受けた年数を適用します（基通7－3－22）。
③ 耐用年数の短縮承認を受けている資産について法定耐用年数の改正があった場合に改正後の法定耐用年数の方が短縮承認を受けた耐用年数より短いときは、改正後の法定耐用年数によります（耐通1－7－3）。
④ 見積耐用年数の適用ができる中古取得資産について、事業の用に供するに当たり、その見積りをしなかったことを事由として、その後の事業年度で耐用年数の短縮申請をすることはできません（耐通1－5－1）。
⑤ 製造工程の一部の工程に属する機械及び装置が陳腐化したため耐用年数の短縮承認を受けていた場合に、陳腐化したその機械及び装置の全部を新たな機械及び装置と取り替えたときは、設備全体からみると陳腐化前に復したことになるのでこのような場合には、耐用年数の短縮の承認を取り消します（耐通1－6－2）。

⑥　連結法人の有する減価償却資産に係る耐用年数の短縮の承認申請書については、連結親法人が連結親法人の納税地の所轄税務署を経由して、所轄国税局長に提出します（令57、155の6）。

⑦　耐用年数の短縮が適用できる時期は、申請法人の納税地の所轄国税局長の承認のあった日の属する事業年度以後の各事業年度について適用することができることとなっています（令57⑥）。

　なお、審査等に日数を要することから、「耐用年数の短縮の承認申請書」は適用を受けようとする事業年度末の概ね3か月前までに提出することが望ましいとされています（事業年度末間際に提出した場合、承認が翌事業年度になることもあります。）。

　また、仮に事業年度末に「耐用年数の短縮の承認申請書」を提出し、翌事業年度において承認を受けた場合には、翌事業年度以後の各事業年度の償却限度額の計算から適用できることとなります。

5 短縮の承認例

建　　物

承認の対象となる建物	法定耐用年数	承認耐用年数	承認事由
移動性仮設建物として使用される構造のものを、通常の事務所、倉庫用等として使用している場合のその建物	建物の構造又は用途、細目ごとに定められている年数	基礎がないもの又は基礎が木材のもの　　　　　　　　　9年 上記以外のもの　　　　　　　　　13年	令57条1項1号

機械及び装置

承認の対象となる機械装置	法定耐用年数	承認耐用年数	承認事由
レンタル用建設機械 　バイブレーションローラー（インパクトローラーを含む。）に限る。	5年	4年	令57条1項5号及び6号、規16条3号
可搬式ベルトコンベヤー	3年	2年	
その他の設備（軽機に属するもので、損耗の著しいものに限る。）	7年	3～5年	

耐用年数表

付　関連通達番号・償却率

別表第一　機械及び装置以外の有形減価償却資産の耐用年数表
＜建　物＞

構造又は用途	細　目	耐用年数
鉄骨鉄筋コンクリート造又は鉄筋コンクリート造のもの	事務所用又は美術館用のもの及び左記【編注：下記】以外のもの	50 年
	住宅用、寄宿舎用、宿泊所用、学校用又は体育館用のもの	47
	飲食店用、貸席用、劇場用、演奏場用、映画館用又は舞踏場用のもの	
	飲食店用又は貸席用のもので、延べ面積のうちに占める木造内装部分の面積が3割を超えるもの	34
	その他のもの	41
	旅館用又はホテル用のもの	
	延べ面積のうちに占める木造内装部分の面積が3割を超えるもの	31
	その他のもの	39
	店舗用のもの	39
	病院用のもの	39
	変電所用、発電所用、送受信所用、停車場用、車庫用、格納庫用、荷扱所用、映画製作ステージ用、屋内スケート場用、魚市場用又はと畜場用のもの	38
	公衆浴場用のもの	31
	工場（作業場を含む。）用又は倉庫用のもの	
	塩素、塩酸、硫酸、硝酸その他の著しい腐食性を有する液体又は気体の影響を直接全面的に受けるもの、冷蔵倉庫用のもの（倉庫事業の倉庫用のものを除く。）及び放射性同位元素の放射線を直接受けるもの	24
	塩、チリ硝石その他の著しい潮解性を有する固体を常時蔵置するためのもの及び著しい蒸気の影響を直接全面的に受けるもの	31
	その他のもの	
	倉庫事業の倉庫用のもの	
	冷蔵倉庫用のもの	21
	その他のもの	31
	その他のもの	38
れんが造、石造又はブロック造のもの	事務所用又は美術館用のもの及び左記【編注：下記】以外のもの	41
	店舗用、住宅用、寄宿舎用、宿泊所用、学校用又は体育館用のもの	38
	飲食店用、貸席用、劇場用、演奏場用、映画館用又は舞踏場用のもの	38
	旅館用、ホテル用又は病院用のもの	36
	変電所用、発電所用、送受信所用、停車場用、車庫用、格納庫用、荷扱所用、映画製作ステージ用、屋内スケート場用、魚市場用又はと畜場用のもの	34
	公衆浴場用のもの	30
	工場（作業場を含む。）用又は倉庫用のもの	
	塩素、塩酸、硫酸、硝酸その他の著しい腐食性を有する液体又は気体の影響を直接全面的に受けるもの及び冷蔵倉庫用のもの（倉庫事業の倉庫用のものを除く。）	22
	塩、チリ硝石その他の著しい潮解性を有する固体を常時蔵置するためのもの及び著しい蒸気の影響を直接全面的に受けるもの	28

別表第一 ＜建物＞ 143

耐用年数の適用等に関する取扱通達	旧償却率（別表第七）		定額法（別表第八）	250%定率法（別表第九）			200%定率法（別表第十）		
	旧定額法	旧定率法		償却率	改定償却率	保証率	償却率	改定償却率	保証率
2-1-1　2-1-2	0.020	0.045	0.020						
2-1-4～2-1-5	0.022	0.048	0.022						
2-1-7	0.030	0.066	0.030						
	0.025	0.055	0.025						
2-1-7	0.033	0.072	0.033						
	0.026	0.057	0.026						
2-1-3	0.026	0.057	0.026						
2-1-6	0.026	0.057	0.026						
2-1-8　2-1-12	0.027	0.059	0.027						
2-1-9	0.033	0.072	0.033						
2-1-10　2-1-11									
2-1-13～2-1-17	0.042	0.092	0.042						
2-1-18～2-1-21	0.033	0.072	0.033						
	0.048	0.104	0.048						
	0.033	0.072	0.033						
	0.027	0.059	0.027						
2-1-1　2-1-2	0.025	0.055	0.025						
2-1-3～2-1-5	0.027	0.059	0.027						
	0.027	0.059	0.027						
2-1-6	0.028	0.062	0.028						
2-1-8　2-1-12	0.030	0.066	0.030						
2-1-9	0.034	0.074	0.034						
2-1-10　2-1-11									
2-1-13～2-1-15	0.046	0.099	0.046						
2-1-18～2-1-21	0.036	0.079	0.036						

構造又は用途	細目	耐用年数
れんが造、石造又はブロック造のもの	その他のもの	年
	倉庫事業の倉庫用のもの	
	冷蔵倉庫用のもの	20
	その他のもの	30
	その他のもの	34
金属造のもの（骨格材の肉厚が4ミリメートルを超えるものに限る。）	事務所用又は美術館用のもの及び左記【編注：下記】以外のもの	38
	店舗用、住宅用、寄宿舎用、宿泊所用、学校用又は体育館用のもの	34
	飲食店用、貸席用、劇場用、演奏場用、映画館用又は舞踏場用のもの	31
	変電所用、発電所用、送受信所用、停車場用、車庫用、格納庫用、荷扱所用、映画製作ステージ用、屋内スケート場用、魚市場用又はと畜場用のもの	31
	旅館用、ホテル用又は病院用のもの	29
	公衆浴場用のもの	27
	工場（作業場を含む。）用又は倉庫用のもの	
	塩素、塩酸、硫酸、硝酸その他の著しい腐食性を有する液体又は気体の影響を直接全面的に受けるもの、冷蔵倉庫用のもの（倉庫事業の倉庫用のものを除く。）及び放射性同位元素の放射線を直接受けるもの	20
	塩、チリ硝石その他の著しい潮解性を有する固体を常時蔵置するためのもの及び著しい蒸気の影響を直接全面的に受けるもの	25
	その他のもの	
	倉庫事業の倉庫用のもの	
	冷蔵倉庫用のもの	19
	その他のもの	26
	その他のもの	31
金属造のもの（骨格材の肉厚が3ミリメートルを超え4ミリメートル以下のものに限る。）	事務所用又は美術館用のもの及び左記【編注：下記】以外のもの	30
	店舗用、住宅用、寄宿舎用、宿泊所用、学校用又は体育館用のもの	27
	飲食店用、貸席用、劇場用、演奏場用、映画館用又は舞踏場用のもの	25
	変電所用、発電所用、送受信所用、停車場用、車庫用、格納庫用、荷扱所用、映画製作ステージ用、屋内スケート場用、魚市場用又はと畜場用のもの	25
	旅館用、ホテル用又は病院用のもの	24
	公衆浴場用のもの	19
	工場（作業場を含む。）用又は倉庫用のもの	
	塩素、塩酸、硫酸、硝酸その他の著しい腐食性を有する液体又は気体の影響を直接全面的に受けるもの及び冷蔵倉庫用のもの	15
	塩、チリ硝石その他の著しい潮解性を有する固体を常時蔵置するためのもの及び著しい蒸気の影響を直接全面的に受けるもの	19
	その他のもの	24
金属造のもの（骨格材の肉厚が3ミリメートル以下のものに限る。）	事務所用又は美術館用のもの及び左記【編注：下記】以外のもの	22
	店舗用、住宅用、寄宿舎用、宿泊所用、学校用又は体育館用のもの	19
	飲食店用、貸席用、劇場用、演奏場用、映画館用又は舞踏場用のもの	19
	変電所用、発電所用、送受信所用、停車場用、車庫用、格納庫用、荷扱所用、映画製作ステージ用、屋内スケート場用、魚市場用又はと畜場用のもの	19

別表第一　＜建物＞

耐用年数の適用等に関する取扱通達	旧償却率（別表第七）		定額法（別表第八）	250%定率法（別表第九）			200%定率法（別表第十）		
	旧定額法	旧定率法		償却率	改定償却率	保証率	償却率	改定償却率	保証率
	0.050	0.109	0.050						
	0.034	0.074	0.034						
	0.030	0.066	0.030						
2－1－1　2－1－2	0.027	0.059	0.027						
2－1－3 ～ 2－1－5	0.030	0.066	0.030						
2－1－6	0.033	0.072	0.033						
2－1－8　2－1－12	0.033	0.072	0.033						
2－1－6	0.035	0.076	0.035						
2－1－9	0.037	0.082	0.038						
2－1－10　2－1－11　2－1－13 ～ 2－1－17	0.050	0.109	0.050						
2－1－18 ～ 2－1－21	0.040	0.088	0.040						
	0.052	0.114	0.053						
	0.039	0.085	0.039						
	0.033	0.072	0.033						
2－1－1　2－1－2	0.034	0.074	0.034						
2－1－3 ～ 2－1－5	0.037	0.082	0.038						
	0.040	0.088	0.040						
2－1－8　2－1－12	0.040	0.088	0.040						
2－1－6	0.042	0.092	0.042						
2－1－9	0.052	0.114	0.053						
2－1－10　2－1－11　2－1－13 ～ 2－1－15	0.066	0.142	0.067						
2－1－18 ～ 2－1－21	0.052	0.114	0.053						
	0.042	0.092	0.042						
2－1－1　2－1－2	0.046	0.099	0.046						
2－1－3 ～ 2－1－5	0.052	0.114	0.053						
	0.052	0.114	0.053						
2－1－8　2－1－12	0.052	0.114	0.053						

構造又は用途	細目	耐用年数
金属造のもの（骨格材の肉厚が3ミリメートル以下のものに限る。）	旅館用、ホテル用又は病院用のもの	17 年
	公衆浴場用のもの	15
	工場（作業場を含む。）用又は倉庫用のもの	
	塩素、塩酸、硫酸、硝酸その他の著しい腐食性を有する液体又は気体の影響を直接全面的に受けるもの及び冷蔵倉庫用のもの	12
	塩、チリ硝石その他の著しい潮解性を有する固体を常時蔵置するためのもの及び著しい蒸気の影響を直接全面的に受けるもの	14
	その他のもの	17
木造又は合成樹脂造のもの	事務所用又は美術館用のもの及び左記【編注：下記】以外のもの	24
	店舗用、住宅用、寄宿舎用、宿泊所用、学校用又は体育館用のもの	22
	飲食店用、貸席用、劇場用、演奏場用、映画館用又は舞踏場用のもの	20
	変電所用、発電所用、送信所用、停車場用、車庫用、格納庫用、荷扱所用、映画製作ステージ用、屋内スケート場用、魚市場用又はと畜場用のもの	17
	旅館用、ホテル用又は病院用のもの	17
	公衆浴場用のもの	12
	工場（作業場を含む。）用又は倉庫用のもの	
	塩素、塩酸、硫酸、硝酸その他の著しい腐食性を有する液体又は気体の影響を直接全面的に受けるもの及び冷蔵倉庫用のもの	9
	塩、チリ硝石その他の著しい潮解性を有する固体を常時蔵置するためのもの及び著しい蒸気の影響を直接全面的に受けるもの	11
	その他のもの	15
木骨モルタル造のもの	事務所用又は美術館用のもの及び左記【編注：下記】以外のもの	22
	店舗用、住宅用、寄宿舎用、宿泊所用、学校用又は体育館用のもの	20
	飲食店用、貸席用、劇場用、演奏場用、映画館用又は舞踏場用のもの	19
	変電所用、発電所用、送信所用、停車場用、車庫用、格納庫用、荷扱所用、映画製作ステージ用、屋内スケート場用、魚市場用又はと畜場用のもの	15
	旅館用、ホテル用又は病院用のもの	15
	公衆浴場用のもの	11
	工場（作業場を含む。）用又は倉庫用のもの	
	塩素、塩酸、硫酸、硝酸その他の著しい腐食性を有する液体又は気体の影響を直接全面的に受けるもの及び冷蔵倉庫用のもの	7
	塩、チリ硝石その他の著しい潮解性を有する固体を常時蔵置するためのもの及び著しい蒸気の影響を直接全面的に受けるもの	10
	その他のもの	14
簡易建物	木製主要柱が10センチメートル角以下のもので、土居ぶき、杉皮ぶき、ルーフィングぶき又はトタンぶきのもの	10
	掘立造のもの及び仮設のもの	7

別表第一　＜建物＞

耐用年数の適用等に関する取扱通達	旧償却率（別表第七）		定額法（別表第八）	250%定率法（別表第九）			200%定率法（別表第十）		
	旧定額法	旧定率法		償却率	改定償却率	保証率	償却率	改定償却率	保証率
2－1－6	0.058	0.127	0.059						
2－1－9	0.066	0.142	0.067						
2－1－10　2－1－11									
2－1－13～2－1－15	0.083	0.175	0.084						
2－1－18～2－1－21	0.071	0.152	0.072						
	0.058	0.127	0.059						
2－1－1　2－1－2	0.042	0.092	0.042						
2－1－3～2－1－5	0.046	0.099	0.046						
	0.050	0.109	0.050						
2－1－8　2－1－12	0.058	0.127	0.059						
2－1－6	0.058	0.127	0.059						
2－1－9	0.083	0.175	0.084						
2－1－10　2－1－11									
2－1－13～2－1－15	0.111	0.226	0.112						
2－1－18～2－1－21	0.090	0.189	0.091						
	0.066	0.142	0.067						
2－1－1　2－1－2	0.046	0.099	0.046						
2－1－3～2－1－5	0.050	0.109	0.050						
	0.052	0.114	0.053						
2－1－8　2－1－12	0.066	0.142	0.067						
2－1－6	0.066	0.142	0.067						
2－1－9	0.090	0.189	0.091						
2－1－10　2－1－11									
2－1－13～2－1－15	0.142	0.280	0.143						
2－1－18～2－1－21	0.100	0.206	0.100						
	0.071	0.152	0.072						
	0.100	0.206	0.100						
2－1－23	0.142	0.280	0.143						

＜建物附属設備＞

構造又は用途	細目	耐用年数
電気設備（照明設備を含む。）	蓄電池電源設備	6 年
	その他のもの	15
給排水又は衛生設備及びガス設備		15
冷房、暖房、通風又はボイラー設備	冷暖房設備（冷凍機の出力が22キロワット以下のもの）	13
	その他のもの	15
昇降機設備	エレベーター	17
	エスカレーター	15
消火、排煙又は災害報知設備及び格納式避難設備		8
エヤーカーテン又はドア自動開閉設備		12
アーケード又は日よけ設備	主として金属製のもの	15
	その他のもの	8
店用簡易装備		3
可動間仕切り	簡易なもの	3
	その他のもの	15
前掲のもの以外のもの及び前掲の区分によらないもの	主として金属製のもの	18
	その他のもの	10

＜構築物＞

構造又は用途	細目	耐用年数
鉄道業用又は軌道業用のもの	軌条及びその附属品	20 年
	まくら木	
	木製のもの	8
	コンクリート製のもの	20
	金属製のもの	20
	分岐器	15
	通信線、信号線及び電灯電力線	30
	信号機	30
	送配電線及びき電線	40
	電車線及び第三軌条	20
	帰線ボンド	5
	電線支持物（電柱及び腕木を除く。）	30

別表第一　＜建物附属設備＞＜構築物＞

耐用年数の適用等に関する取扱通達	旧償却率（別表第七）		定額法（別表第八）	250%定率法（別表第九）			200%定率法（別表第十）		
	旧定額法	旧定率法		償却率	改定償却率	保証率	償却率	改定償却率	保証率
2－2－2	0.166	0.319	0.167	0.417	0.500	0.05776	0.333	0.334	0.09911
	0.066	0.142	0.067	0.167	0.200	0.03217	0.133	0.143	0.04565
2－2－3	0.066	0.142	0.067	0.167	0.200	0.03217	0.133	0.143	0.04565
2－2－4	0.076	0.162	0.077	0.192	0.200	0.03633	0.154	0.167	0.05180
	0.066	0.142	0.067	0.167	0.200	0.03217	0.133	0.143	0.04565
	0.058	0.127	0.059	0.147	0.167	0.02905	0.118	0.125	0.04038
	0.066	0.142	0.067	0.167	0.200	0.03217	0.133	0.143	0.04565
2－2－4の2	0.125	0.250	0.125	0.313	0.334	0.05111	0.250	0.334	0.07909
2－2－5	0.083	0.175	0.084	0.208	0.250	0.03870	0.167	0.200	0.05566
	0.066	0.142	0.067	0.167	0.200	0.03217	0.133	0.143	0.04565
	0.125	0.250	0.125	0.313	0.334	0.05111	0.250	0.334	0.07909
2－2－6	0.333	0.536	0.334	0.833	1.000	0.02789	0.667	1.000	0.11089
2－2－6の2	0.333	0.536	0.334	0.833	1.000	0.02789	0.667	1.000	0.11089
	0.066	0.142	0.067	0.167	0.200	0.03217	0.133	0.143	0.04565
2－2－7	0.055	0.120	0.056	0.139	0.143	0.02757	0.111	0.112	0.03884
	0.100	0.206	0.100	0.250	0.334	0.04448	0.200	0.250	0.06552

耐用年数の適用等に関する取扱通達	旧償却率（別表第七）		定額法（別表第八）	250%定率法（別表第九）			200%定率法（別表第十）		
	旧定額法	旧定率法		償却率	改定償却率	保証率	償却率	改定償却率	保証率
	0.050	0.109	0.050	0.125	0.143	0.02517	0.100	0.112	0.03486
	0.125	0.250	0.125	0.313	0.334	0.05111	0.250	0.334	0.07909
	0.050	0.109	0.050	0.125	0.143	0.02517	0.100	0.112	0.03486
	0.050	0.109	0.050	0.125	0.143	0.02517	0.100	0.112	0.03486
	0.066	0.142	0.067	0.167	0.200	0.03217	0.133	0.143	0.04565
	0.034	0.074	0.034	0.083	0.084	0.01766	0.067	0.072	0.02366
	0.034	0.074	0.034	0.083	0.084	0.01766	0.067	0.072	0.02366
	0.025	0.056	0.025	0.063	0.067	0.01317	0.050	0.053	0.01791
	0.050	0.109	0.050	0.125	0.143	0.02517	0.100	0.112	0.03486
	0.200	0.369	0.200	0.500	1.000	0.06249	0.400	0.500	0.10800
	0.034	0.074	0.034	0.083	0.084	0.01766	0.067	0.072	0.02366

構造又は用途	細目	耐用年数
鉄道業用又は軌道業用のもの	木柱及び木塔（腕木を含む。）	年
	架空索道用のもの	15
	その他のもの	25
	前掲以外のもの	
	線路設備	
	軌道設備	
	道床	60
	その他のもの	16
	土工設備	57
	橋りょう	
	鉄筋コンクリート造のもの	50
	鉄骨造のもの	40
	その他のもの	15
	トンネル	
	鉄筋コンクリート造のもの	60
	れんが造のもの	35
	その他のもの	30
	その他のもの	21
	停車場設備	32
	電路設備	
	鉄柱、鉄塔、コンクリート柱及びコンクリート塔	45
	踏切保安又は自動列車停止設備	12
	その他のもの	19
	その他のもの	40
その他の鉄道用又は軌道用のもの	軌条及びその附属品並びにまくら木	15
	道床	60
	土工設備	50
	橋りょう	
	鉄筋コンクリート造のもの	50
	鉄骨造のもの	40
	その他のもの	15
	トンネル	
	鉄筋コンクリート造のもの	60
	れんが造のもの	35
	その他のもの	30
	その他のもの	30
発電用又は送配電用のもの	小水力発電用のもの（農山漁村電気導入促進法（昭和27年法律第358号）に基づき建設したものに限る。）	30
	その他の水力発電用のもの（貯水池、調整池及び水路に限る。）	57

別表第一 ＜構築物＞

耐用年数の適用等に関する取扱通達	旧償却率（別表第七）		定額法（別表第八）	250%定率法（別表第九）			200%定率法（別表第十）		
	旧定額法	旧定率法		償却率	改定償却率	保証率	償却率	改定償却率	保証率
	0.066	0.142	0.067	0.167	0.200	0.03217	0.133	0.143	0.04565
	0.040	0.088	0.040	0.100	0.112	0.02058	0.080	0.084	0.02841
	0.017	0.038	0.017	0.042	0.044	0.00895	0.033	0.034	0.01240
	0.062	0.134	0.063	0.156	0.167	0.03063	0.125	0.143	0.04294
2－3－1	0.018	0.040	0.018	0.044	0.046	0.00952	0.035	0.036	0.01281
2－3－2									
	0.020	0.045	0.020	0.050	0.053	0.01072	0.040	0.042	0.01440
	0.025	0.056	0.025	0.063	0.067	0.01317	0.050	0.053	0.01791
	0.066	0.142	0.067	0.167	0.200	0.03217	0.133	0.143	0.04565
	0.017	0.038	0.017	0.042	0.044	0.00895	0.033	0.034	0.01240
	0.029	0.064	0.029	0.071	0.072	0.01532	0.057	0.059	0.02051
	0.034	0.074	0.034	0.083	0.084	0.01766	0.067	0.072	0.02366
	0.048	0.104	0.048	0.119	0.125	0.02408	0.095	0.100	0.03335
	0.032	0.069	0.032	0.078	0.084	0.01655	0.063	0.067	0.02216
	0.023	0.050	0.023	0.056	0.059	0.01175	0.044	0.046	0.01634
	0.083	0.175	0.084	0.208	0.250	0.03870	0.167	0.200	0.05566
	0.052	0.114	0.053	0.132	0.143	0.02616	0.105	0.112	0.03693
	0.025	0.056	0.025	0.063	0.067	0.01317	0.050	0.053	0.01791
	0.066	0.142	0.067	0.167	0.200	0.03217	0.133	0.143	0.04565
	0.017	0.038	0.017	0.042	0.044	0.00895	0.033	0.034	0.01240
2－3－1	0.020	0.045	0.020	0.050	0.053	0.01072	0.040	0.042	0.01440
2－3－2									
	0.020	0.045	0.020	0.050	0.053	0.01072	0.040	0.042	0.01440
	0.025	0.056	0.025	0.063	0.067	0.01317	0.050	0.053	0.01791
	0.066	0.142	0.067	0.167	0.200	0.03217	0.133	0.143	0.04565
	0.017	0.038	0.017	0.042	0.044	0.00895	0.033	0.034	0.01240
	0.029	0.064	0.029	0.071	0.072	0.01532	0.057	0.059	0.02051
	0.034	0.074	0.034	0.083	0.084	0.01766	0.067	0.072	0.02366
	0.034	0.074	0.034	0.083	0.084	0.01766	0.067	0.072	0.02366
	0.034	0.074	0.034	0.083	0.084	0.01766	0.067	0.072	0.02366
	0.018	0.040	0.018	0.044	0.046	0.00952	0.035	0.036	0.01281

構造又は用途	細目	耐用年数
発電用又は送配電用のもの	汽力発電用のもの（岸壁、さん橋、堤防、防波堤、煙突、その他汽力発電用のものをいう。）	年 41
	送電用のもの	
	地中電線路	25
	塔、柱、がい子、送電線、地線及び添加電話線	36
	配電用のもの	
	鉄塔及び鉄柱	50
	鉄筋コンクリート柱	42
	木　　柱	15
	配　電　線	30
	引　込　線	20
	添架電話線	30
	地中電線路	25
電気通信事業用のもの	通信ケーブル	
	光ファイバー製のもの	10
	その他のもの	13
	地中電線路	27
	その他の線路設備	21
放送用又は無線通信用のもの	鉄塔及び鉄柱	
	円筒空中線式のもの	30
	その他のもの	40
	鉄筋コンクリート柱	42
	木塔及び木柱	10
	アンテナ	10
	接地線及び放送用配線	10
農林業用のもの	主としてコンクリート造、れんが造、石造又はブロック造のもの	
	果樹棚又はホップ棚	14
	その他のもの	17
	主として金属造のもの	14
	主として木造のもの	5
	土管を主としたもの	10
	その他のもの	8
広告用のもの	金属造のもの	20
	その他のもの	10
競技場用、運動場用、遊園地用又は学校用のもの	スタンド	
	主として鉄骨鉄筋コンクリート造又は鉄筋コンクリート造のもの	45
	主として鉄骨造のもの	30
	主として木造のもの	10

郵便はがき

料金受取人払郵便

銀座局
承認

9492

差出有効期間
平成31年9月
30日まで

1008783

310

千代田区丸の内 1-8-2
〈鉄鋼ビルディング〉

税務研究会 出版局 行

			これまでの税務専門誌にはない"切り口"!!ほぼ全編Q&A形式で編集	
月刊 税務 QA		年間購読料 16,200円（税込）〈毎月5日発行〉（前払制）	月刊[税務QA]は、税務に携わる全ての会計人向けの税務情報誌です。●「新しい税制の導入」「年度税制改正」「決算・申告実務対応」「相続・事業承継対策」などの税務の詳細解説。●実務上重要な税務処理や取扱いの解釈。●ビギナーの疑問にはFAQで一発回答。本誌は主要記事がほぼ全編Q&A形式で構成されているので事例集的な資料としても活用できます。	
			海外取引のお悩みを解決する実務情報誌	
月刊 国際 税務		年間購読料 43,200円（税込）〈毎月5日発行〉（前払制）	本誌は国際税務の分野を3つに分けて解説します！1.国内における国際課税の申告実務■特別解説 ～特集では申告書・届出書の記載実例を。2.海外の現地税制■TOPICS ～欧米・アジア、ワールドワイドで各国の税務の最新動向を速報・詳報します3.移転価格税制■移転価格情報/Transfer Pricing Information～日本企業の日本での課税と海外子会社の現地での課税の2面から最新情報をお届けします	

愛読者カード	購入された書籍		
お 名 前		TEL	( )
ご 住 所（〒 ― ）			
E-mail:			
ご 職 業		年令	(才)
ご購入の動機	新聞広告（ 新聞）　雑誌広告（ ） 店頭で　　書評で　　その他（ ）		
☆この本に対するご意見、ご感想をお聞かせください。 　また、今後どのような内容のものをお望みですか。			

購読申込書

西暦　　年　　月　　日

月刊「税務QA」
月刊「国際税務」　　の購読を　　年　　月より申込みます。

（購読料は申込み後直ちに支払います）

※ご購読希望の月刊誌に〇印をお付けください。
※本誌はいずれも書店では取扱っておりません。

送付先	（〒　―　）		
社名			
部課名	部　　　　課	役職名	
氏名	㊞	電話	( )　―　番

※個人情報の取扱いについて
ご記入いただいた個人情報は、商品の発送、サービスの提供に使用させていただくほか、当社がおすすめする他の商品・サービスのご案内にも使用させていただく場合がございます。
また、登録情報は、厳重に管理し、第三者に開示することは一切ございません。

別表第一　＜構築物＞　153

耐用年数の適用等に関する取扱通達	旧償却率（別表第七）		定額法（別表第八）	250％定率法（別表第九）			200％定率法（別表第十）		
	旧定額法	旧定率法		償却率	改定償却率	保証率	償却率	改定償却率	保証率
	0.025	0.055	0.025	0.061	0.063	0.01306	0.049	0.050	0.01741
	0.040	0.088	0.040	0.100	0.112	0.02058	0.080	0.084	0.02841
	0.028	0.062	0.028	0.069	0.072	0.01494	0.056	0.059	0.01974
	0.020	0.045	0.020	0.050	0.053	0.01072	0.040	0.042	0.01440
	0.024	0.053	0.024	0.060	0.063	0.01261	0.048	0.050	0.01694
	0.066	0.142	0.067	0.167	0.200	0.03217	0.133	0.143	0.04565
2－3－3	0.034	0.074	0.034	0.083	0.084	0.01766	0.067	0.072	0.02366
2－3－3	0.050	0.109	0.050	0.125	0.143	0.02517	0.100	0.112	0.03486
	0.034	0.074	0.034	0.083	0.084	0.01766	0.067	0.072	0.02366
2－3－3	0.040	0.088	0.040	0.100	0.112	0.02058	0.080	0.084	0.02841
	0.100	0.206	0.100	0.250	0.334	0.04448	0.200	0.250	0.06552
	0.076	0.162	0.077	0.192	0.200	0.03633	0.154	0.167	0.05180
	0.037	0.082	0.038	0.093	0.100	0.01902	0.074	0.077	0.02624
	0.048	0.104	0.048	0.119	0.125	0.02408	0.095	0.100	0.03335
	0.034	0.074	0.034	0.083	0.084	0.01766	0.067	0.072	0.02366
	0.025	0.056	0.025	0.063	0.067	0.01317	0.050	0.053	0.01791
	0.024	0.053	0.024	0.060	0.063	0.01261	0.048	0.050	0.01694
2－3－4	0.100	0.206	0.100	0.250	0.334	0.04448	0.200	0.250	0.06552
	0.100	0.206	0.100	0.250	0.334	0.04448	0.200	0.250	0.06552
	0.100	0.206	0.100	0.250	0.334	0.04448	0.200	0.250	0.06552
	0.071	0.152	0.072	0.179	0.200	0.03389	0.143	0.167	0.04854
	0.058	0.127	0.059	0.147	0.167	0.02905	0.118	0.125	0.04038
	0.071	0.152	0.072	0.179	0.200	0.03389	0.143	0.167	0.04854
	0.200	0.369	0.200	0.500	1.000	0.06249	0.400	0.500	0.10800
	0.100	0.206	0.100	0.250	0.334	0.04448	0.200	0.250	0.06552
	0.125	0.250	0.125	0.313	0.334	0.05111	0.250	0.334	0.07909
2－3－5	0.050	0.109	0.050	0.125	0.143	0.02517	0.100	0.112	0.03486
	0.100	0.206	0.100	0.250	0.334	0.04448	0.200	0.250	0.06552
2－3－7	0.023	0.050	0.023	0.056	0.059	0.01175	0.044	0.046	0.01634
	0.034	0.074	0.034	0.083	0.084	0.01766	0.067	0.072	0.02366
	0.100	0.206	0.100	0.250	0.334	0.04448	0.200	0.250	0.06552

構造又は用途	細目	耐用年数
競技場用、運動場用、遊園地用又は学校用のもの	競輪場用競走路	年
	コンクリート敷のもの	15
	その他のもの	10
	ネット設備	15
	野球場、陸上競技場、ゴルフコースその他のスポーツ場の排水その他の土工施設	30
	水泳プール	30
	その他のもの	
	児童用のもの	
	すべり台、ぶらんこ、ジャングルジムその他の遊戯用のもの	10
	その他のもの	15
	その他のもの	
	主として木造のもの	15
	その他のもの	30
緑化施設及び庭園	工場緑化施設	7
	その他の緑化施設及び庭園（工場緑化施設に含まれるものを除く。）	20
舗装道路及び舗装路面	コンクリート敷、ブロック敷、れんが敷又は石敷のもの	15
	アスファルト敷又は木れんが敷のもの	10
	ビチューマルス敷のもの	3
鉄骨鉄筋コンクリート造又は鉄筋コンクリート造のもの（前掲のものを除く。）	水道用ダム	80
	トンネル	75
	橋	60
	岸壁、さん橋、防壁（爆発物用のものを除く。）、堤防、防波堤、塔、やぐら、上水道、水そう及び用水ダム	50
	乾ドック	45
	サイロ	35
	下水道、煙突及び焼却炉	35
	高架道路、製塩用ちんでん池、飼育場及びへい	30
	爆発物用防壁及び防油堤	25
	造船台	24
	放射性同位元素の放射線を直接受けるもの	15
	その他のもの	60
コンクリート造又はコンクリートブロック造のもの（前掲のものを除く。）	やぐら及び用水池	40
	サイロ	34
	岸壁、さん橋、防壁（爆発物用のものを除く。）、堤防、防波堤、トンネル、上水道及び水そう	30
	下水道、飼育場及びへい	15
	爆発物用防壁	13
	引湯管	10

別表第一 ＜構築物＞

耐用年数の適用等に関する取扱通達	旧償却率（別表第七）		定額法（別表第八）	250%定率法（別表第九）			200%定率法（別表第十）		
	旧定額法	旧定率法		償却率	改定償却率	保証率	償却率	改定償却率	保証率
	0.066	0.142	0.067	0.167	0.200	0.03217	0.133	0.143	0.04565
	0.100	0.206	0.100	0.250	0.334	0.04448	0.200	0.250	0.06552
	0.066	0.142	0.067	0.167	0.200	0.03217	0.133	0.143	0.04565
2－3－6	0.034	0.074	0.034	0.083	0.084	0.01766	0.067	0.072	0.02366
	0.034	0.074	0.034	0.083	0.084	0.01766	0.067	0.072	0.02366
	0.100	0.206	0.100	0.250	0.334	0.04448	0.200	0.250	0.06552
2－3－8	0.066	0.142	0.067	0.167	0.200	0.03217	0.133	0.143	0.04565
	0.066	0.142	0.067	0.167	0.200	0.03217	0.133	0.143	0.04565
	0.034	0.074	0.034	0.083	0.084	0.01766	0.067	0.072	0.02366
2－3－8の2～2－3－8の5	0.142	0.280	0.143	0.357	0.500	0.05496	0.286	0.334	0.08680
2－3－9	0.050	0.109	0.050	0.125	0.143	0.02517	0.100	0.112	0.03486
2－3－10～2－3－12	0.066	0.142	0.067	0.167	0.200	0.03217	0.133	0.143	0.04565
	0.100	0.206	0.100	0.250	0.334	0.04448	0.200	0.250	0.06552
	0.333	0.536	0.334	0.833	1.000	0.02789	0.667	1.000	0.11089
	0.013	0.028	0.013	0.031	0.032	0.00693	0.025	0.026	0.00907
	0.014	0.030	0.014	0.033	0.034	0.00738	0.027	0.027	0.01007
	0.017	0.038	0.017	0.042	0.044	0.00895	0.033	0.034	0.01240
	0.020	0.045	0.020	0.050	0.053	0.01072	0.040	0.042	0.01440
	0.023	0.050	0.023	0.056	0.059	0.01175	0.044	0.046	0.01634
	0.029	0.064	0.029	0.071	0.072	0.01532	0.057	0.059	0.02051
	0.029	0.064	0.029	0.071	0.072	0.01532	0.057	0.059	0.02051
2－3－14　2－3－15	0.034	0.074	0.034	0.083	0.084	0.01766	0.067	0.072	0.02366
2－3－16　2－3－17	0.040	0.088	0.040	0.100	0.112	0.02058	0.080	0.084	0.02841
	0.042	0.092	0.042	0.104	0.112	0.02157	0.083	0.084	0.02969
2－3－18　2－3－19	0.066	0.142	0.067	0.167	0.200	0.03217	0.133	0.143	0.04565
	0.017	0.038	0.017	0.042	0.044	0.00895	0.033	0.034	0.01240
	0.025	0.056	0.025	0.063	0.067	0.01317	0.050	0.053	0.01791
	0.030	0.066	0.030	0.074	0.077	0.01532	0.059	0.063	0.02097
	0.034	0.074	0.034	0.083	0.084	0.01766	0.067	0.072	0.02366
2－3－15	0.066	0.142	0.067	0.167	0.200	0.03217	0.133	0.143	0.04565
2－3－16	0.076	0.162	0.077	0.192	0.200	0.03633	0.154	0.167	0.05180
	0.100	0.206	0.100	0.250	0.334	0.04448	0.200	0.250	0.06552

構造又は用途	細目	耐用年数
コンクリート造又はコンクリートブロック造のもの(前掲のものを除く。)	鉱業用廃石捨場	5 年
	その他のもの	40
れんが造のもの(前掲のものを除く。)	防壁(爆発物用のものを除く。)、堤防、防波堤及びトンネル	50
	煙突、煙道、焼却炉、へい及び爆発物用防壁	
	塩素、クロールスルホン酸その他の著しい腐食性を有する気体の影響を受けるもの	7
	その他のもの	25
	その他のもの	40
石造のもの(前掲のものを除く。)	岸壁、さん橋、防壁(爆発物用のものを除く。)、堤防、防波堤、上水道及び用水池	50
	乾ドック	45
	下水道、へい及び爆発物用防壁	35
	その他のもの	50
土造のもの(前掲のものを除く。)	防壁(爆発物用のものを除く。)、堤防、防波堤及び自動車道	40
	上水道及び用水池	30
	下水道	15
	へい	20
	爆発物用防壁及び防油堤	17
	その他のもの	40
金属造のもの(前掲のものを除く。)	橋(はね上げ橋を除く。)	45
	はね上げ橋及び鋼矢板岸壁	25
	サイロ	22
	送配管	
	鋳鉄製のもの	30
	鋼鉄製のもの	15
	ガス貯そう	
	液化ガス用のもの	10
	その他のもの	20
	薬品貯そう	
	塩酸、ふっ酸、発煙硫酸、濃硝酸その他の発煙性を有する無機酸用のもの	8
	有機酸用又は硫酸、硝酸その他前掲のもの以外の無機酸用のもの	10
	アルカリ類用、塩水用、アルコール用その他のもの	15
	水そう及び油そう	
	鋳鉄製のもの	25
	鋼鉄製のもの	15
	浮きドック	20
	飼育場	15
	つり橋、煙突、焼却炉、打込み井戸、へい、街路灯及びガードレール	10

別表第一 ＜構築物＞

耐用年数の適用等に関する取扱通達	旧償却率（別表第七）		定額法（別表第八）	250%定率法（別表第九）			200%定率法（別表第十）		
	旧定額法	旧定率法		償却率	改定償却率	保証率	償却率	改定償却率	保証率
	0.200	0.369	0.200	0.500	1.000	0.06249	0.400	0.500	0.10800
	0.025	0.056	0.025	0.063	0.067	0.01317	0.050	0.053	0.01791
	0.020	0.045	0.020	0.050	0.053	0.01072	0.040	0.042	0.01440
2-3-20	0.142	0.280	0.143	0.357	0.500	0.05496	0.286	0.334	0.08680
	0.040	0.088	0.040	0.100	0.112	0.02058	0.080	0.084	0.02841
	0.025	0.056	0.025	0.063	0.067	0.01317	0.050	0.053	0.01791
	0.020	0.045	0.020	0.050	0.053	0.01072	0.040	0.042	0.01440
	0.023	0.050	0.023	0.056	0.059	0.01175	0.044	0.046	0.01634
2-3-16	0.029	0.064	0.029	0.071	0.072	0.01532	0.057	0.059	0.02051
	0.020	0.045	0.020	0.050	0.053	0.01072	0.040	0.042	0.01440
2-3-21	0.025	0.056	0.025	0.063	0.067	0.01317	0.050	0.053	0.01791
	0.034	0.074	0.034	0.083	0.084	0.01766	0.067	0.072	0.02366
	0.066	0.142	0.067	0.167	0.200	0.03217	0.133	0.143	0.04565
	0.050	0.109	0.050	0.125	0.143	0.02517	0.100	0.112	0.03486
2-3-16　2-3-17	0.058	0.127	0.059	0.147	0.167	0.02905	0.118	0.125	0.04038
	0.025	0.056	0.025	0.063	0.067	0.01317	0.050	0.053	0.01791
	0.023	0.050	0.023	0.056	0.059	0.01175	0.044	0.046	0.01634
	0.040	0.088	0.040	0.100	0.112	0.02058	0.080	0.084	0.02841
	0.046	0.099	0.046	0.114	0.125	0.02296	0.091	0.100	0.03182
	0.034	0.074	0.034	0.083	0.084	0.01766	0.067	0.072	0.02366
	0.066	0.142	0.067	0.167	0.200	0.03217	0.133	0.143	0.04565
	0.100	0.206	0.100	0.250	0.334	0.04448	0.200	0.250	0.06552
	0.050	0.109	0.050	0.125	0.143	0.02517	0.100	0.112	0.03486
	0.125	0.250	0.125	0.313	0.334	0.05111	0.250	0.334	0.07909
	0.100	0.206	0.100	0.250	0.334	0.04448	0.200	0.250	0.06552
	0.066	0.142	0.067	0.167	0.200	0.03217	0.133	0.143	0.04565
	0.040	0.088	0.040	0.100	0.112	0.02058	0.080	0.084	0.02841
	0.066	0.142	0.067	0.167	0.200	0.03217	0.133	0.143	0.04565
	0.050	0.109	0.050	0.125	0.143	0.02517	0.100	0.112	0.03486
2-3-15	0.066	0.142	0.067	0.167	0.200	0.03217	0.133	0.143	0.04565
2-3-22	0.100	0.206	0.100	0.250	0.334	0.04448	0.200	0.250	0.06552

構造又は用途	細目	耐用年数
金属造のもの（前掲のものを除く。）	露天式立体駐車設備	15 年
	その他のもの	45
合成樹脂造のもの（前掲のものを除く。）		10
木造のもの（前掲のものを除く。）	橋、塔、やぐら及びドック	15
	岸壁、さん橋、防壁、堤防、防波堤、トンネル、水そう、引湯管及びへい	10
	飼育場	7
	その他のもの	15
前掲のもの以外のもの及び前掲の区分によらないもの	主として木造のもの	15
	その他のもの	50

＜船　　舶＞

構造又は用途	細目	耐用年数
船舶法（明治32年法律第46号）第4条から第19条までの適用を受ける鋼船		年
漁　　船	総トン数が500トン以上のもの	12
	総トン数が500トン未満のもの	9
油そう船	総トン数が2,000トン以上のもの	13
	総トン数が2,000トン未満のもの	11
薬品そう船		10
その他のもの	総トン数が2,000トン以上のもの	15
	総トン数が2,000トン未満のもの	
	しゅんせつ船及び砂利採取船	10
	カーフェリー	11
	その他のもの	14
船舶法第4条から第19条までの適用を受ける木船		
漁　　船		6
薬品そう船		8
その他のもの		10
船舶法第4条から第19条までの適用を受ける軽合金船（他の項に掲げるものを除く。）		9

別表第一　＜構築物＞＜船舶＞　　*159*

耐用年数の適用等に関する取扱通達	旧償却率（別表第七）		定額法（別表第八）	250%定率法（別表第九）			200%定率法（別表第十）		
	旧定額法	旧定率法		償却率	改定償却率	保証率	償却率	改定償却率	保証率
	0.066	0.142	0.067	0.167	0.200	0.03217	0.133	0.143	0.04565
	0.023	0.050	0.023	0.056	0.059	0.01175	0.044	0.046	0.01634
	0.100	0.206	0.100	0.250	0.334	0.04448	0.200	0.250	0.06552
	0.066	0.142	0.067	0.167	0.200	0.03217	0.133	0.143	0.04565
	0.100	0.206	0.100	0.250	0.334	0.04448	0.200	0.250	0.06552
2－3－15	0.142	0.280	0.143	0.357	0.500	0.05496	0.286	0.334	0.08680
	0.066	0.142	0.067	0.167	0.200	0.03217	0.133	0.143	0.04565
	0.066	0.142	0.067	0.167	0.200	0.03217	0.133	0.143	0.04565
	0.020	0.045	0.020	0.050	0.053	0.01072	0.040	0.042	0.01440

耐用年数の適用等に関する取扱通達	旧償却率（別表第七）		定額法（別表第八）	250%定率法（別表第九）			200%定率法（別表第十）		
	旧定額法	旧定率法		償却率	改定償却率	保証率	償却率	改定償却率	保証率
2－4－1　2－4－4	0.083	0.175	0.084	0.208	0.250	0.03870	0.167	0.200	0.05566
	0.111	0.226	0.112	0.278	0.334	0.04731	0.222	0.250	0.07126
2－4－2	0.076	0.162	0.077	0.192	0.200	0.03633	0.154	0.167	0.05180
	0.090	0.189	0.091	0.227	0.250	0.04123	0.182	0.200	0.05992
	0.100	0.206	0.100	0.250	0.334	0.04448	0.200	0.250	0.06552
	0.066	0.142	0.067	0.167	0.200	0.03217	0.133	0.143	0.04565
2－4－3	0.100	0.206	0.100	0.250	0.334	0.04448	0.200	0.250	0.06552
	0.090	0.189	0.091	0.227	0.250	0.04123	0.182	0.200	0.05992
	0.071	0.152	0.072	0.179	0.200	0.03389	0.143	0.167	0.04854
	0.166	0.319	0.167	0.417	0.500	0.05776	0.333	0.334	0.09911
	0.125	0.250	0.125	0.313	0.334	0.05111	0.250	0.334	0.07909
	0.100	0.206	0.100	0.250	0.334	0.04448	0.200	0.250	0.06552
	0.111	0.226	0.112	0.278	0.334	0.04731	0.222	0.250	0.07126

構造又は用途	細目	耐用年数
船舶法第4条から第19条までの適用を受ける強化プラスチック船		7 年
船舶法第4条から第19条までの適用を受ける水中翼船及びホバークラフト		8
その他のもの		
鋼　船	しゅんせつ船及び砂利採取船	7
	発電船及びとう載漁船	8
	ひ　き　船	10
	その他のもの	12
木　船	とう載漁船	4
	しゅんせつ船及び砂利採取船	5
	動力漁船及びひき船	6
	薬品そう船	7
	その他のもの	8
その他のもの	モーターボート及びとう載漁船	4
	その他のもの	5

＜航空機＞

構造又は用途	細目	耐用年数
飛　行　機	主として金属製のもの	年
	最大離陸重量が130トンを超えるもの	10
	最大離陸重量が130トン以下のもので、5.7トンを超えるもの	8
	最大離陸重量が5.7トン以下のもの	5
	その他のもの	5
その他のもの	ヘリコプター及びグライダー	5
	その他のもの	5

＜車両及び運搬具＞

構造又は用途	細目	耐用年数
鉄道用又は軌道用車両（架空索道用搬器を含む。）	電気又は蒸気機関車	18 年
	電　　車	13
	内燃動車（制御車及び附随車を含む。）	11

別表第一　＜船舶＞＜航空機＞＜車両及び運搬具＞

耐用年数の適用等に関する取扱通達	旧償却率（別表第七）		定額法（別表第八）	250%定率法（別表第九）			200%定率法（別表第十）		
	旧定額法	旧定率法		償却率	改定償却率	保証率	償却率	改定償却率	保証率
	0.142	0.280	0.143	0.357	0.500	0.05496	0.286	0.334	0.08680
	0.125	0.250	0.125	0.313	0.334	0.05111	0.250	0.334	0.07909
2-4-3	0.142	0.280	0.143	0.357	0.500	0.05496	0.286	0.334	0.08680
	0.125	0.250	0.125	0.313	0.334	0.05111	0.250	0.334	0.07909
	0.100	0.206	0.100	0.250	0.334	0.04448	0.200	0.250	0.06552
	0.083	0.175	0.084	0.208	0.250	0.03870	0.167	0.200	0.05566
	0.250	0.438	0.250	0.625	1.000	0.05274	0.500	1.000	0.12499
2-4-3	0.200	0.369	0.200	0.500	1.000	0.06249	0.400	0.500	0.10800
	0.166	0.319	0.167	0.417	0.500	0.05776	0.333	0.334	0.09911
	0.142	0.280	0.143	0.357	0.500	0.05496	0.286	0.334	0.08680
	0.125	0.250	0.125	0.313	0.334	0.05111	0.250	0.334	0.07909
	0.250	0.438	0.250	0.625	1.000	0.05274	0.500	1.000	0.12499
	0.200	0.369	0.200	0.500	1.000	0.06249	0.400	0.500	0.10800

耐用年数の適用等に関する取扱通達	旧償却率（別表第七）		定額法（別表第八）	250%定率法（別表第九）			200%定率法（別表第十）		
	旧定額法	旧定率法		償却率	改定償却率	保証率	償却率	改定償却率	保証率
	0.100	0.206	0.100	0.250	0.334	0.04448	0.200	0.250	0.06552
	0.125	0.250	0.125	0.313	0.334	0.05111	0.250	0.334	0.07909
	0.200	0.369	0.200	0.500	1.000	0.06249	0.400	0.500	0.10800
	0.200	0.369	0.200	0.500	1.000	0.06249	0.400	0.500	0.10800
	0.200	0.369	0.200	0.500	1.000	0.06249	0.400	0.500	0.10800
	0.200	0.369	0.200	0.500	1.000	0.06249	0.400	0.500	0.10800

耐用年数の適用等に関する取扱通達	旧償却率（別表第七）		定額法（別表第八）	250%定率法（別表第九）			200%定率法（別表第十）		
	旧定額法	旧定率法		償却率	改定償却率	保証率	償却率	改定償却率	保証率
2-5-1	0.055	0.120	0.056	0.139	0.143	0.02757	0.111	0.112	0.03884
	0.076	0.162	0.077	0.192	0.200	0.03633	0.154	0.167	0.05180
	0.090	0.189	0.091	0.227	0.250	0.04123	0.182	0.200	0.05992

構造又は用途	細目	耐用年数
鉄道用又は軌道用車両（架空索道用搬器を含む。）	貨車	年
	高圧ボンベ車及び高圧タンク車	10
	薬品タンク車及び冷凍車	12
	その他のタンク車及び特殊構造車	15
	その他のもの	20
	線路建設保守用工作車	10
	鋼索鉄道用車両	15
	架空索道用搬器	
	閉鎖式のもの	10
	その他のもの	5
	無軌条電車	8
	その他のもの	20
特殊自動車（この項には、別表第二に掲げる減価償却資産に含まれるブルドーザー、パワーショベルその他の自走式作業用機械並びにトラクター及び農林業用運搬機具を含まない。）	消防車、救急車、レントゲン車、散水車、放送宣伝車、移動無線車及びチップ製造車	5
	モータースイーパー及び除雪車	4
	タンク車、じんかい車、し尿車、寝台車、霊きゅう車、トラックミキサー、レッカーその他特殊車体を架装したもの	
	小型車（じんかい車及びし尿車にあっては積載量が2トン以下、その他のものにあっては総排気量が2リットル以下のものをいう。）	3
	その他のもの	4
運送事業用、貸自動車業用又は自動車教習所用の車両及び運搬具（前掲のものを除く。）	自動車（二輪又は三輪自動車を含み、乗合自動車を除く。）	
	小型車（貨物自動車にあっては積載量が2トン以下、その他のものにあっては総排気量が2リットル以下のものをいう。）	3
	その他のもの	
	大型乗用車（総排気量が3リットル以上のものをいう。）	5
	その他のもの	4
	乗合自動車	5
	自転車及びリヤカー	2
	被けん引車その他のもの	4
前掲のもの以外のもの	自動車（二輪又は三輪自動車を除く。）	
	小型車（総排気量が0.66リットル以下のものをいう。）	4
	その他のもの	
	貨物自動車	
	ダンプ式のもの	4
	その他のもの	5
	報道通信用のもの	5
	その他のもの	6
	二輪又は三輪自動車	3
	自転車	2

別表第一　＜車両及び運搬具＞

耐用年数の適用等に関する取扱通達	旧償却率（別表第七）		定額法（別表第八）	250％定率法（別表第九）			200％定率法（別表第十）		
	旧定額法	旧定率法		償却率	改定償却率	保証率	償却率	改定償却率	保証率
2-5-2	0.100	0.206	0.100	0.250	0.334	0.04448	0.200	0.250	0.06552
2-5-3	0.083	0.175	0.084	0.208	0.250	0.03870	0.167	0.200	0.05566
	0.066	0.142	0.067	0.167	0.200	0.03217	0.133	0.143	0.04565
	0.050	0.109	0.050	0.125	0.143	0.02517	0.100	0.112	0.03486
	0.100	0.206	0.100	0.250	0.334	0.04448	0.200	0.250	0.06552
	0.066	0.142	0.067	0.167	0.200	0.03217	0.133	0.143	0.04565
2-5-4	0.100	0.206	0.100	0.250	0.334	0.04448	0.200	0.250	0.06552
	0.200	0.369	0.200	0.500	1.000	0.06249	0.400	0.500	0.10800
	0.125	0.250	0.125	0.313	0.334	0.05111	0.250	0.334	0.07909
	0.050	0.109	0.050	0.125	0.143	0.02517	0.100	0.112	0.03486
2-5-5	0.200	0.369	0.200	0.500	1.000	0.06249	0.400	0.500	0.10800
	0.250	0.438	0.250	0.625	1.000	0.05274	0.500	1.000	0.12499
	0.333	0.536	0.334	0.833	1.000	0.02789	0.667	1.000	0.11089
	0.250	0.438	0.250	0.625	1.000	0.05274	0.500	1.000	0.12499
2-5-6～2-5-9									
	0.333	0.536	0.334	0.833	1.000	0.02789	0.667	1.000	0.11089
	0.200	0.369	0.200	0.500	1.000	0.06249	0.400	0.500	0.10800
	0.250	0.438	0.250	0.625	1.000	0.05274	0.500	1.000	0.12499
2-5-9	0.200	0.369	0.200	0.500	1.000	0.06249	0.400	0.500	0.10800
	0.500	0.684	0.500	1.000	―	―	1.000	―	―
	0.250	0.438	0.250	0.625	1.000	0.05274	0.500	1.000	0.12499
2-5-11	0.250	0.438	0.250	0.625	1.000	0.05274	0.500	1.000	0.12499
2-5-8	0.250	0.438	0.250	0.625	1.000	0.05274	0.500	1.000	0.12499
	0.200	0.369	0.200	0.500	1.000	0.06249	0.400	0.500	0.10800
2-5-10	0.200	0.369	0.200	0.500	1.000	0.06249	0.400	0.500	0.10800
	0.166	0.319	0.167	0.417	0.500	0.05776	0.333	0.334	0.09911
	0.333	0.536	0.334	0.833	1.000	0.02789	0.667	1.000	0.11089
	0.500	0.684	0.500	1.000	―	―	1.000	―	―

構造又は用途	細目	耐用年数
前掲のもの以外のもの	鉱山用人車、炭車、鉱車及び台車	年
	金属製のもの	7
	その他のもの	4
	フォークリフト	4
	トロッコ	
	金属製のもの	5
	その他のもの	3
	その他のもの	
	自走能力を有するもの	7
	その他のもの	4

＜工　　具＞

構造又は用途	細目	耐用年数
測定工具及び検査工具（電気又は電子を利用するものを含む。）		年 5
治具及び取付工具		3
ロール	金属圧延用のもの	4
	なつ染ロール、粉砕ロール、混練ロールその他のもの	3
型（型枠を含む。）、鍛圧工具及び打抜工具	プレスその他の金属加工用金型、合成樹脂、ゴム又はガラス成型用金型及び鋳造用型	2
	その他のもの	3
切削工具		2
金属製柱及びカッペ		3
活字及び活字に常用される金属	購入活字（活字の形状のまま反復使用するものに限る。）	2
	自製活字及び活字に常用される金属	8
前掲のもの以外のもの	白金ノズル	13
	その他のもの	3
前掲の区分によらないもの	白金ノズル	13
	その他の主として金属製のもの	8
	その他のもの	4

別表第一 ＜車両及び運搬具＞＜工具＞

耐用年数の適用等に関する取扱通達	旧償却率（別表第七）		定額法（別表第八）	250％定率法（別表第九）			200％定率法（別表第十）		
	旧定額法	旧定率法		償却率	改定償却率	保証率	償却率	改定償却率	保証率
	0.142	0.280	0.143	0.357	0.500	0.05496	0.286	0.334	0.08680
	0.250	0.438	0.250	0.625	1.000	0.05274	0.500	1.000	0.12499
	0.250	0.438	0.250	0.625	1.000	0.05274	0.500	1.000	0.12499
	0.200	0.369	0.200	0.500	1.000	0.06249	0.400	0.500	0.10800
	0.333	0.536	0.334	0.833	1.000	0.02789	0.667	1.000	0.11089
	0.142	0.280	0.143	0.357	0.500	0.05496	0.286	0.334	0.08680
	0.250	0.438	0.250	0.625	1.000	0.05274	0.500	1.000	0.12499

耐用年数の適用等に関する取扱通達	旧償却率（別表第七）		定額法（別表第八）	250％定率法（別表第九）			200％定率法（別表第十）		
	旧定額法	旧定率法		償却率	改定償却率	保証率	償却率	改定償却率	保証率
2－6－1	0.200	0.369	0.200	0.500	1.000	0.06249	0.400	0.500	0.10800
	0.333	0.536	0.334	0.833	1.000	0.02789	0.667	1.000	0.11089
2－6－2	0.250	0.438	0.250	0.625	1.000	0.05274	0.500	1.000	0.12499
	0.333	0.536	0.334	0.833	1.000	0.02789	0.667	1.000	0.11089
	0.500	0.684	0.500	1.000	—	—	1.000	—	—
	0.333	0.536	0.334	0.833	1.000	0.02789	0.667	1.000	0.11089
	0.500	0.684	0.500	1.000	—	—	1.000	—	—
2－6－3　2－6－4	0.333	0.536	0.334	0.833	1.000	0.02789	0.667	1.000	0.11089
	0.500	0.684	0.500	1.000	—	—	1.000	—	—
	0.125	0.250	0.125	0.313	0.334	0.05111	0.250	0.334	0.07909
	0.076	0.162	0.077	0.192	0.200	0.03633	0.154	0.167	0.05180
	0.333	0.536	0.334	0.833	1.000	0.02789	0.667	1.000	0.11089
	0.076	0.162	0.077	0.192	0.200	0.03633	0.154	0.167	0.05180
	0.125	0.250	0.125	0.313	0.334	0.05111	0.250	0.334	0.07909
	0.250	0.438	0.250	0.625	1.000	0.05274	0.500	1.000	0.12499

<器具及び備品>

構造又は用途	細目	耐用年数
1 家具、電気機器、ガス機器及び家庭用品（他の項に掲げるものを除く。）	事務机、事務いす及びキャビネット	年
	主として金属製のもの	15
	その他のもの	8
	応接セット	
	接客業用のもの	5
	その他のもの	8
	ベッド	8
	児童用机及びいす	5
	陳列だな及び陳列ケース	
	冷凍機付又は冷蔵機付のもの	6
	その他のもの	8
	その他の家具	
	接客業用のもの	5
	その他のもの	
	主として金属製のもの	15
	その他のもの	8
	ラジオ、テレビジョン、テープレコーダーその他の音響機器	5
	冷房用又は暖房用機器	6
	電気冷蔵庫、電気洗濯機その他これらに類する電気又はガス機器	6
	氷冷蔵庫及び冷蔵ストッカー（電気式のものを除く。）	4
	カーテン、座ぶとん、寝具、丹前その他これらに類する繊維製品	3
	じゅうたんその他の床用敷物	
	小売業用、接客業用、放送用、レコード吹込用又は劇場用のもの	3
	その他のもの	6
	室内装飾品	
	主として金属製のもの	15
	その他のもの	8
	食事又はちゅう房用品	
	陶磁器製又はガラス製のもの	2
	その他のもの	5
	その他のもの	
	主として金属製のもの	15
	その他のもの	8

別表第一　＜器具及び備品＞

耐用年数の適用等に関する取扱通達	旧償却率（別表第七）		定額法（別表第八）	250％定率法（別表第九）			200％定率法（別表第十）		
	旧定額法	旧定率法		償却率	改定償却率	保証率	償却率	改定償却率	保証率
2-7-2	0.066	0.142	0.067	0.167	0.200	0.03217	0.133	0.143	0.04565
	0.125	0.250	0.125	0.313	0.334	0.05111	0.250	0.334	0.07909
2-7-3	0.200	0.369	0.200	0.500	1.000	0.06249	0.400	0.500	0.10800
	0.125	0.250	0.125	0.313	0.334	0.05111	0.250	0.334	0.07909
	0.125	0.250	0.125	0.313	0.334	0.05111	0.250	0.334	0.07909
	0.200	0.369	0.200	0.500	1.000	0.06249	0.400	0.500	0.10800
	0.166	0.319	0.167	0.417	0.500	0.05776	0.333	0.334	0.09911
	0.125	0.250	0.125	0.313	0.334	0.05111	0.250	0.334	0.07909
2-7-3	0.200	0.369	0.200	0.500	1.000	0.06249	0.400	0.500	0.10800
2-7-2	0.066	0.142	0.067	0.167	0.200	0.03217	0.133	0.143	0.04565
	0.125	0.250	0.125	0.313	0.334	0.05111	0.250	0.334	0.07909
	0.200	0.369	0.200	0.500	1.000	0.06249	0.400	0.500	0.10800
2-7-4	0.166	0.319	0.167	0.417	0.500	0.05776	0.333	0.334	0.09911
	0.166	0.319	0.167	0.417	0.500	0.05776	0.333	0.334	0.09911
	0.250	0.438	0.250	0.625	1.000	0.05274	0.500	1.000	0.12499
	0.333	0.536	0.334	0.833	1.000	0.02789	0.667	1.000	0.11089
2-7-3	0.333	0.536	0.334	0.833	1.000	0.02789	0.667	1.000	0.11089
	0.166	0.319	0.167	0.417	0.500	0.05776	0.333	0.334	0.09911
2-7-2	0.066	0.142	0.067	0.167	0.200	0.03217	0.133	0.143	0.04565
	0.125	0.250	0.125	0.313	0.334	0.05111	0.250	0.334	0.07909
	0.500	0.684	0.500	1.000	――	――	1.000	――	――
	0.200	0.369	0.200	0.500	1.000	0.06249	0.400	0.500	0.10800
2-7-2	0.066	0.142	0.067	0.167	0.200	0.03217	0.133	0.143	0.04565
	0.125	0.250	0.125	0.313	0.334	0.05111	0.250	0.334	0.07909

構造又は用途	細目	耐用年数
2 事務機器及び通信機器	謄写機器及びタイプライター	年
	孔版印刷又は印書業用のもの	3
	その他のもの	5
	電子計算機	
	パーソナルコンピュータ（サーバー用のものを除く。）	4
	その他のもの	5
	複写機、計算機（電子計算機を除く。）、金銭登録機、タイムレコーダーその他これらに類するもの	5
	その他の事務機器	5
	テレタイプライター及びファクシミリ	5
	インターホーン及び放送用設備	6
	電話設備その他の通信機器	
	デジタル構内交換設備及びデジタルボタン電話設備	6
	その他のもの	10
3 時計、試験機器及び測定機器	時計	10
	度量衡器	5
	試験又は測定機器	5
4 光学機器及び写真製作機器	オペラグラス	2
	カメラ、映画撮影機、映写機及び望遠鏡	5
	引伸機、焼付機、乾燥機、顕微鏡その他の機器	8
5 看板及び広告器具	看板、ネオンサイン及び気球	3
	マネキン人形及び模型	2
	その他のもの	
	主として金属製のもの	10
	その他のもの	5
6 容器及び金庫	ボンベ	
	溶接製のもの	6
	鍛造製のもの	
	塩素用のもの	8
	その他のもの	10
	ドラムかん、コンテナーその他の容器	
	大型コンテナー（長さが6メートル以上のものに限る。）	7
	その他のもの	
	金属製のもの	3
	その他のもの	2
	金庫	
	手さげ金庫	5
	その他のもの	20

<器具及び備品>

耐用年数の適用等に関する取扱通達	旧償却率 (別表第七)		定額法 (別表第八)	250%定率法 (別表第九)			200%定率法 (別表第十)		
	旧定額法	旧定率法		償却率	改定償却率	保証率	償却率	改定償却率	保証率
2-7-5	0.333	0.536	0.334	0.833	1.000	0.02789	0.667	1.000	0.11089
	0.200	0.369	0.200	0.500	1.000	0.06249	0.400	0.500	0.10800
	0.250	0.438	0.250	0.625	1.000	0.05274	0.500	1.000	0.12499
	0.200	0.369	0.200	0.500	1.000	0.06249	0.400	0.500	0.10800
	0.200	0.369	0.200	0.500	1.000	0.06249	0.400	0.500	0.10800
2-7-7 2-7-8	0.200	0.369	0.200	0.500	1.000	0.06249	0.400	0.500	0.10800
	0.200	0.369	0.200	0.500	1.000	0.06249	0.400	0.500	0.10800
	0.166	0.319	0.167	0.417	0.500	0.05776	0.333	0.334	0.09911
	0.166	0.319	0.167	0.417	0.500	0.05776	0.333	0.334	0.09911
2-7-9	0.100	0.206	0.100	0.250	0.334	0.04448	0.200	0.250	0.06552
	0.100	0.206	0.100	0.250	0.334	0.04448	0.200	0.250	0.06552
	0.200	0.369	0.200	0.500	1.000	0.06249	0.400	0.500	0.10800
	0.200	0.369	0.200	0.500	1.000	0.06249	0.400	0.500	0.10800
	0.500	0.684	0.500	1.000	—	—	1.000	—	—
	0.200	0.369	0.200	0.500	1.000	0.06249	0.400	0.500	0.10800
	0.125	0.250	0.125	0.313	0.334	0.05111	0.250	0.334	0.07909
2-7-10	0.333	0.536	0.334	0.833	1.000	0.02789	0.667	1.000	0.11089
2-7-11	0.500	0.684	0.500	1.000	—	—	1.000	—	—
2-7-2	0.100	0.206	0.100	0.250	0.334	0.04448	0.200	0.250	0.06552
	0.200	0.369	0.200	0.500	1.000	0.06249	0.400	0.500	0.10800
	0.166	0.319	0.167	0.417	0.500	0.05776	0.333	0.334	0.09911
	0.125	0.250	0.125	0.313	0.334	0.05111	0.250	0.334	0.07909
	0.100	0.206	0.100	0.250	0.334	0.04448	0.200	0.250	0.06552
	0.142	0.280	0.143	0.357	0.500	0.05496	0.286	0.334	0.08680
	0.333	0.536	0.334	0.833	1.000	0.02789	0.667	1.000	0.11089
	0.500	0.684	0.500	1.000	—	—	1.000	—	—
2-7-12	0.200	0.369	0.200	0.500	1.000	0.06249	0.400	0.500	0.10800
	0.050	0.109	0.050	0.125	0.143	0.02517	0.100	0.112	0.03486

構造又は用途	細目			耐用年数
7 理容又は美容機器				5 年
8 医療機器	消毒殺菌用機器			4
	手術機器			5
	血液透析又は血しょう交換用機器			7
	ハバードタンクその他の作動部分を有する機能回復訓練機器			6
	調剤機器			6
	歯科診療用ユニット			7
	光学検査機器			
		ファイバースコープ		6
		その他のもの		8
	その他のもの			
		レントゲンその他の電子装置を使用する機器		
			移動式のもの、救急医療用のもの及び自動血液分析器	4
			その他のもの	6
		その他のもの		
			陶磁器製又はガラス製のもの	3
			主として金属製のもの	10
			その他のもの	5
9 娯楽又はスポーツ器具及び興行又は演劇用具	たまつき用具			8
	パチンコ器、ビンゴ器その他これらに類する球戯用具及び射的用具			2
	ご、しょうぎ、まあじゃん、その他の遊戯具			5
	スポーツ具			3
	劇場用観客いす			3
	どんちょう及び幕			5
	衣しょう、かつら、小道具及び大道具			2
	その他のもの			
		主として金属製のもの		10
		その他のもの		5
10 生物	植物			
		貸付業用のもの		2
		その他のもの		15
	動物			
		魚類		2
		鳥類		4
		その他のもの		8
11 前掲のもの以外のもの	映画フィルム（スライドを含む。）、磁気テープ及びレコード			2
	シート及びロープ			2
	きのこ栽培用ほだ木			3

別表第一 ＜器具及び備品＞

耐用年数の適用等に関する取扱通達	旧償却率（別表第七）		定額法（別表第八）	250%定率法（別表第九）			200%定率法（別表第十）		
	旧定額法	旧定率法		償却率	改定償却率	保証率	償却率	改定償却率	保証率
	0.200	0.369	0.200	0.500	1.000	0.06249	0.400	0.500	0.10800
	0.250	0.438	0.250	0.625	1.000	0.05274	0.500	1.000	0.12499
	0.200	0.369	0.200	0.500	1.000	0.06249	0.400	0.500	0.10800
	0.142	0.280	0.143	0.357	0.500	0.05496	0.286	0.334	0.08680
	0.166	0.319	0.167	0.417	0.500	0.05776	0.333	0.334	0.09911
	0.166	0.319	0.167	0.417	0.500	0.05776	0.333	0.334	0.09911
	0.142	0.280	0.143	0.357	0.500	0.05496	0.286	0.334	0.08680
	0.166	0.319	0.167	0.417	0.500	0.05776	0.333	0.334	0.09911
	0.125	0.250	0.125	0.313	0.334	0.05111	0.250	0.334	0.07909
2-7-13	0.250	0.438	0.250	0.625	1.000	0.05274	0.500	1.000	0.12499
	0.166	0.319	0.167	0.417	0.500	0.05776	0.333	0.334	0.09911
	0.333	0.536	0.334	0.833	1.000	0.02789	0.667	1.000	0.11089
	0.100	0.206	0.100	0.250	0.334	0.04448	0.200	0.250	0.06552
	0.200	0.369	0.200	0.500	1.000	0.06249	0.400	0.500	0.10800
	0.125	0.250	0.125	0.313	0.334	0.05111	0.250	0.334	0.07909
	0.500	0.684	0.500	1.000	───	───	1.000	───	───
	0.200	0.369	0.200	0.500	1.000	0.06249	0.400	0.500	0.10800
2-7-14	0.333	0.536	0.334	0.833	1.000	0.02789	0.667	1.000	0.11089
	0.333	0.536	0.334	0.833	1.000	0.02789	0.667	1.000	0.11089
	0.200	0.369	0.200	0.500	1.000	0.06249	0.400	0.500	0.10800
2-7-15	0.500	0.684	0.500	1.000	───	───	1.000	───	───
2-7-2	0.100	0.206	0.100	0.250	0.334	0.04448	0.200	0.250	0.06552
	0.200	0.369	0.200	0.500	1.000	0.06249	0.400	0.500	0.10800
2-7-16	0.500	0.684	0.500	1.000	───	───	1.000	───	───
	0.066	0.142	0.067	0.167	0.200	0.03217	0.133	0.143	0.04565
	0.500	0.684	0.500	1.000	───	───	1.000	───	───
	0.250	0.438	0.250	0.625	1.000	0.05274	0.500	1.000	0.12499
	0.125	0.250	0.125	0.313	0.334	0.05111	0.250	0.334	0.07909
	0.500	0.684	0.500	1.000	───	───	1.000	───	───
	0.500	0.684	0.500	1.000	───	───	1.000	───	───
	0.333	0.536	0.334	0.833	1.000	0.02789	0.667	1.000	0.11089

構造又は用途	細目	耐用年数
11 前掲のもの以外のもの	漁具	3 年
	葬儀用具	3
	楽器	5
	自動販売機（手動のものを含む。）	5
	無人駐車管理装置	5
	焼却炉	5
	その他のもの	
	主として金属製のもの	10
	その他のもの	5
12 前掲する資産のうち、当該資産について定められている前掲の耐用年数によるもの以外のもの及び前掲の区分によらないもの	主として金属製のもの	15
	その他のもの	8

別表第一 ＜器具及び備品＞

耐用年数の適用等に関する取扱通達	旧償却率（別表第七）		定額法（別表第八）	250%定率法（別表第九）			200%定率法（別表第十）		
	旧定額法	旧定率法		償却率	改定償却率	保証率	償却率	改定償却率	保証率
	0.333	0.536	0.334	0.833	1.000	0.02789	0.667	1.000	0.11089
	0.333	0.536	0.334	0.833	1.000	0.02789	0.667	1.000	0.11089
	0.200	0.369	0.200	0.500	1.000	0.06249	0.400	0.500	0.10800
2－7－18	0.200	0.369	0.200	0.500	1.000	0.06249	0.400	0.500	0.10800
	0.200	0.369	0.200	0.500	1.000	0.06249	0.400	0.500	0.10800
	0.200	0.369	0.200	0.500	1.000	0.06249	0.400	0.500	0.10800
2－7－2	0.100	0.206	0.100	0.250	0.334	0.04448	0.200	0.250	0.06552
	0.200	0.369	0.200	0.500	1.000	0.06249	0.400	0.500	0.10800
2－7－1　2－7－2	0.066	0.142	0.067	0.167	0.200	0.03217	0.133	0.143	0.04565
	0.125	0.250	0.125	0.313	0.334	0.05111	0.250	0.334	0.07909

別表第二　機械及び装置の耐用年数表

番号	設備の種類	細目	耐用年数	日本標準産業分類の小分類 （耐通付表8）	
1	食料品製造業用設備		10 年	「091」畜産食料品製造業	
				「092」水産食料品製造業	
				「093」野菜缶詰・果実缶詰・農産保存食料品製造業	
				「094」調味料製造業	
				「095」糖類製造業	
				「096」精穀・製粉業	
				「097」パン・菓子製造業	
				「098」動植物油脂製造業	
				「099」その他の食料品製造業	
2	飲料、たばこ又は飼料製造業用設備		10	「101」清涼飲料製造業	
				「102」酒類製造業	
				「103」茶・コーヒー製造業(清涼飲料を除く。)	
				「104」製氷業	
				「105」たばこ製造業	
				「106」飼料・有機質肥料製造業	
3	繊維工業用設備	炭素繊維製造設備 　黒鉛化炉 　その他の設備	3 7	「111」製糸業、紡績業、化学繊維・ねん糸等製造業の一部	
		その他の設備	7	「111」製糸業、紡績業、化学繊維・ねん糸等製造業の一部	
				「112」織物業	
				「113」ニット生地製造業	
				「114」染色整理業	
				「115」綱・網・レース・繊維粗製品製造業	
				「116」外衣・シャツ製造業(和式を除く。)	
				「117」下着類製造業	
				「118」和装製品・その他の衣服・繊維製身の回り品製造業	
				「119」その他の繊維製品製造業	

左の具体例	旧償却率 (別表第七)		定額法 (別表第八)	250%定率法 (別表第九)			200%定率法 (別表第十)		
	旧定額法	旧定率法		償却率	改定償却率	保証率	償却率	改定償却率	保証率
部分肉・冷凍肉製造業、ハム製造業、乳製品製造業、はちみつ処理加工業	0.100	0.206	0.100	0.250	0.334	0.04448	0.200	0.250	0.06552
水産缶詰・瓶詰製造業、かまぼこ製造業									
野菜缶詰・瓶詰製造業、乾燥野菜製造業、かんぴょう製造業、野菜漬物製造業									
味そ製造業、しょう油製造業、食酢製造業									
砂糖精製業、ぶどう糖製造業									
精米業、小麦粉製造業、米粉製造業									
食パン製造業、氷菓製造業、チューインガム製造業									
牛脂製造業、マーガリン製造業									
レトルト食品製造業、粉末ジュース製造業、パン粉製造業									
清涼飲料製造業、シロップ製造業	0.100	0.206	0.100	0.250	0.334	0.04448	0.200	0.250	0.06552
ビール製造業、清酒製造業									
荒茶製造業、コーヒー豆ばい煎業									
氷製造業（天然氷を除く。）									
たばこ製造業、葉たばこ処理業									
配合飼料製造業、ドッグフード製造業、海産肥料製造業									
炭素繊維製造業									
	0.333	0.536	0.334	0.833	1.000	0.02789	0.667	1.000	0.11089
	0.142	0.280	0.143	0.357	0.500	0.05496	0.286	0.334	0.08680
器械生糸製造業、綿紡績業、かさ高加工糸製造業	0.142	0.280	0.143	0.357	0.500	0.05496	0.286	0.334	0.08680
綿織物業、織フェルト製造業									
丸編ニット生地製造業									
毛織物・毛風合成繊維織物機械無地染業、織物乾燥業									
ロープ製造業、漁網製造業、洗毛化炭業									
織物製ワイシャツ製造業、織物製学校服製造業									
ニット製下着製造業、織物製パジャマ製造業									
帯製造業、ネクタイ製造業、マフラー製造業									
毛布製造業、じゅうたん製造業、脱脂綿製造業									

番号	設備の種類	細目	耐用年数	日本標準産業分類の小分類（耐通付表8）
4	木材又は木製品（家具を除く。）製造業用設備		8年	「121」製材業、木製品製造業
				「122」造作材・合板・建築用組立材料製造業
				「123」木製容器製造業（竹、とうを含む。）
				「129」その他の木製品製造業（竹、とうを含む。）
5	家具又は装備品製造業用設備		11	「131」家具製造業
				「132」宗教用具製造業
				「133」建具製造業
				「139」その他の家具・装備品製造業
6	パルプ、紙又は紙加工品製造業用設備		12	「141」パルプ製造業
				「142」紙製造業
				「143」加工紙製造業
				「144」紙製品製造業
				「145」紙製容器製造業
				「149」その他のパルプ・紙・紙加工品製造業
7	印刷業又は印刷関連業用設備	デジタル印刷システム設備	4	「151」印刷業の一部
		製本業用設備	7	「153」製本業、印刷物加工業の一部
		新聞業用設備		「151」印刷業の一部
		モノタイプ、写真又は通信設備	3	
		その他の設備	10	
		その他の設備	10	「151」印刷業の一部
				「152」製版業
				「153」製本業、印刷物加工業の一部
				「159」印刷関連サービス業
8	化学工業用設備	臭素、よう素又は塩素、臭素若しくはよう素化合物製造設備	5	「162」無機化学工業製品製造業の一部

左の具体例	旧償却率（別表第七）		定額法（別表第八）	250%定率法（別表第九）			200%定率法（別表第十）		
	旧定額法	旧定率法		償却率	改定償却率	保証率	償却率	改定償却率	保証率
製材業、木材チップ製造業	0.125	0.250	0.125	0.313	0.334	0.05111	0.250	0.334	0.07909
合板製造業、集成材製造業、床板製造業									
かご製造業、木箱製造業、酒たる製造業									
木材防腐処理業、コルク栓製造業、木製サンダル製造業									
たんす製造業、金属製家具製造業	0.090	0.189	0.091	0.227	0.250	0.04123	0.182	0.200	0.05992
神仏具製造業、みこし製造業、仏壇製造業									
戸・障子製造業、ふすま製造業									
陳列ケース製造業、ブラインド製造業、石製家具製造業									
溶解サルファイトパルプ製造業	0.083	0.175	0.084	0.208	0.250	0.03870	0.167	0.200	0.05566
新聞用紙製造業、段ボール原紙製造業									
バルカナイズドファイバー製造業、段ボール製造業									
帳簿類製造業、包装紙製造業									
セメント袋製造業、ショッピングバッグ製造業									
紙ひも製造業、セロファン製造業、紙おむつ製造業									
印刷業	0.250	0.438	0.250	0.625	1.000	0.05274	0.500	1.000	0.12499
製本業	0.142	0.280	0.143	0.357	0.500	0.05496	0.286	0.334	0.08680
新聞印刷業、新聞印刷発行業									
	0.333	0.536	0.334	0.833	1.000	0.02789	0.667	1.000	0.11089
	0.100	0.206	0.100	0.250	0.334	0.04448	0.200	0.250	0.06552
オフセット印刷業、金属印刷業	0.100	0.206	0.100	0.250	0.334	0.04448	0.200	0.250	0.06552
写真製版業、グラビア製版業、活字製造業									
印刷物光沢加工業									
校正刷業、刷版研磨業									
臭素製造業、よう素製造業、液体塩素製造業	0.200	0.369	0.200	0.500	1.000	0.06249	0.400	0.500	0.10800

番号	設備の種類	細目	耐用年数	日本標準産業分類の小分類（耐通付表8）
8	化学工業用設備	塩化りん製造設備	4年	「162」無機化学工業製品製造業の一部
		活性炭製造設備	5	「162」無機化学工業製品製造業の一部
		ゼラチン又はにかわ製造設備	5	「169」その他の化学工業の一部
		半導体用フォトレジスト製造設備	5	「169」その他の化学工業の一部
		フラットパネル用カラーフィルター、偏光板又は偏光板用フィルム製造設備	5	「169」その他の化学工業の一部
		その他の設備	8	「161」化学肥料製造業
				「162」無機化学工業製品製造業の一部
				「163」有機化学工業製品製造業
				「164」油脂加工製品・石けん・合成洗剤・界面活性剤・塗料製造業
				「165」医薬品製造業
				「166」化粧品・歯磨・その他の化粧用調整品製造業
				「169」その他の化学工業の一部
9	石油製品又は石炭製品製造業用設備		7	「171」石油精製業
				「172」潤滑油・グリース製造業（石油精製業によらないもの）
				「173」コークス製造業
				「174」舗装材料製造業
				「179」その他の石油製品・石炭製品製造業
10	プラスチック製品製造業用設備（他の号に掲げるものを除く。）		8	「181」プラスチック板・棒・管・継手・異形押出製品製造業
				「182」プラスチックフィルム・シート・床材・合成皮革製造業
				「183」工業用プラスチック製品製造業

左の具体例	旧償却率（別表第七）		定額法（別表第八）	250%定率法（別表第九）			200%定率法（別表第十）		
	旧定額法	旧定率法		償却率	改定償却率	保証率	償却率	改定償却率	保証率
塩化りん製造業	0.250	0.438	0.250	0.625	1.000	0.05274	0.500	1.000	0.12499
活性炭製造業	0.200	0.369	0.200	0.500	1.000	0.06249	0.400	0.500	0.10800
ゼラチン製造業、にかわ製造業	0.200	0.369	0.200	0.500	1.000	0.06249	0.400	0.500	0.10800
半導体フォトレジスト製造業	0.200	0.369	0.200	0.500	1.000	0.06249	0.400	0.500	0.10800
偏光板用フィルム製造業	0.200	0.369	0.200	0.500	1.000	0.06249	0.400	0.500	0.10800
アンモニア製造業、複合肥料製造業	0.125	0.250	0.125	0.313	0.334	0.05111	0.250	0.334	0.07909
ソーダ灰製造業、ネオンガス製造業、アルゴン製造業、塩製造業									
エチルアルコール製造業、ポリエチレン製造業、合成ゴム製造業									
脂肪酸製造業、ペイント製造業、ろうそく製造業									
内服薬製造業、殺虫剤製造業（農薬を除く。）、ワクチン製造業									
香水製造業、頭髪料製造業									
殺虫剤製造業（農薬に限る。）、天然香料製造業、写真感光紙製造業									
石油精製業、ガソリン製造業	0.142	0.280	0.143	0.357	0.500	0.05496	0.286	0.334	0.08680
潤滑油製造業、グリース製造業									
コークス製造業、半成コークス製造業									
舗装材料製造業、アスファルトブロック製造業									
石油コークス製造業、練炭製造業									
プラスチック平板製造業、プラスチック硬質管製造業、プラスチック管加工業	0.125	0.250	0.125	0.313	0.334	0.05111	0.250	0.334	0.07909
プラスチックフィルム製造業、プラスチックタイル製造業、合成皮革製造業									
プラスチック製冷蔵庫内装用品製造業、工業用プラスチック製品加工業									

番号	設備の種類	細目	耐用年数	日本標準産業分類の小分類（耐通付表8）
10	プラスチック製品製造業用設備（他の号に掲げるものを除く。）		年	「184」発泡・強化プラスチック製品製造業
				「185」プラスチック成形材料製造業（廃プラスチックを含む。）
				「189」その他のプラスチック製品製造業
11	ゴム製品製造業用設備		9	「191」タイヤ・チューブ製造業
				「192」ゴム製・プラスチック製履物・同附属品製造業
				「193」ゴムベルト・ゴムホース・工業用ゴム製品製造業
				「199」その他のゴム製品製造業
12	なめし革、なめし革製品又は毛皮製造業用設備		9	「201」なめし革製造業
				「202」工業用革製品製造業（手袋を除く。）
				「203」革製履物用材料・同附属品製造業
				「204」革製履物製造業
				「205」革製手袋製造業
				「206」かばん製造業
				「207」袋物製造業
				「208」毛皮製造業
				「209」その他のなめし革製品製造業
13	窯業又は土石製品製造業用設備		9	「211」ガラス・同製品製造業
				「212」セメント・同製品製造業
				「213」建設用粘土製品製造業（陶磁器製を除く。）
				「214」陶磁器・同関連製品製造業
				「215」耐火物製造業

別表第二　＜機械及び装置＞

左の具体例	旧償却率（別表第七）		定額法（別表第八）	250%定率法（別表第九）			200%定率法（別表第十）		
	旧定額法	旧定率法		償却率	改定償却率	保証率	償却率	改定償却率	保証率
軟質ポリウレタンフォーム製造業、強化プラスチック製容器製造業									
再生プラスチック製造業、廃プラスチック製品製造業									
プラスチック製容器製造業、プラスチック結束テープ製造業									
自動車タイヤ製造業、自転車タイヤ・チューブ製造業	0.111	0.226	0.112	0.278	0.334	0.04731	0.222	0.250	0.07126
地下足袋製造業、プラスチック製靴製造業、合成皮革製靴製造業									
工業用エボナイト製品製造業、ゴムライニング加工業									
ゴム引布製造業、ゴム製医療用品製造業、更生タイヤ製造業									
皮なめし業、水産革製造業、は虫類皮製造業	0.111	0.226	0.112	0.278	0.334	0.04731	0.222	0.250	0.07126
革ベルト製造業									
革製靴材料製造業、革製靴底製造業									
革靴製造業、革製サンダル製造業									
革製手袋製造業、スポーツ用革手袋製造業									
革製かばん製造業、繊維製かばん製造業									
革製袋物製造業、革製ハンドバッグ製造業									
毛皮製造業、毛皮染色・仕上業									
室内用革製品製造業、腕時計用革バンド製造業									
板ガラス製造業、ビール瓶製造業、ガラス繊維製造業、ガラス製絶縁材料製造業	0.111	0.226	0.112	0.278	0.334	0.04731	0.222	0.250	0.07126
生コンクリート製造業、空洞コンクリートブロック製造業									
粘土かわら製造業、普通れんが製造業									
陶磁器製食器製造業、陶磁器製絶縁材料製造業、陶磁器製タイル製造業、陶土精製業									
耐火れんが製造業、耐火モルタル製造業									

番号	設備の種類	細目	耐用年数	日本標準産業分類の小分類（耐通付表8）
13	窯業又は土石製品製造業用設備		年	「216」炭素・黒鉛製品製造業
				「217」研磨材・同製品製造業
				「218」骨材・石工品等製造業
				「219」その他の窯業・土石製品製造業
14	鉄鋼業用設備	表面処理鋼材若しくは鉄粉製造業又は鉄スクラップ加工処理業用設備	5	「224」表面処理鋼材製造業の一部
				「229」その他の鉄鋼業の一部
		純鉄、原鉄、ベースメタル、フェロアロイ、鉄素形材又は鋳鉄管製造業用設備	9	「221」製鉄業の一部
				「225」鉄素形材製造業
				「229」その他の鉄鋼業の一部
		その他の設備	14	「221」製鉄業の一部
				「222」製鋼・製鋼圧延業
				「223」製鋼を行わない鋼材製造業（表面処理鋼材を除く。）
				「224」表面処理鋼材製造業の一部
				「229」その他の鉄鋼業の一部
15	非鉄金属製造業用設備	核燃料物質加工設備	11	「239」その他の非鉄金属製造業の一部
		その他の設備	7	「231」非鉄金属第1次製錬・精製業
				「232」非鉄金属第2次製錬・精製業（非鉄金属合金製造業を含む。）
				「233」非鉄金属・同合金圧延業（抽伸、押出しを含む。）
				「234」電線・ケーブル製造業
				「235」非鉄金属素形材製造業
				「239」その他の非鉄金属製造業の一部
16	金属製品製造業用設備	金属被覆及び彫刻業又は打はく及び金属製ネームプレート製造業用設備	6	「246」金属被覆・彫刻業、熱処理業（ほうろう鉄器を除く。）の一部

別表第二　＜機械及び装置＞

左の具体例	旧償却率（別表第七）		定額法（別表第八）	250％定率法（別表第九）			200％定率法（別表第十）		
	旧定額法	旧定率法		償却率	改定償却率	保証率	償却率	改定償却率	保証率
炭素電極製造業、炭素棒製造業									
研削用ガーネット製造業、研磨布製造業									
玉石砕石製造業、人工骨材製造業、けいそう土精製業									
焼石こう製造業、石こうプラスタ製造業、七宝製品製造業									
亜鉛鉄板製造業、亜鉛めっき鋼管製造業	0.200	0.369	0.200	0.500	1.000	0.06249	0.400	0.500	0.10800
鉄粉製造業、鉄スクラップ加工処理業									
純鉄製造業、原鉄製造業、ベースメタル製造業、合金鉄製造業	0.111	0.226	0.112	0.278	0.334	0.04731	0.222	0.250	0.07126
機械用銑鉄鋳物製造業、鋳鋼製造業、鍛鋼製造業									
鋳鉄管製造業									
高炉銑鉄製造業、電気炉銑製造業	0.071	0.152	0.072	0.179	0.200	0.03389	0.143	0.167	0.04854
製鋼業、圧延鋼材製造業									
冷延鋼板製造業、伸鉄製造業、引抜鋼管製造業、鉄線製造業									
ブリキ製造業									
鉄鋼シャーリング業									
核燃料成形加工業	0.090	0.189	0.091	0.227	0.250	0.04123	0.182	0.200	0.05992
銅製錬・精製業、電気亜鉛精製業、貴金属製錬・精製業	0.142	0.280	0.143	0.357	0.500	0.05496	0.286	0.334	0.08680
鉛再生業、アルミニウム再生業									
銅圧延業、アルミニウム管製造業									
裸電線製造業、光ファイバケーブル製造業									
銅・同合金鋳物製造業、アルミニウム・同合金ダイカスト製造業									
非鉄金属シャーリング業									
金属製品塗装業、溶融めっき業、金属彫刻業	0.166	0.319	0.167	0.417	0.500	0.05776	0.333	0.334	0.09911

番号	設備の種類	細目	耐用年数	日本標準産業分類の小分類 （耐通付表8）
16	金属製品製造業用設備		年	「249」その他の金属製品製造業の一部
		その他の設備	10	「241」ブリキ缶・その他のめっき板等製品製造業
				「242」洋食器・刃物・手道具・金物類製造業
				「243」暖房・調理等装置、配管工事用附属品製造業
				「244」建設用・建築用金属製品製造業（製缶板金業を含む。）
				「245」金属素形材製品製造業
				「246」金属被覆・彫刻業、熱処理業（ほうろう鉄器を除く。）の一部
				「247」金属線製品製造業（ねじ類を除く。）
				「248」ボルト・ナット・リベット・小ねじ・木ねじ等製造業
				「249」その他の金属製品製造業の一部
17	はん用機械器具（はん用性を有するもので、他の器具及び備品並びに機械及び装置に組み込み、又は取り付けることによりその用に供されるものをいう。）製造業用設備（第20号及び第22号に掲げるものを除く。）		12	「251」ボイラ・原動機製造業
				「252」ポンプ・圧縮機器製造業
				「253」一般産業用機械・装置製造業
				「259」その他のはん用機械・同部分品製造業
18	生産用機械器具（物の生産の用に供されるものをいう。）製造業用設備（次号及び第21号に掲げるものを除く。）	金属加工機械製造設備	9	「266」金属加工機械製造業
		その他の設備	12	「261」農業用機械製造業（農業用器具を除く。）
				「262」建設機械・鉱山機械製造業
				「263」繊維機械製造業
				「264」生活関連産業用機械製造業
				「265」基礎素材産業用機械製造業

別表第二 ＜機械及び装置＞

左の具体例	旧償却率（別表第七）		定額法（別表第八）	250％定率法（別表第九）			200％定率法（別表第十）		
	旧定額法	旧定率法		償却率	改定償却率	保証率	償却率	改定償却率	保証率
金属製ネームプレート製造業									
缶詰用缶製造業、ブリキ缶製造業	0.100	0.206	0.100	0.250	0.334	0.04448	0.200	0.250	0.06552
機械刃物製造業、養蚕用・養きん用機器製造業、建築用金物製造業									
配管工事用附属品製造業、ガス機器製造業、温風暖房機製造業									
鉄骨製造業、鉄塔製造業、住宅用・ビル用アルミニウム製サッシ製造業									
金属プレス製品製造業、粉末冶金製品製造業									
金属熱処理業									
鉄くぎ製造業、ワイヤチェーン製造業									
ボルト・ナット製造業、ビス製造業									
金庫製造業、板ばね製造業									
工業用ボイラ製造業、蒸気タービン製造業、はん用ガソリン機関製造業	0.083	0.175	0.084	0.208	0.250	0.03870	0.167	0.200	0.05566
動力ポンプ製造業、圧縮機製造業、油圧ポンプ製造業									
歯車製造業、エレベータ製造業、コンベヤ製造業、冷凍機製造業									
消火器製造業、一般バルブ・コック製造業、ピストンリング製造業									
金属工作機械製造業、金属加工機械製造業	0.111	0.226	0.112	0.278	0.334	0.04731	0.222	0.250	0.07126
動力耕うん機製造業、脱穀機製造業、除草機製造業	0.083	0.175	0.084	0.208	0.250	0.03870	0.167	0.200	0.05566
建設機械・同装置・部分品・附属品製造業、建設用クレーン製造業									
綿・スフ紡績機械製造業、絹・人絹織機製造業、工業用ミシン製造業									
精米機械・同装置製造業、製材機械製造業、パルプ製造機械・同装置製造業									
鋳造装置製造業、化学機械・同装置製造業									

番号	設備の種類	細目	耐用年数	日本標準産業分類の小分類（耐通付表8）
18	生産用機械器具（物の生産の用に供されるものをいう。）製造業用設備（次号及び第21号に掲げるものを除く。）		年	「267」半導体・フラットパネルディスプレイ製造装置製造業
				「269」その他の生産用機械・同部分品製造業
19	業務用機械器具（業務用又はサービスの生産の用に供されるもの（これらのものであって物の生産の用に供されるものを含む。）をいう。）製造業用設備（第17号、第21号及び第23号に掲げるものを除く。）		7	「271」事務用機械器具製造業
				「272」サービス用・娯楽用機械器具製造業
				「273」計量器・測定器・分析機器・試験機・測量機械器具・理化学機械器具製造業
				「274」医療用機械器具・医療用品製造業
				「275」光学機械器具・レンズ製造業
				「276」武器製造業
20	電子部品、デバイス又は電子回路製造業用設備	光ディスク（追記型又は書換え型のものに限る。）製造設備	6	「283」記録メディア製造業の一部
		プリント配線基板製造設備	6	「284」電子回路製造業の一部
		フラットパネルディスプレイ、半導体集積回路又は半導体素子製造設備	5	「281」電子デバイス製造業の一部
		その他の設備	8	「281」電子デバイス製造業の一部
				「282」電子部品製造業
				「283」記録メディア製造業の一部
				「284」電子回路製造業の一部
				「285」ユニット部品製造業
				「289」その他の電子部品・デバイス・電子回路製造業
21	電気機械器具製造業用設備		7	「291」発電用・送電用・配電用電気機械器具製造業
				「292」産業用電気機械器具製造業
				「293」民生用電気機械器具製造業
				「294」電球・電気照明器具製造業
				「295」電池製造業

別表第二 ＜機械及び装置＞ 187

左の具体例	旧償却率（別表第七）		定額法（別表第八）	250%定率法（別表第九）			200%定率法（別表第十）		
	旧定額法	旧定率法		償却率	改定償却率	保証率	償却率	改定償却率	保証率
ウェーハ加工装置製造業、液晶パネル熱処理装置製造業									
金属製品用金型製造業、ロボット製造業									
複写機製造業、事務用機械器具製造業	0.142	0.280	0.143	0.357	0.500	0.05496	0.286	0.334	0.08680
営業用洗濯機製造業、アミューズメント機器製造業、自動販売機・同部分品製造業									
ガスメータ製造業、血圧計製造業、マイクロメータ製造業、金属材料試験機製造業									
医科用鋼製器具製造業、人工血管製造業、歯科用合金製造業									
顕微鏡製造業、写真機製造業、光学レンズ製造業									
けん銃製造業									
光ディスク製造業	0.166	0.319	0.167	0.417	0.500	0.05776	0.333	0.334	0.09911
片面・両面・多層リジッドプリント配線板製造業	0.166	0.319	0.167	0.417	0.500	0.05776	0.333	0.334	0.09911
半導体集積回路製造業、トランジスタ製造業	0.200	0.369	0.200	0.500	1.000	0.06249	0.400	0.500	0.10800
マイクロ波管製造業、発光ダイオード製造業	0.125	0.250	0.125	0.313	0.334	0.05111	0.250	0.334	0.07909
抵抗器製造業、スピーカ部品製造業、スイッチ製造業									
SDメモリカード製造業、メモリースティック製造業									
チップ部品実装基板製造業									
スイッチング電源製造業、紙幣識別ユニット製造業									
整流器製造業、ダイヤル製造業									
発電機製造業、変圧器製造業、配電盤製造業	0.142	0.280	0.143	0.357	0.500	0.05496	0.286	0.334	0.08680
電弧溶接機製造業、スターターモータ製造業									
家庭用電気洗濯機製造業、電気ストーブ製造業									
映写機用ランプ製造業、天井灯照明器具製造業									
蓄電池製造業、乾電池製造業									

番号	設備の種類	細目	耐用年数	日本標準産業分類の小分類（耐通付表8）
21	電気機械器具製造業用設備		年	「296」電子応用装置製造業
				「297」電気計測器製造業
				「299」その他の電気機械器具製造業
22	情報通信機械器具製造業用設備		8	「301」通信機械器具・同関連機械器具製造業
				「302」映像・音響機械器具製造業
				「303」電子計算機・同附属装置製造業
23	輸送用機械器具製造業用設備		9	「311」自動車・同附属品製造業
				「312」鉄道車両・同部分品製造業
				「313」船舶製造・修理業、舶用機関製造業
				「314」航空機・同附属品製造業
				「315」産業用運搬車両・同部分品・附属品製造業
				「319」その他の輸送用機械器具製造業
24	その他の製造業用設備		9	「321」貴金属・宝石製品製造業
				「322」装身具・装飾品・ボタン・同関連品製造業（貴金属・宝石製を除く。）
				「323」時計・同部分品製造業
				「324」楽器製造業
				「325」がん具・運動用具製造業
				「326」ペン・鉛筆・絵画用品・その他の事務用品製造業
				「327」漆器製造業

左の具体例	旧償却率 (別表第七)		定額法 (別表第八)	250%定率法 (別表第九)			200%定率法 (別表第十)		
	旧定額法	旧定率法		償却率	改定償却率	保証率	償却率	改定償却率	保証率
医療用・歯科用X線装置製造業、磁気探知機製造業									
電流計製造業、温度自動調節装置製造業、心電計製造業									
電球口金製造業、太陽電池製造業									
携帯電話機製造業、テレビジョン放送装置製造業、カーナビゲーション製造業、火災警報装置製造業	0.125	0.250	0.125	0.313	0.334	0.05111	0.250	0.334	0.07909
DVDプレーヤ製造業、デジタルカメラ製造業、ステレオ製造業									
デジタル形電子計算機製造業、パーソナルコンピュータ製造業、外部記憶装置製造業、スキャナー製造業									
自動車製造業、自動車エンジン・同部分品製造業	0.111	0.226	0.112	0.278	0.334	0.04731	0.222	0.250	0.07126
電車製造業、戸閉装置製造業									
鋼船製造・修理業、船体ブロック製造業、舟艇製造業、舶用機関製造業									
飛行機製造業、気球製造業									
フォークリフトトラック・同部分品・附属品製造業、動力付運搬車製造業									
自転車製造組立業、車いす製造組立業									
装身具製造業（貴金属・宝石製のもの）、宝石附属品加工業	0.111	0.226	0.112	0.278	0.334	0.04731	0.222	0.250	0.07126
装身具製造業（貴金属・宝石製を除く。）、造花製造業、針製造業、かつら製造業									
時計製造業、電気時計製造業									
ピアノ製造業、ギター製造業、オルゴール製造業									
家庭用テレビゲーム機製造業、人形製造業、スポーツ用具製造業									
シャープペンシル製造業、油絵具製造業、手押スタンプ製造業									
漆塗り家具製造業、漆器製造業									

番号	設備の種類	細目	耐用年数	日本標準産業分類の小分類（耐通付表8）
24	その他の製造業用設備		年	「328」畳等生活雑貨製品製造業
				「329」他に分類されない製造業
25	農業用設備		7	「011」耕種農業
				「012」畜産農業
				「013」農業サービス業（園芸サービス業を除く。）
				「014」園芸サービス業
26	林業用設備		5	「021」育林業
				「022」素材生産業
				「023」特用林産物生産業（きのこ類の栽培を除く。）
				「024」林業サービス業
				「029」その他の林業
27	漁業用設備（次号に掲げるものを除く。）		5	「031」海面漁業
				「032」内水面漁業
28	水産養殖業用設備		5	「041」海面養殖業
				「042」内水面養殖業
29	鉱業、採石業又は砂利採取業用設備	石油又は天然ガス鉱業用設備		「053」原油・天然ガス鉱業
		坑井設備	3	
		掘さく設備	6	
		その他の設備	12	
		その他の設備	6	「051」金属鉱業
				「052」石炭・亜炭鉱業
				「054」採石業、砂・砂利・玉石採取業
				「055」窯業原料用鉱物鉱業（耐火物・陶磁器・ガラス・セメント原料用に限る。）
				「059」その他の鉱業
30	総合工事業用設備		6	「061」一般土木建築工事業
				「062」土木工事業（舗装工事業を除く。）

別表第二 ＜機械及び装置＞ 191

左の具体例	旧償却率（別表第七）		定額法（別表第八）	250%定率法（別表第九）			200%定率法（別表第十）		
	旧定額法	旧定率法		償却率	改定償却率	保証率	償却率	改定償却率	保証率
麦わら帽子製造業、扇子・扇子骨製造業、ブラシ類製造業、喫煙用具製造業									
花火製造業、ネオンサイン製造業、模型製造業、眼鏡製造業									
水稲作農業、野菜作農業、みかん作農業、たばこ作農業	0.142	0.280	0.143	0.357	0.500	0.05496	0.286	0.334	0.08680
酪農業、肉用牛肥育業、昆虫類飼育業、養蚕農業、養蜂業									
共同選果場、花き共同選別場									
造園業									
私有林経営業	0.200	0.369	0.200	0.500	1.000	0.06249	0.400	0.500	0.10800
一般材生産業、パルプ材生産業									
薪製造業、木炭製造業、松やに採取業									
育林請負業、薪請負製造業									
狩猟業、昆虫類採捕業、山林用種苗業									
遠洋底引き網漁業、あさり採取業	0.200	0.369	0.200	0.500	1.000	0.06249	0.400	0.500	0.10800
河川漁業、湖沼漁業									
魚類養殖業、貝類養殖業、藻類養殖業、真珠養殖業	0.200	0.369	0.200	0.500	1.000	0.06249	0.400	0.500	0.10800
こい養殖業、すっぽん養殖業									
原油鉱業、天然ガス鉱業									
	0.333	0.536	0.334	0.833	1.000	0.02789	0.667	1.000	0.11089
	0.166	0.319	0.167	0.417	0.500	0.05776	0.333	0.334	0.09911
	0.083	0.175	0.084	0.208	0.250	0.03870	0.167	0.200	0.05566
金鉱業、鉄鉱業	0.166	0.319	0.167	0.417	0.500	0.05776	0.333	0.334	0.09911
石炭鉱業、石炭回収業									
花こう岩採石業、大理石採石業、砂採取業									
耐火粘土鉱業、ろう石鉱業、石灰石鉱業									
酸性白土鉱業、けいそう土鉱業、天然氷採取業									
一般土木建築工事業	0.166	0.319	0.167	0.417	0.500	0.05776	0.333	0.334	0.09911
土木工事業、造園工事業、しゅんせつ工事業									

番号	設備の種類	細目	耐用年数	日本標準産業分類の小分類（耐通付表8）
30	総合工事業用設備		年	「063」舗装工事業
				「064」建築工事業(木造建築工事業を除く。)
				「065」木造建築工事業
				「066」建築リフォーム工事業
				「071」大工工事業
				「072」とび・土工・コンクリート工事業
				「073」鉄骨・鉄筋工事業
				「074」石工・れんが・タイル・ブロック工事業
				「075」左官工事業
				「076」板金・金物工事業
				「077」塗装工事業
				「078」床・内装工事業
				「079」その他の職別工事業
				「081」電気工事業
				「082」電気通信・信号装置工事業
				「083」管工事業(さく井工事業を除く。)
				「084」機械器具設置工事業
				「089」その他の設備工事業
31	電気業用設備	電気業用水力発電設備	22	「331」電気業
		その他の水力発電設備	20	
		汽力発電設備	15	
		内燃力又はガスタービン発電設備	15	
		送電又は電気業用変電若しくは配電設備		
		需要者用計器	15	
		柱上変圧器	18	
		その他の設備	22	
		鉄道又は軌道業用変電設備	15	

別表第二 ＜機械及び装置＞

左の具体例	旧償却率（別表第七）		定額法（別表第八）	250%定率法（別表第九）			200%定率法（別表第十）		
	旧定額法	旧定率法		償却率	改定償却率	保証率	償却率	改定償却率	保証率
道路舗装工事業									
建築工事請負業、組立鉄筋コンクリート造建築工事業									
木造住宅建築工事業									
住宅リフォーム工事業									
大工工事業、型枠大工工事業									
とび工事業、土工工事業、特殊コンクリート基礎工事業									
鉄骨工事業、鉄筋工事業									
石工工事業、れんが工事業、タイル工事業、コンクリートブロック工事業									
左官業、漆くい工事業									
鉄板屋根ふき業、板金工事業、建築金物工事業									
塗装工事業、道路標示・区画線工事業									
床張工事業、壁紙工事業									
ガラス工事業、金属製建具取付業、防水工事業									
電気設備工事業、電気配線工事業									
電気通信工事業、有線テレビジョン放送設備設置工事業									
一般管工事業、給排水設備工事業									
機械器具設置工事業、昇降設備工事業									
築炉工事業、道路標識設置工事業									
水力発電所、火力発電所、変電所	0.046	0.099	0.046	0.114	0.125	0.02296	0.091	0.100	0.03182
	0.050	0.109	0.050	0.125	0.143	0.02517	0.100	0.112	0.03486
	0.066	0.142	0.067	0.167	0.200	0.03217	0.133	0.143	0.04565
	0.066	0.142	0.067	0.167	0.200	0.03217	0.133	0.143	0.04565
	0.066	0.142	0.067	0.167	0.200	0.03217	0.133	0.143	0.04565
	0.055	0.120	0.056	0.139	0.143	0.02757	0.111	0.112	0.03884
	0.046	0.099	0.046	0.114	0.125	0.02296	0.091	0.100	0.03182
	0.066	0.142	0.067	0.167	0.200	0.03217	0.133	0.143	0.04565

番号	設備の種類	細目	耐用年数	日本標準産業分類の小分類（耐通付表8）
31	電気業用設備	その他の設備	年	
		主として金属製のもの	17	
		その他のもの	8	
32	ガス業用設備	製造用設備	10	「341」ガス業
		供給用設備		
		鋳鉄製導管	22	
		鋳鉄製導管以外の導管	13	
		需要者用計量器	13	
		その他の設備	15	
		その他の設備		
		主として金属製のもの	17	
		その他のもの	8	
33	熱供給業用設備		17	「351」熱供給業
34	水道業用設備		18	「361」上水道業
				「362」工業用水道業
				「363」下水道業
35	通信業用設備		9	「371」固定電気通信業
				「372」移動電気通信業
				「373」電気通信に附帯するサービス業
36	放送業用設備		6	「382」民間放送業（有線放送業を除く。）
				「383」有線放送業
37	映像、音声又は文字情報制作用設備		8	「411」映像情報制作・配給業
				「412」音声情報制作業
				「413」新聞業
				「414」出版業
				「415」広告制作業
				「416」映像・音声・文字情報制作に附帯するサービス業
38	鉄道業用設備	自動改札装置	5	「421」鉄道業
		その他の設備	12	

左の具体例	旧償却率（別表第七）		定額法（別表第八）	250%定率法（別表第九）			200%定率法（別表第十）		
	旧定額法	旧定率法		償却率	改定償却率	保証率	償却率	改定償却率	保証率
	0.058	0.127	0.059	0.147	0.167	0.02905	0.118	0.125	0.04038
	0.125	0.250	0.125	0.313	0.334	0.05111	0.250	0.334	0.07909
ガス製造工場、ガス供給所、ガス整圧所	0.100	0.206	0.100	0.250	0.334	0.04448	0.200	0.250	0.06552
	0.046	0.099	0.046	0.114	0.125	0.02296	0.091	0.100	0.03182
	0.076	0.162	0.077	0.192	0.200	0.03633	0.154	0.167	0.05180
	0.076	0.162	0.077	0.192	0.200	0.03633	0.154	0.167	0.05180
	0.066	0.142	0.067	0.167	0.200	0.03217	0.133	0.143	0.04565
	0.058	0.127	0.059	0.147	0.167	0.02905	0.118	0.125	0.04038
	0.125	0.250	0.125	0.313	0.334	0.05111	0.250	0.334	0.07909
地域暖冷房業、蒸気供給業	0.058	0.127	0.059	0.147	0.167	0.02905	0.118	0.125	0.04038
上水道業、水道用水供給事業	0.055	0.120	0.056	0.139	0.143	0.02757	0.111	0.112	0.03884
工業用水道業、工業用水浄水場									
下水道処理施設維持管理業、下水道管路施設維持管理業									
インターネット・サービス・プロバイダ	0.111	0.226	0.112	0.278	0.334	0.04731	0.222	0.250	0.07126
携帯電話業、無線呼出し業									
電気通信業務受託会社、移動無線センター									
テレビジョン放送事業者、ラジオ放送事業者	0.166	0.319	0.167	0.417	0.500	0.05776	0.333	0.334	0.09911
有線テレビジョン放送業、有線ラジオ放送業									
映画撮影所、テレビジョン番組制作業、アニメーション制作業	0.125	0.250	0.125	0.313	0.334	0.05111	0.250	0.334	0.07909
レコード会社、ラジオ番組制作業									
新聞社、新聞発行業									
書籍出版・印刷出版業、パンフレット出版・印刷出版業									
広告制作業、広告制作プロダクション									
ニュース供給業、映画フィルム現像業									
鉄道事業者、モノレール鉄道業、ケーブルカー業、リフト業	0.200	0.369	0.200	0.500	1.000	0.06249	0.400	0.500	0.10800
	0.083	0.175	0.084	0.208	0.250	0.03870	0.167	0.200	0.05566

番号	設備の種類	細目	耐用年数	日本標準産業分類の小分類（耐通付表8）
39	道路貨物運送業用設備		12年	「441」一般貨物自動車運送業
				「442」特定貨物自動車運送業
				「443」貨物軽自動車運送業
				「444」集配利用運送業
				「449」その他の道路貨物運送業
40	倉庫業用設備		12	「471」倉庫業（冷蔵倉庫業を除く。）
				「472」冷蔵倉庫業
41	運輸に附帯するサービス業用設備		10	「481」港湾運送業
				「482」貨物運送取扱業（集配利用運送業を除く。）
				「483」運送代理店
				「484」こん包業
				「485」運輸施設提供業
				「489」その他の運輸に附帯するサービス業
42	飲食料品卸売業用設備		10	「521」農畜産物・水産物卸売業
				「522」食料・飲料卸売業
43	建築材料、鉱物又は金属材料等卸売業用設備	石油又は液化石油ガス卸売業用設備（貯そうを除く。）	13	「533」石油・鉱物卸売業の一部
		その他の設備	8	「531」建築材料卸売業
				「532」化学製品卸売業
				「533」石油・鉱物卸売業の一部
				「534」鉄鋼製品卸売業
				「535」非鉄金属卸売業
				「536」再生資源卸売業
44	飲食料品小売業用設備		9	「581」各種食料品小売業
				「582」野菜・果実小売業
				「583」食肉小売業

別表第二 ＜機械及び装置＞

左の具体例	旧償却率（別表第七）		定額法（別表第八）	250%定率法（別表第九）			200%定率法（別表第十）		
	旧定額法	旧定率法		償却率	改定償却率	保証率	償却率	改定償却率	保証率
一般貨物自動車運送業	0.083	0.175	0.084	0.208	0.250	0.03870	0.167	0.200	0.05566
特定貨物自動車運送業									
貨物軽自動車運送業									
集配利用運送業（第二種利用運送業）									
自転車貨物運送業									
普通倉庫業、水面木材倉庫業	0.083	0.175	0.084	0.208	0.250	0.03870	0.167	0.200	0.05566
冷蔵倉庫業									
一般港湾運送業、はしけ運送業	0.100	0.206	0.100	0.250	0.334	0.04448	0.200	0.250	0.06552
利用運送業（第一種利用運送業）、運送取次業									
海運代理店、航空運送代理店									
荷造業、貨物こん包業、組立こん包業									
鉄道施設提供業（第三種鉄道事業者）、自動車道業、バスターミナル業									
海運仲立業、検数業、検量業、サルベージ業									
米穀卸売業、青物卸売業、精肉卸売業、原毛皮卸売業	0.100	0.206	0.100	0.250	0.334	0.04448	0.200	0.250	0.06552
砂糖卸売業、乾物問屋、清涼飲料卸売業									
石油卸売業、液化石油ガス卸売業	0.076	0.162	0.077	0.192	0.200	0.03633	0.154	0.167	0.05180
木材卸売業、セメント卸売業、板ガラス卸売業	0.125	0.250	0.125	0.313	0.334	0.05111	0.250	0.334	0.07909
塗料卸売業、プラスチック卸売業、工業薬品卸売業									
石炭卸売業、鉄鉱卸売業									
銑鉄卸売業、鋼板卸売業									
銅地金卸売業、アルミニウム板卸売業									
空缶問屋、鉄スクラップ問屋、製紙原料古紙問屋									
各種食料品店、食料雑貨店	0.111	0.226	0.112	0.278	0.334	0.04731	0.222	0.250	0.07126
八百屋、果物屋									
肉屋、肉製品小売業									

番号	設備の種類	細目	耐用年数	日本標準産業分類の小分類（耐通付表8）
44	飲食料品小売業用設備		年	「584」鮮魚小売業
				「585」酒小売業
				「586」菓子・パン小売業
				「589」その他の飲食料品小売業
45	その他の小売業用設備	ガソリン又は液化石油ガススタンド設備	8	「605」燃料小売業の一部
		その他の設備		「601」家具・建具・畳小売業
		主として金属製のもの	17	「602」じゅう器小売業
		その他のものA	8	
				「603」医薬品・化粧品小売業
				「604」農耕用品小売業
				「605」燃料小売業の一部
				「606」書籍・文房具小売業
				「607」スポーツ用品・がん具・娯楽用品・楽器小売業
				「608」写真機・時計・眼鏡小売業
				「609」他に分類されない小売業
46	技術サービス業用設備（他の号に掲げるものを除く。）	計量証明業用設備	8	「745」計量証明業
		その他の設備	14	「742」土木建築サービス業
				「743」機械設計業
				「744」商品・非破壊検査業
				「746」写真業
				「749」その他の技術サービス業
47	宿泊業用設備		10	「751」旅館、ホテル
				「752」簡易宿所
				「759」その他の宿泊業
48	飲食店業用設備		8	「761」食堂、レストラン（専門料理店を除く。）
				「762」専門料理店
				「763」そば・うどん店
				「764」すし店
				「765」酒場、ビヤホール
				「766」バー、キャバレー、ナイトクラブ

別表第二 ＜機械及び装置＞

左の具体例	旧償却率（別表第七）		定額法（別表第八）	250％定率法（別表第九）			200％定率法（別表第十）		
	旧定額法	旧定率法		償却率	改定償却率	保証率	償却率	改定償却率	保証率
魚屋									
酒屋									
洋菓子小売業、パン小売業									
コンビニエンスストア、コーヒー小売業、豆腐小売業									
ガソリンスタンド、液化石油ガススタンド	0.125	0.250	0.125	0.313	0.334	0.05111	0.250	0.334	0.07909
家具小売業、建具小売業、畳小売業	0.058	0.127	0.059	0.147	0.167	0.02905	0.118	0.125	0.04038
金物店、漆器小売業	0.125	0.250	0.125	0.313	0.334	0.05111	0.250	0.334	0.07909
ドラッグストア、化粧品店									
農業用機械器具小売業、種苗小売業、飼料小売業									
プロパンガス小売業									
書店、新聞販売店									
運道具小売業、おもちゃ屋、洋楽器小売業									
写真機小売業、時計屋、眼鏡小売業									
ホームセンター、花屋、宝石小売業									
質量計量証明業	0.125	0.250	0.125	0.313	0.334	0.05111	0.250	0.334	0.07909
設計監理業、測量業、地質調査業	0.071	0.152	0.072	0.179	0.200	0.03389	0.143	0.167	0.04854
機械設計業、機械設計製図業									
商品検査業、非破壊検査業									
写真撮影業、商業写真業									
プラントエンジニアリング業、プラントメンテナンス業									
シティホテル、民宿	0.100	0.206	0.100	0.250	0.334	0.04448	0.200	0.250	0.06552
簡易宿泊所、カプセルホテル									
リゾートクラブ、キャンプ場									
食堂、ファミリーレストラン	0.125	0.250	0.125	0.313	0.334	0.05111	0.250	0.334	0.07909
てんぷら料理店、中華料理店、焼肉店、西洋料理店									
そば屋、うどん店									
すし屋									
大衆酒場、焼鳥屋									
バー、スナックバー									

番号	設備の種類	細目	耐用年数	日本標準産業分類の小分類 （耐通付表8）
48	飲食店業用設備		年	「767」喫茶店
				「769」その他の飲食店
				「771」持ち帰り飲食サービス業
				「772」配達飲食サービス業
49	洗濯業、理容業、美容業又は浴場業用設備		13	「781」洗濯業
				「782」理容業
				「783」美容業
				「784」一般公衆浴場業
				「785」その他の公衆浴場業
				「789」その他の洗濯・理容・美容・浴場業
50	その他の生活関連サービス業用設備		6	「791」旅行業
				「793」衣服裁縫修理業
				「794」物品預り業
				「795」火葬・墓地管理業
				「796」冠婚葬祭業
				「799」他に分類されない生活関連サービス業
51	娯楽業用設備	映画館又は劇場用設備	11	「801」映画館
				「802」興行場（別掲を除く。）、興行団の一部
		遊園地用設備	7	「805」公園、遊園地の一部
		ボウリング場用設備	13	「804」スポーツ施設提供業の一部
		その他の設備 　主として金属製のもの 　その他のもの	17 8	「802」興行場（別掲を除く。）、興行団の一部
				「804」スポーツ施設提供業の一部
				「805」公園、遊園地の一部
				「806」遊戯場
				「809」その他の娯楽業
52	教育業（学校教育業を除く。）又は学習支援業用設備	教習用運転シミュレータ設備	5	「829」他に分類されない教育、学習支援業の一部
		その他の設備 　主として金属製のもの 　その他のもの	17 8	「821」社会教育
				「823」学習塾

左の具体例	旧償却率（別表第七）		定額法（別表第八）	250%定率法（別表第九）			200%定率法（別表第十）		
	旧定額法	旧定率法		償却率	改定償却率	保証率	償却率	改定償却率	保証率
喫茶店									
ハンバーガー店、お好み焼店、ドーナツ店									
持ち帰りすし店、持ち帰り弁当屋									
宅配ピザ屋、仕出し料理・弁当屋、給食センター									
クリーニング業、リネンサプライ業	0.076	0.162	0.077	0.192	0.200	0.03633	0.154	0.167	0.05180
理容店									
美容室、ビューティサロン									
銭湯業									
温泉浴場業、スパ業、スーパー銭湯									
洗張業、エステティックサロン、コインランドリー業									
旅行業	0.166	0.319	0.167	0.417	0.500	0.05776	0.333	0.334	0.09911
衣服修理業									
自転車預り業									
火葬業									
葬儀屋、結婚式場業									
写真現像・焼付業、ペット美容室									
映画館	0.090	0.189	0.091	0.227	0.250	0.04123	0.182	0.200	0.05992
劇場									
遊園地、テーマパーク	0.142	0.280	0.143	0.357	0.500	0.05496	0.286	0.334	0.08680
ボウリング場	0.076	0.162	0.077	0.192	0.200	0.03633	0.154	0.167	0.05180
寄席、曲芸・軽業興行場、ボクシングジム	0.058	0.127	0.059	0.147	0.167	0.02905	0.118	0.125	0.04038
スケートリンク、乗馬クラブ、ゴルフ練習場、バッティングセンター、フィットネスクラブ	0.125	0.250	0.125	0.313	0.334	0.05111	0.250	0.334	0.07909
公園、庭園									
ゲームセンター									
マリーナ業、カラオケボックス、釣堀業									
自動車教習所	0.200	0.369	0.200	0.500	1.000	0.06249	0.400	0.500	0.10800
天文博物館、動物園、水族館	0.058	0.127	0.059	0.147	0.167	0.02905	0.118	0.125	0.04038
学習塾	0.125	0.250	0.125	0.313	0.334	0.05111	0.250	0.334	0.07909

番号	設備の種類	細目	耐用年数	日本標準産業分類の小分類（耐通付表8）
52	教育業（学校教育業を除く。）又は学習支援業用設備		年	「824」教養・技能教授業
				「829」他に分類されない教育、学習支援業の一部
53	自動車整備業用設備		15	「891」自動車整備業
54	その他のサービス業用設備		12	「952」と畜場
55	前掲の機械及び装置以外のもの並びに前掲の区分によらないもの	機械式駐車設備	10	
		ブルドーザー、パワーショベルその他の自走式作業用機械設備	8	
		その他の設備		
		主として金属製のもの	17	
		その他のもの	8	

左の具体例	旧償却率 (別表第七)		定額法 (別表第八)	250%定率法 (別表第九)			200%定率法 (別表第十)		
	旧定額法	旧定率法		償却率	改定償却率	保証率	償却率	改定償却率	保証率
スイミングスクール、ゴルフスクール									
料理学校									
自動車整備業、自動車修理業	0.066	0.142	0.067	0.167	0.200	0.03217	0.133	0.143	0.04565
と殺業、と畜請負業	0.083	0.175	0.084	0.208	0.250	0.03870	0.167	0.200	0.05566
	0.100	0.206	0.100	0.250	0.334	0.04448	0.200	0.250	0.06552
	0.125	0.250	0.125	0.313	0.334	0.05111	0.250	0.334	0.07909
	0.058	0.127	0.059	0.147	0.167	0.02905	0.118	0.125	0.04038
	0.125	0.250	0.125	0.313	0.334	0.05111	0.250	0.334	0.07909

別表第三　無形減価償却資産の耐用年数表

種類	細目	耐用年数
漁業権		10 年
ダム使用権		55
水利権		20
特許権		8
実用新案権		5
意匠権		7
商標権		10
ソフトウエア	複写して販売するための原本	3
	その他のもの	5
育成者権	種苗法第4条第2項に規定する品種	10
	その他	8
営業権		5
専用側線利用権		30
鉄道軌道連絡通行施設利用権		30
電気ガス供給施設利用権		15
水道施設利用権		15
工業用水道施設利用権		15
電気通信施設利用権		20

別表第三 ＜無形減価償却資産＞

	旧償却率（別表第七）		定額法（別表第八）	250%定率法（別表第九）			200%定率法（別表第十）		
	旧定額法	旧定率法		償却率	改定償却率	保証率	償却率	改定償却率	保証率
	0.100		0.100						
	0.019		0.019						
	0.050		0.050						
	0.125		0.125						
	0.200		0.200						
	0.142		0.143						
	0.100		0.100						
	0.333		0.334						
	0.200		0.200						
	0.100		0.100						
	0.125		0.125						
	0.200		0.200						
	0.034		0.034						
	0.034		0.034						
	0.066		0.067						
	0.066		0.067						
	0.066		0.067						
	0.050		0.050						

別表第四　生物の耐用年数表

種類	細目	耐用年数
牛	繁殖用（家畜改良増殖法（昭和25年法律第209号）に基づく種付証明書、授精証明書、体内受精卵移植証明書又は体外受精卵移植証明書のあるものに限る。）	年
	役肉用牛	6
	乳用牛	4
	種付用（家畜改良増殖法に基づく種畜証明書の交付を受けた種おす牛に限る。）	4
	その他用	6
馬	繁殖用（家畜改良増殖法に基づく種付証明書又は授精証明書のあるものに限る。）	6
	種付用（家畜改良増殖法に基づく種畜証明書の交付を受けた種おす馬に限る。）	6
	競走用	4
	その他用	8
豚		3
めん羊及びやぎ	種付用	4
	その他用	6
かんきつ樹	温州みかん	28
	その他	30
りんご樹	わい化りんご	20
	その他	29
ぶどう樹	温室ぶどう	12
	その他	15
なし樹		26
桃樹		15
桜桃樹		21
びわ樹		30
くり樹		25
梅樹		25
かき樹		36
あんず樹		25
すもも樹		16
いちじく樹		11
キウイフルーツ樹		22
ブルーベリー樹		25
パイナップル		3
茶樹		34
オリーブ樹		25
つばき樹		25

別表第四 ＜生物＞

旧償却率（別表第七）		定額法（別表第八）	250%定率法（別表第九）			200%定率法（別表第十）		
旧定額法	旧定率法		償却率	改定償却率	保証率	償却率	改定償却率	保証率
0.166		0.167						
0.250		0.250						
0.250		0.250						
0.166		0.167						
0.166		0.167						
0.166		0.167						
0.250		0.250						
0.125		0.125						
0.333		0.334						
0.250		0.250						
0.166		0.167						
0.036		0.036						
0.034		0.034						
0.050		0.050						
0.035		0.035						
0.083		0.084						
0.066		0.067						
0.039		0.039						
0.066		0.067						
0.048		0.048						
0.034		0.034						
0.040		0.040						
0.040		0.040						
0.028		0.028						
0.040		0.040						
0.062		0.063						
0.090		0.091						
0.046		0.046						
0.040		0.040						
0.333		0.334						
0.030		0.030						
0.040		0.040						
0.040		0.040						

種類	細目	耐用年数
桑 樹	立て通し	18 年
	根刈り、中刈り、高刈り	9
こりやなぎ		10
みつまた		5
こうぞ		9
もう宗竹		20
アスパラガス		11
ラ ミ ー		8
まおらん		10
ホップ		9

旧償却率（別表第七）		定額法（別表第八）	250%定率法（別表第九）			200%定率法（別表第十）		
旧定額法	旧定率法		償却率	改定償却率	保証率	償却率	改定償却率	保証率
0.055		0.056						
0.111		0.112						
0.100		0.100						
0.200		0.200						
0.111		0.112						
0.050		0.050						
0.090		0.091						
0.125		0.125						
0.100		0.100						
0.111		0.112						

別表第五　公害防止用減価償却資産の耐用年数表

種類	耐用年数	耐用年数の適用等に関する取扱通達	
構築物	18 年	2-9-1～ 2-9-7	
機械及び装置	5		

別表第六　開発研究用減価償却資産の耐用年数表

種類	細目	耐用年数	耐用年数の適用等に関する取扱通達	
建物及び 建物附属設備	建物の全部又は一部を低温室、恒温室、無響室、電磁しゃへい室、放射性同位元素取扱室その他の特殊室にするために特に施設した内部造作又は建物附属設備	5 年	2-10-1 ～ 2-10-3	
構築物	風どう、試験水そう及び防壁	5		
	ガス又は工業薬品貯そう、アンテナ、鉄塔及び特殊用途に使用するもの	7		
工具		4		
器具及び備品	試験又は測定機器、計算機器、撮影機及び顕微鏡	4		
機械及び装置	汎用ポンプ、汎用モーター、汎用金属工作機械、汎用金属加工機械その他これらに類するもの	7		
	その他のもの	4		
ソフトウエア		3		

別表第五　＜公害防止用＞、別表第六＜開発研究用＞

旧償却率 (別表第七)		定額法 (別表第八)	250%定率法 (別表第九)			200%定率法 (別表第十)		
旧定額法	旧定率法		償却率	改定償却率	保証率	償却率	改定償却率	保証率
0.055	0.120	0.056	0.139	0.143	0.02757	0.111	0.112	0.03884
0.200	0.369	0.200	0.500	1.000	0.06249	0.400	0.500	0.10800

旧償却率 (別表第七)		定額法 (別表第八)	250%定率法 (別表第九)			200%定率法 (別表第十)		
旧定額法	旧定率法		償却率	改定償却率	保証率	償却率	改定償却率	保証率
0.200	0.369	0.200	0.500	1.000	0.06249	0.400	0.500	0.10800
0.200	0.369	0.200	0.500	1.000	0.06249	0.400	0.500	0.10800
0.142	0.280	0.143	0.357	0.500	0.05496	0.286	0.334	0.08680
0.250	0.438	0.250	0.625	1.000	0.05274	0.500	1.000	0.12499
0.250	0.438	0.250	0.625	1.000	0.05274	0.500	1.000	0.12499
0.142	0.280	0.143	0.357	0.500	0.05496	0.286	0.334	0.08680
0.250	0.438	0.250	0.625	1.000	0.05274	0.500	1.000	0.12499
0.333		0.334						

別表第七　平成十九年三月三十一日以前に取得をされた減価償却資産の償却率表

耐用年数	旧定額法の償却率	旧定率法の償却率	耐用年数	旧定額法の償却率	旧定率法の償却率
年			26 年	0.039	0.085
2	0.500	0.684	27	0.037	0.082
3	0.333	0.536	28	0.036	0.079
4	0.250	0.438	29	0.035	0.076
5	0.200	0.369	30	0.034	0.074
6	0.166	0.319	31	0.033	0.072
7	0.142	0.280	32	0.032	0.069
8	0.125	0.250	33	0.031	0.067
9	0.111	0.226	34	0.030	0.066
10	0.100	0.206	35	0.029	0.064
11	0.090	0.189	36	0.028	0.062
12	0.083	0.175	37	0.027	0.060
13	0.076	0.162	38	0.027	0.059
14	0.071	0.152	39	0.026	0.057
15	0.066	0.142	40	0.025	0.056
16	0.062	0.134	41	0.025	0.055
17	0.058	0.127	42	0.024	0.053
18	0.055	0.120	43	0.024	0.052
19	0.052	0.114	44	0.023	0.051
20	0.050	0.109	45	0.023	0.050
21	0.048	0.104	46	0.022	0.049
22	0.046	0.099	47	0.022	0.048
23	0.044	0.095	48	0.021	0.047
24	0.042	0.092	49	0.021	0.046
25	0.040	0.088	50	0.020	0.045

別表第七 ＜平成十九年三月三十一日以前の償却率表＞

耐用年数	旧定額法の償却率	旧定率法の償却率	耐用年数	旧定額法の償却率	旧定率法の償却率
51 年	0.020	0.044	76 年	0.014	0.030
52	0.020	0.043	77	0.013	0.030
53	0.019	0.043	78	0.013	0.029
54	0.019	0.042	79	0.013	0.029
55	0.019	0.041	80	0.013	0.028
56	0.018	0.040	81	0.013	0.028
57	0.018	0.040	82	0.013	0.028
58	0.018	0.039	83	0.012	0.027
59	0.017	0.038	84	0.012	0.027
60	0.017	0.038	85	0.012	0.026
61	0.017	0.037	86	0.012	0.026
62	0.017	0.036	87	0.012	0.026
63	0.016	0.036	88	0.012	0.026
64	0.016	0.035	89	0.012	0.026
65	0.016	0.035	90	0.012	0.025
66	0.016	0.034	91	0.011	0.025
67	0.015	0.034	92	0.011	0.025
68	0.015	0.033	93	0.011	0.025
69	0.015	0.033	94	0.011	0.024
70	0.015	0.032	95	0.011	0.024
71	0.014	0.032	96	0.011	0.024
72	0.014	0.032	97	0.011	0.023
73	0.014	0.031	98	0.011	0.023
74	0.014	0.031	99	0.011	0.023
75	0.014	0.030	100	0.010	0.023

別表第八　平成十九年四月一日以後に取得をされた減価償却資産の定額法の償却率表

耐用年数	償却率
年	
2	0.500
3	0.334
4	0.250
5	0.200
6	0.167
7	0.143
8	0.125
9	0.112
10	0.100
11	0.091
12	0.084
13	0.077
14	0.072
15	0.067
16	0.063
17	0.059
18	0.056
19	0.053
20	0.050
21	0.048
22	0.046
23	0.044
24	0.042
25	0.040

耐用年数	償却率
26 年	0.039
27	0.038
28	0.036
29	0.035
30	0.034
31	0.033
32	0.032
33	0.031
34	0.030
35	0.029
36	0.028
37	0.028
38	0.027
39	0.026
40	0.025
41	0.025
42	0.024
43	0.024
44	0.023
45	0.023
46	0.022
47	0.022
48	0.021
49	0.021
50	0.020

別表第八　＜平成十九年四月一日以後の定額法の償却率表＞

耐用年数	償却率
51 年	0.020
52	0.020
53	0.019
54	0.019
55	0.019
56	0.018
57	0.018
58	0.018
59	0.017
60	0.017
61	0.017
62	0.017
63	0.016
64	0.016
65	0.016
66	0.016
67	0.015
68	0.015
69	0.015
70	0.015
71	0.015
72	0.014
73	0.014
74	0.014
75	0.014

耐用年数	償却率
76 年	0.014
77	0.013
78	0.013
79	0.013
80	0.013
81	0.013
82	0.013
83	0.013
84	0.012
85	0.012
86	0.012
87	0.012
88	0.012
89	0.012
90	0.012
91	0.011
92	0.011
93	0.011
94	0.011
95	0.011
96	0.011
97	0.011
98	0.011
99	0.011
100	0.010

別表第九　平成十九年四月一日から平成二十四年三月三十一日までの間に取得をされた減価償却資産の定率法の償却率、改定償却率及び保証率の表

耐用年数	償却率	改定償却率	保証率
2年	1.000	—	—
3	0.833	1.000	0.02789
4	0.625	1.000	0.05274
5	0.500	1.000	0.06249
6	0.417	0.500	0.05776
7	0.357	0.500	0.05496
8	0.313	0.334	0.05111
9	0.278	0.334	0.04731
10	0.250	0.334	0.04448
11	0.227	0.250	0.04123
12	0.208	0.250	0.03870
13	0.192	0.200	0.03633
14	0.179	0.200	0.03389
15	0.167	0.200	0.03217
16	0.156	0.167	0.03063
17	0.147	0.167	0.02905
18	0.139	0.143	0.02757
19	0.132	0.143	0.02616
20	0.125	0.143	0.02517
21	0.119	0.125	0.02408
22	0.114	0.125	0.02296
23	0.109	0.112	0.02226
24	0.104	0.112	0.02157
25	0.100	0.112	0.02058
26年	0.096	0.100	0.01989
27	0.093	0.100	0.01902
28	0.089	0.091	0.01866
29	0.086	0.091	0.01803
30	0.083	0.084	0.01766
31	0.081	0.084	0.01688
32	0.078	0.084	0.01655
33	0.076	0.077	0.01585
34	0.074	0.077	0.01532
35	0.071	0.072	0.01532
36	0.069	0.072	0.01494
37	0.068	0.072	0.01425
38	0.066	0.067	0.01393
39	0.064	0.067	0.01370
40	0.063	0.067	0.01317
41	0.061	0.063	0.01306
42	0.060	0.063	0.01261
43	0.058	0.059	0.01248
44	0.057	0.059	0.01210
45	0.056	0.059	0.01175
46	0.054	0.056	0.01175
47	0.053	0.056	0.01153
48	0.052	0.053	0.01126
49	0.051	0.053	0.01102
50	0.050	0.053	0.01072

別表第九　＜平成十九年四月一日から二十四年三月三十一日までの定率法の償却率表＞

耐用年数	償却率	改定償却率	保証率
51 年	0.049	0.050	0.01053
52	0.048	0.050	0.01036
53	0.047	0.048	0.01028
54	0.046	0.048	0.01015
55	0.045	0.046	0.01007
56	0.045	0.046	0.00961
57	0.044	0.046	0.00952
58	0.043	0.044	0.00945
59	0.042	0.044	0.00934
60	0.042	0.044	0.00895
61	0.041	0.042	0.00892
62	0.040	0.042	0.00882
63	0.040	0.042	0.00847
64	0.039	0.040	0.00847
65	0.038	0.039	0.00847
66	0.038	0.039	0.00828
67	0.037	0.038	0.00828
68	0.037	0.038	0.00810
69	0.036	0.038	0.00800
70	0.036	0.038	0.00771
71	0.035	0.036	0.00771
72	0.035	0.036	0.00751
73	0.034	0.035	0.00751
74	0.034	0.035	0.00738
75	0.033	0.034	0.00738
76 年	0.033	0.034	0.00726
77	0.032	0.033	0.00726
78	0.032	0.033	0.00716
79	0.032	0.033	0.00693
80	0.031	0.032	0.00693
81	0.031	0.032	0.00683
82	0.030	0.031	0.00683
83	0.030	0.031	0.00673
84	0.030	0.031	0.00653
85	0.029	0.030	0.00653
86	0.029	0.030	0.00645
87	0.029	0.030	0.00627
88	0.028	0.029	0.00627
89	0.028	0.029	0.00620
90	0.028	0.029	0.00603
91	0.027	0.027	0.00649
92	0.027	0.027	0.00632
93	0.027	0.027	0.00615
94	0.027	0.027	0.00598
95	0.026	0.027	0.00594
96	0.026	0.027	0.00578
97	0.026	0.027	0.00563
98	0.026	0.027	0.00549
99	0.025	0.026	0.00549
100	0.025	0.026	0.00546

別表第十　平成二十四年四月一日以後に取得をされた減価償却資産の定率法の償却率、改定償却率及び保証率の表

耐用年数	償却率	改定償却率	保証率	耐用年数	償却率	改定償却率	保証率
年				26 年	0.077	0.084	0.02716
2	1.000	—	—	27	0.074	0.077	0.02624
3	0.667	1.000	0.11089	28	0.071	0.072	0.02568
4	0.500	1.000	0.12499	29	0.069	0.072	0.02463
5	0.400	0.500	0.10800	30	0.067	0.072	0.02366
6	0.333	0.334	0.09911	31	0.065	0.067	0.02286
7	0.286	0.334	0.08680	32	0.063	0.067	0.02216
8	0.250	0.334	0.07909	33	0.061	0.063	0.02161
9	0.222	0.250	0.07126	34	0.059	0.063	0.02097
10	0.200	0.250	0.06552	35	0.057	0.059	0.02051
11	0.182	0.200	0.05992	36	0.056	0.059	0.01974
12	0.167	0.200	0.05566	37	0.054	0.056	0.01950
13	0.154	0.167	0.05180	38	0.053	0.056	0.01882
14	0.143	0.167	0.04854	39	0.051	0.053	0.01860
15	0.133	0.143	0.04565	40	0.050	0.053	0.01791
16	0.125	0.143	0.04294	41	0.049	0.050	0.01741
17	0.118	0.125	0.04038	42	0.048	0.050	0.01694
18	0.111	0.112	0.03884	43	0.047	0.048	0.01664
19	0.105	0.112	0.03693	44	0.045	0.046	0.01664
20	0.100	0.112	0.03486	45	0.044	0.046	0.01634
21	0.095	0.100	0.03335	46	0.043	0.044	0.01601
22	0.091	0.100	0.03182	47	0.043	0.044	0.01532
23	0.087	0.091	0.03052	48	0.042	0.044	0.01499
24	0.083	0.084	0.02969	49	0.041	0.042	0.01475
25	0.080	0.084	0.02841	50	0.040	0.042	0.01440

耐用年数	償却率	改定償却率	保証率	耐用年数	償却率	改定償却率	保証率
51 年	0.039	0.040	0.01422	76 年	0.026	0.027	0.00980
52	0.038	0.039	0.01422	77	0.026	0.027	0.00954
53	0.038	0.039	0.01370	78	0.026	0.027	0.00929
54	0.037	0.038	0.01370	79	0.025	0.026	0.00929
55	0.036	0.038	0.01337	80	0.025	0.026	0.00907
56	0.036	0.038	0.01288	81	0.025	0.026	0.00884
57	0.035	0.036	0.01281	82	0.024	0.024	0.00929
58	0.034	0.035	0.01281	83	0.024	0.024	0.00907
59	0.034	0.035	0.01240	84	0.024	0.024	0.00885
60	0.033	0.034	0.01240	85	0.024	0.024	0.00864
61	0.033	0.034	0.01201	86	0.023	0.023	0.00885
62	0.032	0.033	0.01201	87	0.023	0.023	0.00864
63	0.032	0.033	0.01165	88	0.023	0.023	0.00844
64	0.031	0.032	0.01165	89	0.022	0.022	0.00863
65	0.031	0.032	0.01130	90	0.022	0.022	0.00844
66	0.030	0.031	0.01130	91	0.022	0.022	0.00825
67	0.030	0.031	0.01097	92	0.022	0.022	0.00807
68	0.029	0.030	0.01097	93	0.022	0.022	0.00790
69	0.029	0.030	0.01065	94	0.021	0.021	0.00807
70	0.029	0.030	0.01034	95	0.021	0.021	0.00790
71	0.028	0.029	0.01034	96	0.021	0.021	0.00773
72	0.028	0.029	0.01006	97	0.021	0.021	0.00757
73	0.027	0.027	0.01063	98	0.020	0.020	0.00773
74	0.027	0.027	0.01035	99	0.020	0.020	0.00757
75	0.027	0.027	0.01007	100	0.020	0.020	0.00742

別表第十一　平成十九年三月三十一日以前に取得をされた減価償却資産の残存割合表

種　類	細　目	残存割合
別表第一、別表第二及び別表第五及び別表第六に掲げる減価償却資産（同表に掲げるソフトウエアを除く。）		100分の10
別表第三に掲げる無形減価償却資産、別表第六に掲げるソフトウエア並びに鉱業権及び坑道		零
別表第四に掲げる生物 （注） 　牛と馬の残存価額は、右の金額と10万円とのいずれか少ない金額とされている（省令6条2項）。	牛	
	繁殖用の乳用牛及び種付用の役肉用牛	100分の20
	種付用の乳用牛	100分の10
	農業使役用及びその他用のもの	100分の50
	馬	
	繁殖用及び競走用のもの	100分の20
	種付用のもの	100分の10
	その他用のもの	100分の30
	豚	100分の30
	綿羊及びやぎ	100分の5
	果樹その他の植物	100分の5

【参考1】　法人税基本通達7－6－12

第4款　生　物　の　償　却

（成熟の年齢又は樹齢）

基通　7－6－12　法人の有する令第13条第9号《牛馬果樹等》に掲げる生物の減価償却は、当該生物がその成熟の年齢又は樹齢に達した月（成熟の年齢又は樹齢に達した後に取得したものについては、取得の月）から行うことができる。この場合におけるその成熟の年齢又は樹齢は次によるものとするが、次表に掲げる生物についてその判定が困難な場合には、次表に掲げる年齢又は樹齢によることができる。（平23年課法2－17「十六」により改正）

(1)　牛馬等については、通常事業の用に供する年齢とする。ただし、現に事業の用に供するに至った年齢がその年齢後であるときは、現に事業の用に供するに至った年齢とする。

(2)　果樹等については、当該果樹等の償却額を含めて通常の場合におおむね収支相償うに至ると認められる樹齢とする。

【参考1】

種類	用途	細目	成熟の年齢又は樹齢
牛	農業使役用		満2歳
	小運搬使役用		〃2
	繁殖用	役肉用牛	〃2
		乳用牛	〃2
	種付用	役肉用牛	〃2
		乳用牛	〃2
	その他用		〃2
馬	農業使役用		満2歳
	小運搬使役用		〃4
	繁殖用		〃3
	種付用		〃4
	競走用		〃2
	その他用		〃2
綿羊	種付用		満2歳
	一般用		〃2
豚	種付用		満2歳
	繁殖用		〃1
かんきつ樹	温州		満15年
	その他		〃15
りんご樹			〃10
ぶどう樹			〃6
梨樹			〃8
桃樹			〃5
桜桃樹			〃8
びわ樹			〃8
栗樹			〃8
梅樹			〃7
柿樹			〃10
あんず樹			〃7
すもも樹			〃7
いちじく樹			〃5
茶樹			〃8
オリーブ樹			〃8
桑樹		根刈、中刈及び高刈	〃3
		立通	〃7
こうりやなぎ			〃3
みつまた			〃4
こうぞ			〃3
ラミー			〃3
ホップ			〃3

【参考２】 特定登録ホテル等の減価償却資産の耐用年数の特例（旧措法17、52の４関係）

　国際観光ホテル整備法に規定する登録ホテル又は登録旅館のうち、運輸大臣が大蔵大臣と協議して定める客室その他の施設に関する基準に適合する登録ホテル又は登録旅館は、次に掲げる耐用年数を適用することができる。なお、確定申告書に上記基準に適合する旨の運輸大臣の証明する書類の写しを添付することが要件とされている（旧措令10、31、旧措規６の４、20の21）。

種類	細目	耐用年数 取得時期が平成６年度であるもの	耐用年数 取得時期が平成７年度であるもの	耐用年数 取得時期が平成８年度であるもの
建物	鉄骨鉄筋コンクリート造及び鉄筋コンクリート造のもの	年	年	年
	建物の延べ面積のうちに占める木造内装部分の面積の割合が10分の３を超えるもの	31	(32)	(33)
	その他のもの	(40)	(41)	(43)
	鉄骨造のもの（骨格材の肉厚が４ミリメートルを超えるものに限る。）	28	29	(31)
	木造（簡易木造を除く。）のもの	16	16	17
建物附属設備	冷房設備			
	冷凍機の出力が22キロワット以下のもの	11	12	12
	その他のもの	13	14	14
	電気設備（蓄電池電源設備を除く。）、給排水設備、衛生設備、ガス設備、暖房設備、通風設備及びボイラー設備	13	14	14
	昇降機設備			
	エレベーター	15	15	16
	エスカレーター	13	14	14
構築物	庭園	17	18	19
	上水道（鉄骨鉄筋コンクリート造及び鉄筋コンクリート造のものに限る。）	42	44	46
	下水道（鉄骨鉄筋コンクリート造、鉄筋コンクリート造及び鋳鉄造のものに限る。）	30	31	32
器具及び備品	電話設備その他の通信機器（インターホーン、デジタル構内交換設備及びデジタルボタン電話設備を除く。）	9	9	10

＜備考＞
1　上欄に掲げる取得時期が平成６年度であるものとは、平成６年４月１日から平成７年３月31日までの間に取得等（取得又は製作若しくは建設をいう。以下この表において同じ。）がされたものをいう。
2　上欄に掲げる取得時期が平成７年度であるものとは、平成７年４月１日から平成８年３月31日までの間に取得等がされたものをいう。
3　上欄に掲げる取得時期が平成８年度であるものとは、平成８年４月１日から平成９年３月31日までの間に取得等がされたものをいう。

(注)　この特例は、平成９年４月１日以後廃止されましたが、平成９年３月31日以前に取得等したものについては、従前どおり適用することができます（平９改正措法附則13⑨）。
　　　ただし、（　）書の耐用年数は、平成10年度の税制改正により法定耐用年数の方が短いこととなったため、平成10年４月１日以後に開始する事業年度から、法定耐用年数を適用することになります。

【参考3】「別表第二　機械及び装置の耐用年数表」の新旧対照表

旧別表第二					新別表第二			
旧番号	設備の種類	細目		耐用年数	新番号	設備の種類	細目	耐用年数
1	食肉又は食鳥処理加工設備			9	1	食料品製造業用設備		10
					42	飲食料品卸売業用設備		10
					44	飲食料品小売業用設備		9
					54	その他のサービス業用設備		12
2	鶏卵処理加工又はマヨネーズ製造設備			8	1	食料品製造業用設備		10
3	市乳処理設備及び発酵乳、乳酸菌飲料その他の乳製品製造設備（集乳設備を含む。）			9	1	食料品製造業用設備		10
4	水産練製品、つくだ煮、寒天その他の水産食料品製造設備			8	1	食料品製造業用設備		10
5	つけ物製造設備			7	1	食料品製造業用設備		10
6	トマト加工品製造設備			8	1	食料品製造業用設備		10
7	その他の果実又はそ菜処理加工設備	むろ内用バナナ熟成装置		6	1	食料品製造業用設備		10
					42	飲食料品卸売業用設備		10
		その他の設備		9	1	食料品製造業用設備		10
					42	飲食料品卸売業用設備		10
8	かん詰又はびん詰製造設備			8	1	食料品製造業用設備		10
9	化学調味料製造設備			7	1	食料品製造業用設備		10
10	味そ又はしよう油（だしの素類を含む。）製造設備	コンクリート製仕込そう		25	1	食料品製造業用設備		10
		その他の設備		9	1	食料品製造業用設備		10
10の2	食酢又はソース製造設備			8	1	食料品製造業用設備		10
11	その他の調味料製造設備			9	1	食料品製造業用設備		10
12	精穀設備			10	1	食料品製造業用設備		10
					42	飲食料品卸売業用設備		10
13	小麦粉製造設備			13	1	食料品製造業用設備		10
14	豆腐類、こんにやく又は食ふ製造設備			8	1	食料品製造業用設備		10

旧別表第二				新別表第二			
旧番号	設備の種類	細目	耐用年数	新番号	設備の種類	細目	耐用年数
15	その他の豆類処理加工設備		9	1	食料品製造業用設備		10
				2	飲料、たばこ又は飼料製造業用設備		10
				42	飲食料品卸売業用設備		1
16	コーンスターチ製造設備		10	1	食料品製造業用設備		10
17	その他の農産物加工設備	粗製でん粉貯そう	25	1	食料品製造業用設備		10
		その他の設備	12	1	食料品製造業用設備		10
18	マカロニ類又は即席めん類製造設備		9	1	食料品製造業用設備		10
19	その他の乾めん、生めん又は強化米製造設備		10	1	食料品製造業用設備		10
20	砂糖製造設備		10	1	食料品製造業用設備		10
21	砂糖精製設備		13	1	食料品製造業用設備		10
22	水あめ、ぶどう糖又はカラメル製造設備		10	1	食料品製造業用設備		10
23	パン又は菓子類製造設備		9	1	食料品製造業用設備		10
24	荒茶製造設備		8	2	飲料、たばこ又は飼料製造業用設備		10
25	再製茶製造設備		10	2	飲料、たばこ又は飼料製造業用設備		10
26	清涼飲料製造設備		10	2	飲料、たばこ又は飼料製造業用設備		10
27	ビール又は発酵法による発ぽう酒製造設備		14	2	飲料、たばこ又は飼料製造業用設備		10
28	清酒、みりん又は果実酒製造設備		12	2	飲料、たばこ又は飼料製造業用設備		10
29	その他の酒類製造設備		10	2	飲料、たばこ又は飼料製造業用設備		10
30	その他の飲料製造設備		12	1	食料品製造業用設備		10
				2	飲料、たばこ又は飼料製造業用設備		10
31	酵母、酵素、種菌、麦芽又はこうじ製造設備（医薬用のものを除く。）		9	1	食料品製造業用設備		10
32	動植物油脂製造又は精製設備（マーガリン又はリンター製造設備を含む。）		12	1	食料品製造業用設備		10
33	冷凍、製氷又は冷蔵業用設備	結氷かん及び凍結さら	3	2	飲料、たばこ又は飼料製造業用設備		10
				40	倉庫業用設備		12

【参考3】「別表第二」の新旧対照表

旧別表第二				新別表第二			
旧番号	設備の種類	細目	耐用年数	新番号	設備の種類	細目	耐用年数
33	冷凍、製氷又は冷蔵業用設備	その他の設備	13	2	飲料、たばこ又は飼料製造業用設備		10
				40	倉庫業用設備		12
34	発酵飼料又は酵母飼料製造設備		9	2	飲料、たばこ又は飼料製造業用設備		10
35	その他の飼料製造設備		10	2	飲料、たばこ又は飼料製造業用設備		10
36	その他の食料品製造設備		16	1	食料品製造業用設備		10
36の2	たばこ製造設備		8	2	飲料、たばこ又は飼料製造業用設備		10
37	生糸製造設備	自動繰糸機	7	3	繊維工業用設備	その他の設備	7
		その他の設備	10	3	繊維工業用設備	その他の設備	7
38	繭乾燥業用設備		13	3	繊維工業用設備	その他の設備	7
39	紡績設備		10	3	繊維工業用設備	その他の設備	7
40	削除						
41	削除						
42	合成繊維かさ高加工糸製造設備		8	3	繊維工業用設備	その他の設備	7
43	ねん糸業用又は糸(前号に掲げるものを除く。)製造業用設備		11	3	繊維工業用設備	その他の設備	7
44	織物設備		10	3	繊維工業用設備	その他の設備	7
45	メリヤス生地、編み手袋又はくつ下製造設備		10	3	繊維工業用設備	その他の設備	7
46	染色整理又は仕上設備	圧縮用電極板	3	3	繊維工業用設備	その他の設備	7
		その他の設備	7	3	繊維工業用設備	その他の設備	7
47	削除						
48	洗毛、化炭、羊毛トップ、ラップペニー、反毛、製綿又は再生綿業用設備		10	3	繊維工業用設備	その他の設備	7
				50	その他の生活関連サービス業用設備		6
49	整経又はサイジング業用設備		10	3	繊維工業用設備	その他の設備	7
50	不織布製造設備		9	3	繊維工業用設備	その他の設備	7
51	フエルト又はフエルト製品製造設備		10	3	繊維工業用設備	その他の設備	7
52	綱、網又はひも製造設備		10	3	繊維工業用設備	その他の設備	7
53	レース製造設備	ラッセルレース機	12	3	繊維工業用設備	その他の設備	7
		その他の設備	14	3	繊維工業用設備	その他の設備	7
54	塗装布製造設備		14	3	繊維工業用設備	その他の設備	7
55	繊維又は紙製衛生材料製造設備		9	3	繊維工業用設備	その他の設備	7
				6	パルプ、紙又は紙加工品製造業用設備		12
56	縫製品製造業用設備		7	3	繊維工業用設備	その他の設備	7
				23	輸送用機械器具製造業用設備		9
57	その他の繊維製品製造設備		15	3	繊維工業用設備	その他の設備	7

旧別表第二				新別表第二				
旧番号	設備の種類	細目	耐用年数	新番号	設備の種類	細目		耐用年数
58	可搬式造林、伐木又は搬出設備	動力伐採機	3	26	林業用設備			5
		その他の設備	6	26	林業用設備			5
59	製材業用設備	製材用自動送材装置	8	4	木材又は木製品（家具を除く。）製造業用設備			8
		その他の設備	12	4	木材又は木製品（家具を除く。）製造業用設備			8
60	チップ製造業用設備		8	4	木材又は木製品（家具を除く。）製造業用設備			8
61	単板又は合板製造設備		9	4	木材又は木製品（家具を除く。）製造業用設備			8
62	その他の木製品製造設備		10	4	木材又は木製品（家具を除く。）製造業用設備			8
				5	家具又は装備品製造業用設備			11
				24	その他の製造業用設備			9
63	木材防腐処理設備		13	4	木材又は木製品（家具を除く。）製造業用設備			8
64	パルプ製造設備		12	6	パルプ、紙又は紙加工品製造業用設備			12
65	手すき和紙製造設備		7	6	パルプ、紙又は紙加工品製造業用設備			12
66	丸網式又は短網式製紙設備		12	6	パルプ、紙又は紙加工品製造業用設備			12
67	長網式製紙設備		14	6	パルプ、紙又は紙加工品製造業用設備			12
68	ヴァルカナイズドファイバー又は加工紙製造設備		12	6	パルプ、紙又は紙加工品製造業用設備			12
69	段ボール、段ボール箱又は板紙製容器製造設備		12	6	パルプ、紙又は紙加工品製造業用設備			12
70	その他の紙製品製造設備		10	6	パルプ、紙又は紙加工品製造業用設備			12
71	枚葉紙樹脂加工設備		9	7	印刷業又は印刷関連業用設備	その他の設備		10
72	セロファン製造設備		9	6	パルプ、紙又は紙加工品製造業用設備			12
73	繊維板製造設備		13	6	パルプ、紙又は紙加工品製造業用設備			12
74	日刊新聞紙印刷設備	モノタイプ、写真又は通信設備	5	7	印刷業又は印刷関連業用設備	新聞業用設備	モノタイプ、写真又は通信設備	3

【参考3】「別表第二」の新旧対照表

旧別表第二					新別表第二			
旧番号	設備の種類	細	目	耐用年数	新番号	設備の種類	細	目	耐用年数
74	日刊新聞紙印刷設備	その他の設備		11	7	印刷業又は印刷関連業用設備	新聞業用設備	その他の設備	10
75	印刷設備			10	7	印刷業又は印刷関連業用設備	デジタル印刷システム設備		4
					7	印刷業又は印刷関連業用設備	その他の設備		10
76	活字鋳造業用設備			11	7	印刷業又は印刷関連業用設備	その他の設備		10
77	金属板その他の特殊物印刷設備			11	7	印刷業又は印刷関連業用設備	その他の設備		10
78	製本設備			10	7	印刷業又は印刷関連業用設備	製本業用設備		7
79	写真製版業用設備			7	7	印刷業又は印刷関連業用設備	デジタル印刷システム設備		4
80	複写業用設備			6	7	印刷業又は印刷関連業用設備	その他の設備		10
81	アンモニア製造設備			9	8	化学工業用設備	その他の設備		8
82	硫酸又は硝酸製造設備			8	8	化学工業用設備	その他の設備		8
83	溶成りん肥製造設備			8	8	化学工業用設備	その他の設備		8
84	その他の化学肥料製造設備			10	8	化学工業用設備	その他の設備		8
85	配合肥料その他の肥料製造設備			13	2	飲料、たばこ又は飼料製造業用設備	飲料、たばこ又は飼料製造業用設備	飲料、たばこ又は飼料製造業用設備	10
86	ソーダ灰、塩化アンモニウム、か性ソーダ又はか性カリ製造設備（塩素処理設備を含む。）			7	8	化学工業用設備	その他の設備		8
87	硫化ソーダ、水硫化ソーダ、無水ぼう硝、青化ソーダ又は過酸化ソーダ製造設備			7	8	化学工業用設備	その他の設備		8
88	その他のソーダ塩又はカリ塩（第97号（塩素酸塩を除く。）、第98号及び第106号に掲げるものを除く。）製造設備			9	8	化学工業用設備	その他の設備		8
89	金属ソーダ製造設備			10	8	化学工業用設備	その他の設備		8
90	アンモニウム塩（硫酸アンモニウム及び塩化アンモニウムを除く。）製造設備			9	8	化学工業用設備	その他の設備		8
91	炭酸マグネシウム製造設備			7	8	化学工業用設備	その他の設備		8
92	苦汁製品又はその誘導体製造設備			8	8	化学工業用設備	その他の設備		8

旧別表第二				新別表第二			
旧番号	設備の種類	細目	耐用年数	新番号	設備の種類	細目	耐用年数
93	軽質炭酸カルシウム製造設備		8	8	化学工業用設備	その他の設備	8
94	カーバイド製造設備（電極製造設備を除く。）		9	8	化学工業用設備	その他の設備	8
95	硫酸鉄製造設備		7	8	化学工業用設備	その他の設備	8
96	その他の硫酸塩又は亜硫酸塩製造設備（他の号に掲げるものを除く。）		9	8	化学工業用設備	その他の設備	8
97	臭素、よう素又は塩素、臭素若しくはよう素化合物製造設備	よう素用坑井設備	3	8	化学工業用設備	臭素、よう素又は塩素、臭素若しくはよう素化合物製造設備	5
		その他の設備	7	8	化学工業用設備	臭素、よう素又は塩素、臭素若しくはよう素化合物製造設備	5
98	ふつ酸その他のふつ素化合物製造設備		6	8	化学工業用設備	その他の設備	8
99	塩化りん製造設備		5	8	化学工業用設備	塩化りん製造設備	4
100	りん酸又は硫化りん製造設備		7	8	化学工業用設備	その他の設備	8
101	りん又はりん化合物製造設備（他の号に掲げるものを除く。）		10	8	化学工業用設備	その他の設備	8
102	べんがら製造設備		6	8	化学工業用設備	その他の設備	8
103	鉛丹、リサージ又は亜鉛華製造設備		11	8	化学工業用設備	その他の設備	8
104	酸化チタン、リトポン又はバリウム塩製造設備		9	8	化学工業用設備	その他の設備	8
105	無水クロム酸製造設備		7	8	化学工業用設備	その他の設備	8
106	その他のクロム化合物製造設備		9	8	化学工業用設備	その他の設備	8
107	二酸化マンガン製造設備		8	8	化学工業用設備	その他の設備	8
108	ほう酸その他のほう素化合物製造設備（他の号に掲げるものを除く。）		10	8	化学工業用設備	その他の設備	8
109	青酸製造設備		8	8	化学工業用設備	その他の設備	8
110	硝酸銀製造設備		7	8	化学工業用設備	その他の設備	8
111	二硫化炭素製造設備		8	8	化学工業用設備	その他の設備	8
112	過酸化水素製造設備		10	8	化学工業用設備	その他の設備	8
113	ヒドラジン製造設備		7	8	化学工業用設備	その他の設備	8
114	酸素、水素、二酸化炭素又は溶解アセチレン製造設備		10	8	化学工業用設備	その他の設備	8
115	加圧式又は真空式製塩設備		10	8	化学工業用設備	その他の設備	8

【参考３】「別表第二」の新旧対照表

旧別表第二				新別表第二			
旧番号	設備の種類	細目	耐用年数	新番号	設備の種類	細目	耐用年数
116	その他のかん水若しくは塩製造又は食塩加工設備	合成樹脂製濃縮盤及びイオン交換膜	3	8	化学工業用設備	その他の設備	8
		その他の設備	7	8	化学工業用設備	その他の設備	8
117	活性炭製造設備		6	8	化学工業用設備	活性炭製造設備	5
118	その他の無機化学薬品製造設備		12	8	化学工業用設備	その他の設備	8
119	石炭ガス、オイルガス又は石油を原料とする芳香族その他の化合物分離精製設備		8	8	化学工業用設備	その他の設備	8
120	染料中間体製造設備		7	8	化学工業用設備	その他の設備	8
121	アルキルベンゾール又はアルキルフェノール製造設備		8	8	化学工業用設備	その他の設備	8
122	カプロラクタム、シクロヘキサノン又はテレフタル酸（テレフタル酸ジメチルを含む。）製造設備		7	8	化学工業用設備	その他の設備	8
123	イソシアネート類製造設備		7	8	化学工業用設備	その他の設備	8
124	炭化水素の塩化物、臭化物又はふつ化物製造設備		7	8	化学工業用設備	その他の設備	8
125	メタノール、エタノール又はその誘導体製造設備（他の号に掲げるものを除く。）		9	8	化学工業用設備	その他の設備	8
126	その他のアルコール又はケトン製造設備		8	8	化学工業用設備	その他の設備	8
127	アセトアルデヒド又は酢酸製造設備		7	8	化学工業用設備	その他の設備	8
128	シクロヘキシルアミン製造設備		7	8	化学工業用設備	その他の設備	8
129	アミン又はメラミン製造設備		8	8	化学工業用設備	その他の設備	8
130	ぎ酸、しゅう酸、乳酸、酒石酸（酒石酸塩類を含む。）、こはく酸、くえん酸、タンニン酸又は没食子酸製造設備		8	8	化学工業用設備	その他の設備	8
131	石油又は天然ガスを原料とするエチレン、プロピレン、ブチレン、ブタジエン又はアセチレン製造設備		9	8	化学工業用設備	その他の設備	8
132	ビニールエーテル製造設備		8	8	化学工業用設備	その他の設備	8

旧別表第二					新別表第二				
旧番号	設備の種類	細	目	耐用年数	新番号	設備の種類	細	目	耐用年数
133	アクリルニトリル又はアクリル酸エステル製造設備			7	8	化学工業用設備	その他の設備		8
134	エチレンオキサイド、エチレングリコール、プロピレンオキサイド、プロピレングリコール、ポリエチレングリコール又はポリプロピレングリコール製造設備			8	8	化学工業用設備	その他の設備		8
135	スチレンモノマー製造設備			9	8	化学工業用設備	その他の設備		8
136	その他オレフィン系又はアセチレン系誘導体製造設備(他の号に掲げるものを除く。)			8	8	化学工業用設備	その他の設備		8
137	アルギン酸塩製造設備			10	8	化学工業用設備	その他の設備		8
138	フルフラル製造設備			11	8	化学工業用設備	その他の設備		8
139	セルロイド又は硝化綿製造設備			10	8	化学工業用設備	その他の設備		8
140	酢酸繊維素製造設備			8	8	化学工業用設備	その他の設備		8
141	繊維素グリコール酸ソーダ製造設備			10	8	化学工業用設備	その他の設備		8
142	その他の有機薬品製造設備			12	8	化学工業用設備	その他の設備		8
143	塩化ビニリデン系樹脂、酢酸ビニール系樹脂、ナイロン樹脂、ポリエチレンテレフタレート系樹脂、ふっ素樹脂又はけい素樹脂製造設備			7	8	化学工業用設備	その他の設備		8
144	ポリエチレン、ポリプロピレン又はポリブテン製造設備			8	8	化学工業用設備	その他の設備		8
145	尿素系、メラミン系又は石炭酸系合成樹脂製造設備			9	8	化学工業用設備	その他の設備		8
146	その他の合成樹脂又は合成ゴム製造設備			8	8	化学工業用設備	その他の設備		8
147	レーヨン糸又はレーヨンステープル製造設備			9	3	繊維工業用設備	その他の設備		7
148	酢酸繊維製造設備			8	3	繊維工業用設備	その他の設備		7
149	合成繊維製造設備			7	3	繊維工業用設備	その他の設備		7
150	石けん製造設備			9	8	化学工業用設備	その他の設備		8
151	硬化油、脂肪酸又はグリセリン製造設備			9	8	化学工業用設備	その他の設備		8

旧別表第二					新別表第二				
旧番号	設備の種類	細	目	耐用年数	新番号	設備の種類	細	目	耐用年数
152	合成洗剤又は界面活性剤製造設備			7	8	化学工業用設備	その他の設備		8
153	ビタミン剤製造設備			6	8	化学工業用設備	その他の設備		8
154	その他の医薬品製造設備（製剤又は小分け包装設備を含む。）			7	8	化学工業用設備	その他の設備		8
155	殺菌剤、殺虫剤、殺そ剤、除草剤その他の動植物用製剤製造設備			8	8	化学工業用設備	その他の設備		8
156	産業用火薬類（花火を含む。）製造設備			7	8	化学工業用設備	その他の設備		8
					24	その他の製造業用設備			9
157	その他の火薬類製造設備（弾薬装てん又は組立設備を含む。）			6	8	化学工業用設備	その他の設備		8
					19	業務用機械器具（業務用又はサービスの生産の用に供されるもの（これらのものであつて物の生産の用に供されるものを含む。）をいう。）製造業用設備（第17号、第21号及び第23号に掲げるものを除く。）			7
158	塗料又は印刷インキ製造設備			9	8	化学工業用設備	その他の設備		8
159	その他のインキ製造設備			13	8	化学工業用設備	その他の設備		8
160	染料又は顔料製造設備（他の号に掲げるものを除く。）			7	8	化学工業用設備	その他の設備		8
161	抜染剤又は漂白剤製造設備（他の号に掲げるものを除く。）			7	8	化学工業用設備	その他の設備		8
162	試薬製造設備			7	8	化学工業用設備	その他の設備		8
163	合成樹脂用可塑剤製造設備			8	8	化学工業用設備	その他の設備		8
164	合成樹脂用安定剤製造設備			7	8	化学工業用設備	その他の設備		8
165	有機ゴム薬品、写真薬品又は人造香料製造設備			11	8	化学工業用設備	その他の設備		8
166	つや出し剤、研摩油剤又は乳化油剤製造設備			9	8	化学工業用設備	その他の設備		8
167	接着剤製造設備			7	8	化学工業用設備	その他の設備		8
168	トール油精製設備			9	8	化学工業用設備	その他の設備		8
169	りゆう脳又はしよう脳製造設備			9	8	化学工業用設備	その他の設備		8
170	化粧品製造設備			6	8	化学工業用設備	その他の設備		8
171	ゼラチン又はにかわ製造設備			8	8	化学工業用設備	ゼラチン又はにかわ製造設備		5

旧番号	旧別表第二 設備の種類	細目	耐用年数	新番号	新別表第二 設備の種類	細目	耐用年数
172	写真フイルムその他の写真感光材料（銀塩を使用するものに限る。）製造設備（他の号に掲げるものを除く。）		8	8	化学工業用設備	その他の設備	8
173	半導体用フォトレジスト製造設備		5	8	化学工業用設備	半導体用フォトレジスト製造設備	5
174	磁気テープ製造設備		6	20	電子部品、デバイス又は電子回路製造業用設備	その他の設備	8
175	化工でん粉製造設備		10	8	化学工業用設備	その他の設備	8
176	活性白土又はシリカゲル製造設備		10	8	化学工業用設備	その他の設備	8
177	選鉱剤製造設備		9	8	化学工業用設備	その他の設備	8
178	電気絶縁材料（マイカ系を含む。）製造設備		12	8	化学工業用設備	その他の設備	8
179	カーボンブラック製造設備		8	8	化学工業用設備	その他の設備	8
180	その他の化学工業製品製造設備		13	8	化学工業用設備	その他の設備	8
181	石油精製設備（廃油再生又はグリース類製造設備を含む。）		8	9	石油製品又は石炭製品製造業用設備		7
182	アスファルト乳剤その他のアスファルト製品製造設備		14	9	石油製品又は石炭製品製造業用設備		7
183	ピッチコークス製造設備		7	9	石油製品又は石炭製品製造業用設備		7
184	練炭、豆炭類、オガライト（オガタンを含む。）又は炭素粉末製造設備		8	9	石油製品又は石炭製品製造業用設備		7
				24	その他の製造業用設備		9
185	その他の石油又は石炭製品製造設備		14	9	石油製品又は石炭製品製造業用設備		7
186	タイヤ又はチューブ製造設備		10	11	ゴム製品製造業用設備		9
187	再生ゴム製造設備		10	11	ゴム製品製造業用設備		9
188	フォームラバー製造設備		10	11	ゴム製品製造業用設備		9
189	糸ゴム製造設備		9	11	ゴム製品製造業用設備		9
190	その他のゴム製品製造設備		10	11	ゴム製品製造業用設備		9
191	製革設備		9	12	なめし革、なめし革製品又は毛皮製造業用設備		9
192	機械ぐつ製造設備		8	11	ゴム製品製造業用設備		9
				12	なめし革、なめし革製品又は毛皮製造業用設備		9

【参考3】「別表第二」の新旧対照表

旧別表第二					新別表第二			
旧番号	設備の種類	細	目	耐用年数	新番号	設備の種類	細	目	耐用年数
193	その他の革製品製造設備			11	12	なめし革、なめし革製品又は毛皮製造業用設備			9
194	板ガラス製造設備（みがき設備を含む。）	溶解炉		14	13	窯業又は土石製品製造業用設備			9
		その他の設備		14	13	窯業又は土石製品製造業用設備			9
195	その他のガラス製品製造設備（光学ガラス製造設備を含む。）	るつぼ炉及びデータンク炉		3	13	窯業又は土石製品製造業用設備			9
					24	その他の製造業用設備			9
		溶解炉		13	13	窯業又は土石製品製造業用設備			9
					24	その他の製造業用設備			9
		その他の設備		9	13	窯業又は土石製品製造業用設備			9
					24	その他の製造業用設備			9
196	陶磁器、粘土製品、耐火物、けいそう土製品、はい土又はうわ薬製造設備	倒炎がま	塩融式のもの	3	13	窯業又は土石製品製造業用設備			9
			その他のもの	5	13	窯業又は土石製品製造業用設備			9
		トンネルがま		7	13	窯業又は土石製品製造業用設備			9
		その他の炉		8	13	窯業又は土石製品製造業用設備			9
		その他の設備		12	13	窯業又は土石製品製造業用設備			9
197	炭素繊維製造設備	黒鉛化炉		4	3	繊維工業用設備	炭素繊維製造設備	黒鉛化炉	3
		その他の設備		10	3	繊維工業用設備	炭素繊維製造設備	その他の設備	7
197の2	その他の炭素製品製造設備	黒鉛化炉		4	8	化学工業用設備	その他の設備		8
					13	窯業又は土石製品製造業用設備			9
		その他の設備		12	8	化学工業用設備	その他の設備		8
					13	窯業又は土石製品製造業用設備			9
198	人造研削材製造設備	溶解炉		5	13	窯業又は土石製品製造業用設備			9
		その他の設備		9	13	窯業又は土石製品製造業用設備			9
199	研削と石又は研摩布紙製造設備	加硫炉		8	13	窯業又は土石製品製造業用設備			9
		トンネルがま		7	13	窯業又は土石製品製造業用設備			9
		その他の焼成炉		5	13	窯業又は土石製品製造業用設備			9
		その他の設備		10	13	窯業又は土石製品製造業用設備			9
200	セメント製造設備			13	13	窯業又は土石製品製造業用設備			9
201	生コンクリート製造設備			9	13	窯業又は土石製品製造業用設備			9

旧別表第二				新別表第二			
旧番号	設備の種類	細目	耐用年数	新番号	設備の種類	細目	耐用年数
202	セメント製品(気ほうコンクリート製品を含む。)製造設備	移動式製造又は架設設備及び振動加圧式成形設備	7	13	窯業又は土石製品製造業用設備		9
		その他の設備	12	13	窯業又は土石製品製造業用設備		9
203	削除						
204	石灰又は苦石灰製造設備		8	13	窯業又は土石製品製造業用設備		9
205	石こうボード製造設備	焼成炉	5	13	窯業又は土石製品製造業用設備		9
		その他の設備	12	13	窯業又は土石製品製造業用設備		9
206	ほうろう鉄器製造設備	るつぼ炉	3	13	窯業又は土石製品製造業用設備		9
		その他の炉	7	13	窯業又は土石製品製造業用設備		9
		その他の設備	12	13	窯業又は土石製品製造業用設備		9
207	石綿又は石綿セメント製品製造設備		12	13	窯業又は土石製品製造業用設備		9
208	岩綿(鉱さい繊維を含む。)又は岩綿製品製造設備		12	13	窯業又は土石製品製造業用設備		9
209	石工品又は擬石製造設備		12	5	家具又は装備品製造業用設備		11
				13	窯業又は土石製品製造業用設備		9
210	その他の窯業製品又は土石製品製造設備	トンネルがま	12	13	窯業又は土石製品製造業用設備		9
		その他の炉	10	13	窯業又は土石製品製造業用設備		9
		その他の設備	15	13	窯業又は土石製品製造業用設備		9
211	製鉄設備		14	14	鉄鋼業用設備	その他の設備	14
212	純鉄又は合金鉄製造設備		10	14	鉄鋼業用設備	純鉄、原鉄、ベースメタル、フェロアロイ、鉄素形材又は鋳鉄管製造業用設備	9
213	製鋼設備		14	14	鉄鋼業用設備	その他の設備	14
214	連続式鋳造鋼片製造設備		12	14	鉄鋼業用設備	その他の設備	14
215	鉄鋼熱間圧延設備		14	14	鉄鋼業用設備	その他の設備	14
216	鉄鋼冷間圧延又は鉄鋼冷間成形設備		14	14	鉄鋼業用設備	その他の設備	14
217	鋼管製造設備		14	14	鉄鋼業用設備	その他の設備	14
218	鉄鋼伸線(引き抜きを含む。)設備及び鉄鋼卸売業用シャーリング設備並びに伸鉄又はシャーリング業用設備		11	14	鉄鋼業用設備	その他の設備	14
				15	非鉄金属製造業用設備	その他の設備	7
				43	建築材料、鉱物又は金属材料等卸売業用設備	その他の設備	8
218の2	鉄くず処理業用設備		7	14	鉄鋼業用設備	表面処理鋼材若しくは鉄粉製造業又は鉄スクラップ加工処理業用設備	14

【参考３】「別表第二」の新旧対照表

旧番号	設備の種類	細目		耐用年数	新番号	設備の種類	細目	耐用年数
218の2	鉄くず処理業用設備			7	43	建築材料、鉱物又は金属材料等卸売業用設備	その他の設備	8
219	鉄鋼鍛造業用設備			12	14	鉄鋼業用設備	純鉄、原鉄、ベースメタル、フェロアロイ、鉄素形材又は鋳鉄管製造業用設備	9
220	鋼鋳物又は銑鉄鋳物製造業用設備			10	14	鉄鋼業用設備	純鉄、原鉄、ベースメタル、フェロアロイ、鉄素形材又は鋳鉄管製造業用設備	9
221	金属熱処理業用設備			10	16	金属製品製造業用設備	その他の設備	10
222	その他の鉄鋼業用設備			15	14	鉄鋼業用設備	その他の設備	14
223	銅、鉛又は亜鉛製錬設備			9	15	非鉄金属製造業用設備	その他の設備	7
224	アルミニウム製錬設備			12	15	非鉄金属製造業用設備	その他の設備	7
225	ベリリウム銅母合金、マグネシウム、チタニウム、ジルコニウム、タンタル、クロム、マンガン、シリコン、ゲルマニウム又は希土類金属製錬設備			7	15	非鉄金属製造業用設備	その他の設備	7
226	ニッケル、タングステン又はモリブデン製錬設備			10	15	非鉄金属製造業用設備	その他の設備	7
227	その他の非鉄金属製錬設備			12	15	非鉄金属製造業用設備	その他の設備	7
228	チタニウム造塊設備			10	15	非鉄金属製造業用設備	その他の設備	7
229	非鉄金属圧延、押出又は伸線設備			12	15	非鉄金属製造業用設備	その他の設備	7
230	非鉄金属鋳物製造業用設備	ダイカスト設備		8	15	非鉄金属製造業用設備	その他の設備	7
		その他の設備		10	15	非鉄金属製造業用設備	その他の設備	7
231	電線又はケーブル製造設備			10	15	非鉄金属製造業用設備	その他の設備	7
231の2	光ファイバー製造設備			8	15	非鉄金属製造業用設備	その他の設備	7
232	金属粉末又ははく（圧延によるものを除く。）製造設備			8	14	鉄鋼業用設備	表面処理鋼材若しくは鉄粉製造業又は鉄スクラップ加工処理業用設備	5
					15	非鉄金属製造業用設備	その他の設備	7
					16	金属製品製造業用設備	金属被覆及び彫刻業又は打はく及び金属製ネームプレート製造業用設備	6

旧別表第二				新別表第二				
旧番号	設備の種類	細目	耐用年数	新番号	設備の種類	細目		耐用年数
233	粉末冶金製品製造設備		10	16	金属製品製造業用設備	その他の設備		10
234	鋼索製造設備		13	14	鉄鋼業用設備	その他の設備		14
				16	金属製品製造業用設備	その他の設備		10
235	鎖製造設備		12	16	金属製品製造業用設備	その他の設備		10
236	溶接棒製造設備		11	16	金属製品製造業用設備	その他の設備		10
237	くぎ、リベット又はスプリング製造業用設備		12	14	鉄鋼業用設備	その他の設備		14
				16	金属製品製造業用設備	その他の設備		10
237の2	ねじ製造業用設備		10	16	金属製品製造業用設備	その他の設備		10
238	溶接金網製造設備		11	14	鉄鋼業用設備	その他の設備		14
				16	金属製品製造業用設備	その他の設備		10
239	その他の金網又は針金製品製造設備		14	16	金属製品製造業用設備	その他の設備		10
				24	その他の製造業用設備			9
240	縫針又はミシン針製造設備		13	24	その他の製造業用設備			9
241	押出しチューブ又は自動組立方式による金属かん製造設備		11	16	金属製品製造業用設備	その他の設備		10
242	その他の金属製容器製造設備		14	16	金属製品製造業用設備	その他の設備		10
243	電気錫めっき鉄板製造設備		12	14	鉄鋼業用設備	その他の設備		14
244	その他のめっき又はアルマイト加工設備		7	14	鉄鋼業用設備	表面処理鋼材若しくは鉄粉製造業又は鉄スクラップ加工処理業用設備		5
				16	金属製品製造業用設備	金属被覆及び彫刻業又は打はく及び金属製ネームプレート製造業用設備		6
245	金属塗装設備	脱脂又は洗浄設備及び水洗塗装装置	7	16	金属製品製造業用設備	金属被覆及び彫刻業又は打はく及び金属製ネームプレート製造業用設備		6
		その他の設備	9	16	金属製品製造業用設備	金属被覆及び彫刻業又は打はく及び金属製ネームプレート製造業用設備		6
245の2	合成樹脂被覆、彫刻又はアルミニウムはくの加工設備	脱脂又は洗浄設備及び水洗塗装装置	7	14	鉄鋼業用設備	表面処理鋼材若しくは鉄粉製造業又は鉄スクラップ加工処理業用設備		5
				16	金属製品製造業用設備	金属被覆及び彫刻業又は打はく及び金属製ネームプレート製造業用設備		6

【参考３】「別表第二」の新旧対照表

旧別表第二				新別表第二			
旧番号	設備の種類	細目	耐用年数	新番号	設備の種類	細目	耐用年数
245の2	合成樹脂被覆、彫刻又はアルミニウムはくの加工設備	その他の設備	12	14	鉄鋼業用設備	表面処理鋼材若しくは鉄粉製造業又は鉄スクラップ加工処理業用設備	5
				16	金属製品製造業用設備	金属被覆及び彫刻業又は打はく及び金属製ネームプレート製造業用設備	6
246	手工具又はのこぎり刃その他の刃物類（他の号に掲げるものを除く。）製造設備		12	16	金属製品製造業用設備	その他の設備	10
247	農業用機具製造設備		12	16	金属製品製造業用設備	その他の設備	10
248	金属製洋食器又はかみそり刃製造設備		11	16	金属製品製造業用設備	その他の設備	10
249	金属製家具若しくは建具又は建築金物製造設備	めっき又はアルマイト加工設備	7	5	家具又は装備品製造業用設備		11
				16	金属製品製造業用設備	その他の設備	10
		溶接設備	10	5	家具又は装備品製造業用設備		11
				16	金属製品製造業用設備	その他の設備	10
		その他の設備	13	5	家具又は装備品製造業用設備		11
				16	金属製品製造業用設備	その他の設備	10
250	鋼製構造物製造設備		13	16	金属製品製造業用設備	その他の設備	10
251	プレス、打抜き、しぼり出しその他の金属加工品製造業用設備	めっき又はアルマイト加工設備	7	16	金属製品製造業用設備	その他の設備	10
		その他の設備	12	16	金属製品製造業用設備	その他の設備	10
251の2	核燃料物質加工設備		11	15	非鉄金属製造業用設備	核燃料物質加工設備	11
252	その他の金属製品製造設備		15	15	非鉄金属製造業用設備	その他の設備	7
				16	金属製品製造業用設備	その他の設備	10
				19	業務用機械器具（業務用又はサービスの生産の用に供されるもの（これらのものであつて物の生産の用に供されるものを含む。）をいう。）製造業用設備（第17号、第21号及び第23号に掲げるものを除く。）		7
				24	その他の製造業用設備		9

旧別表第二				新別表第二			
旧番号	設備の種類	細目	耐用年数	新番号	設備の種類	細目	耐用年数
253	ボイラー製造設備		12	17	はん用機械器具（はん用性を有するもので、他の器具及び備品並びに機械及び装置に組み込み、又は取り付けることによりその用に供されるものをいう。）製造業用設備（第20号及び第22号に掲げるものを除く。）		12
254	エンジン、タービン又は水車製造設備		11	17	はん用機械器具（はん用性を有するもので、他の器具及び備品並びに機械及び装置に組み込み、又は取り付けることによりその用に供されるものをいう。）製造業用設備（第20号及び第22号に掲げるものを除く。）		12
				23	輸送用機械器具製造業用設備		9
255	農業用機械製造設備		12	18	生産用機械器具（物の生産の用に供されるものをいう。）製造業用設備（次号及び第21号に掲げるものを除く。）	その他の設備	12
256	建設機械、鉱山機械又は原動機付車両（他の号に掲げるものを除く。）製造設備		11	18	生産用機械器具（物の生産の用に供されるものをいう。）製造業用設備（次号及び第21号に掲げるものを除く。）	その他の設備	12
				19	業務用機械器具（業務用又はサービスの生産の用に供されるもの（これらのものであつて物の生産の用に供されるものを含む。）をいう。）製造業用設備（第17号、第21号及び第23号に掲げるものを除く。）		7
				23	輸送用機械器具製造業用設備		9
257	金属加工機械製造設備		10	18	生産用機械器具（物の生産の用に供されるものをいう。）製造業用設備（次号及び第21号に掲げるものを除く。）	金属加工機械製造設備	9

旧別表第二					新別表第二			
旧番号	設備の種類	細目		耐用年数	新番号	設備の種類	細目	耐用年数
258	鋳造用機械、合成樹脂加工機械又は木材加工用機械製造設備			12	18	生産用機械器具（物の生産の用に供されるものをいう。）製造業用設備（次号及び第21号に掲げるものを除く。）	その他の設備	12
259	機械工具、金型又は治具製造業用設備			10	16	金属製品製造業用設備	その他の設備	10
					17	はん用機械器具（はん用性を有するもので、他の器具及び備品並びに機械及び装置に組み込み、又は取り付けることによりその用に供されるものをいう。）製造業用設備（第20号及び第22号に掲げるものを除く。）		12
					18	生産用機械器具（物の生産の用に供されるものをいう。）製造業用設備（次号及び第21号に掲げるものを除く。）	その他の設備	12
260	繊維機械（ミシンを含む。）又は同部分品若しくは附属品製造設備			12	18	生産用機械器具（物の生産の用に供されるものをいう。）製造業用設備（次号及び第21号に掲げるものを除く。）	その他の設備	12
261	風水力機器、金属製弁又は遠心分離機製造設備			12	17	はん用機械器具（はん用性を有するもので、他の器具及び備品並びに機械及び装置に組み込み、又は取り付けることによりその用に供されるものをいう。）製造業用設備（第20号及び第22号に掲げるものを除く。）		12
					18	生産用機械器具（物の生産の用に供されるものをいう。）製造業用設備（次号及び第21号に掲げるものを除く。）	その他の設備	12

旧別表第二				新別表第二			
旧番号	設備の種類	細目	耐用年数	新番号	設備の種類	細目	耐用年数
261の2	冷凍機製造設備		11	17	はん用機械器具(はん用性を有するもので、他の器具及び備品並びに機械及び装置に組み込み、又は取り付けることによりその用に供されるものをいう。)製造業用設備(第20号及び第22号に掲げるものを除く。)		12
262	玉又はコロ軸受若しくは同部分品製造設備		10	17	はん用機械器具(はん用性を有するもので、他の器具及び備品並びに機械及び装置に組み込み、又は取り付けることによりその用に供されるものをいう。)製造業用設備(第20号及び第22号に掲げるものを除く。)		12
263	歯車、油圧機器その他の動力伝達装置製造業用設備		10	17	はん用機械器具(はん用性を有するもので、他の器具及び備品並びに機械及び装置に組み込み、又は取り付けることによりその用に供されるものをいう。)製造業用設備(第20号及び第22号に掲げるものを除く。)		12
263の2	産業用ロボット製造設備		11	18	生産用機械器具(物の生産の用に供されるものをいう。)製造業用設備(次号及び第21号に掲げるものを除く。)	その他の設備	12
264	その他の産業用機器又は部分品若しくは附属品製造設備		13	17	はん用機械器具(はん用性を有するもので、他の器具及び備品並びに機械及び装置に組み込み、又は取り付けることによりその用に供されるものをいう。)製造業用設備(第20号及び第22号に掲げるものを除く。)		12

【参考３】「別表第二」の新旧対照表

旧別表第二				新別表第二			
旧番号	設備の種類	細目	耐用年数	新番号	設備の種類	細目	耐用年数
264	その他の産業用機器又は部分品若しくは附属品製造設備		13	18	生産用機械器具（物の生産の用に供されるものをいう。）製造業用設備（次号及び第21号に掲げるものを除く。）	その他の設備	12
265	事務用機器製造設備		11	19	業務用機械器具（業務用又はサービスの生産の用に供されるもの（これらのものであつて物の生産の用に供されるものを含む。）をいう。）製造業用設備（第17号、第21号及び第23号に掲げるものを除く。）		7
				24	その他の製造業用設備		9
266	食品用、暖ちゆう房用、家庭用又はサービス用機器（電気機器を除く。）製造設備		13	16	金属製品製造業用設備	その他の設備	10
				18	生産用機械器具（物の生産の用に供されるものをいう。）製造業用設備（次号及び第21号に掲げるものを除く。）	その他の設備	12
				19	業務用機械器具（業務用又はサービスの生産の用に供されるもの（これらのものであつて物の生産の用に供されるものを含む。）をいう。）製造業用設備（第17号、第21号及び第23号に掲げるものを除く。）		7
267	産業用又は民生用電気機器製造設備		11	21	電気機械器具製造業用設備		7
268	電気計測器、電気通信機器、電子応用機器又は同部分品（他の号に掲げるものを除く。）製造設備		10	20	電子部品、デバイス又は電子回路製造業用設備	その他の設備	8
				21	電気機械器具製造業用設備		7
				22	情報通信機器具製造業用設備		8
268の2	フラットパネルディスプレイ又はフラットパネル用フィルム材料製造設備		5	8	化学工業用設備	フラットパネル用カラーフィルター、偏光板又は偏光板用フィルム製造設備	5

旧別表第二					新別表第二				
旧番号	設備の種類	細	目	耐用年数	新番号	設備の種類	細	目	耐用年数
268の2	フラットパネルディスプレイ又はフラットパネル用フィルム材料製造設備			5	20	電子部品、デバイス又は電子回路製造業用設備	フラットパネルディスプレイ、半導体集積回路又は半導体素子製造設備		5
268の3	光ディスク（追記型又は書換え型のものに限る。）製造設備			6	20	電子部品、デバイス又は電子回路製造業用設備	光ディスク（追記型又は書換え型のものに限る。）製造設備		6
269	交通信号保安機器製造設備			12	22	情報通信機械器具製造業用設備			8
270	電球、電子管又は放電燈製造設備			8	20	電子部品、デバイス又は電子回路製造業用設備	その他の設備		8
					21	電気機械器具製造業用設備			7
					24	その他の製造業用設備			9
271	半導体集積回路（素子数が五百以上のものに限る。）製造設備			5	20	電子部品、デバイス又は電子回路製造業用設備	フラットパネルディスプレイ、半導体集積回路又は半導体素子製造設備		5
271の2	その他の半導体素子製造設備			7	20	電子部品、デバイス又は電子回路製造業用設備	フラットパネルディスプレイ、半導体集積回路又は半導体素子製造設備		5
272	抵抗器又は蓄電器製造設備			9	20	電子部品、デバイス又は電子回路製造業用設備	その他の設備		8
					21	電気機械器具製造業用設備			7
272の2	プリント配線基板製造設備			6	20	電子部品、デバイス又は電子回路製造業用設備	プリント配線基板製造設備		6
272の3	フェライト製品製造設備			9	20	電子部品、デバイス又は電子回路製造業用設備	その他の設備		8
273	電気機器部分品製造設備			12	20	電子部品、デバイス又は電子回路製造業用設備	その他の設備		8
					21	電気機械器具製造業用設備			7
274	乾電池製造設備			9	21	電気機械器具製造業用設備			7
274の2	その他の電池製造設備			12	21	電気機械器具製造業用設備			7
275	自動車製造設備			10	23	輸送用機械器具製造業用設備			9
276	自動車車体製造又は架装設備			11	23	輸送用機械器具製造業用設備			9
277	鉄道車両又は同部分品製造設備			12	23	輸送用機械器具製造業用設備			9

【参考3】「別表第二」の新旧対照表

旧別表第二					新別表第二			
旧番号	設備の種類	細	目	耐用年数	新番号	設備の種類	細 目	耐用年数
278	車両用エンジン、同部分品又は車両用電装品製造設備（ミッション又はクラッチ製造設備を含む。）			10	17	はん用機械器具（はん用性を有するもので、他の器具及び備品並びに機械及び装置に組み込み、又は取り付けることによりその用に供されるものをいう。）製造業用設備（第20号及び第22号に掲げるものを除く。）		12
					21	電気機械器具製造業用設備		7
					23	輸送用機械器具製造業用設備		9
279	車両用ブレーキ製造設備			11	23	輸送用機械器具製造業用設備		9
280	その他の車両部分品又は附属品製造設備			12	16	金属製品製造業用設備	その他の設備	10
					19	業務用機械器具（業務用又はサービスの生産の用に供されるもの（これらのものであつて物の生産の用に供されるものを含む。）をいう。）製造業用設備（第17号、第21号及び第23号に掲げるものを除く。）		7
					23	輸送用機械器具製造業用設備		9
281	自転車又は同部分品若しくは附属品製造設備	めつき設備		7	23	輸送用機械器具製造業用設備		9
					24	その他の製造業用設備		9
		その他の設備		12	23	輸送用機械器具製造業用設備		9
					24	その他の製造業用設備		9
282	鋼船製造又は修理設備			12	23	輸送用機械器具製造業用設備		9
283	木船製造又は修理設備			13	23	輸送用機械器具製造業用設備		9
284	舶用推進器、甲板機械又はハッチカバー製造設備	鋳造設備		10	23	輸送用機械器具製造業用設備		9
		その他の設備		12	23	輸送用機械器具製造業用設備		9

旧別表第二					新別表第二				
旧番号	設備の種類	細	目	耐用年数	新番号	設備の種類	細	目	耐用年数
285	航空機若しくは同部分品(エンジン、機内空気加圧装置、回転機器、プロペラ、計器、降着装置又は油圧部品に限る。)製造又は修理設備			10	19	業務用機械器具（業務用又はサービスの生産の用に供されるもの（これらのものであつて物の生産の用に供されるものを含む。）をいう。）製造業用設備（第17号、第21号及び第23号に掲げるものを除く。）			7
					23	輸送用機械器具製造業用設備			9
286	その他の輸送用機器製造設備			13	17	はん用機械器具（はん用性を有するもので、他の器具及び備品並びに機械及び装置に組み込み、又は取り付けることによりその用に供されるものをいう。）製造業用設備（第20号及び第22号に掲げるものを除く。）			12
					23	輸送用機械器具製造業用設備			9
287	試験機、測定器又は計量機製造設備			11	19	業務用機械器具（業務用又はサービスの生産の用に供されるもの（これらのものであつて物の生産の用に供されるものを含む。）をいう。）製造業用設備（第17号、第21号及び第23号に掲げるものを除く。）			7
288	医療用機器製造設備			12	19	業務用機械器具（業務用又はサービスの生産の用に供されるもの（これらのものであつて物の生産の用に供されるものを含む。）をいう。）製造業用設備（第17号、第21号及び第23号に掲げるものを除く。）			7

【参考3】「別表第二」の新旧対照表

	旧別表第二				新別表第二			
旧番号	設備の種類	細目		耐用年数	新番号	設備の種類	細目	耐用年数
288の2	理化学用機器製造設備			11	19	業務用機械器具（業務用又はサービスの生産の用に供されるもの（これらのものであつて物の生産の用に供されるものを含む。）をいう。）製造業用設備（第17号、第21号及び第23号に掲げるものを除く。）		7
289	レンズ又は光学機器若しくは同部分品製造設備			10	19	業務用機械器具（業務用又はサービスの生産の用に供されるもの（これらのものであつて物の生産の用に供されるものを含む。）をいう。）製造業用設備（第17号、第21号及び第23号に掲げるものを除く。）		7
					24	その他の製造業用設備		9
290	ウオッチ若しくは同部分品又は写真機用シャッター製造設備			10	19	業務用機械器具（業務用又はサービスの生産の用に供されるもの（これらのものであつて物の生産の用に供されるものを含む。）をいう。）製造業用設備（第17号、第21号及び第23号に掲げるものを除く。）		7
					24	その他の製造業用設備		9
291	クロック若しくは同部分品、オルゴールムーブメント又は写真フイルム用スプール製造設備			12	24	その他の製造業用設備		9
292	銃弾製造設備			10	19	業務用機械器具（業務用又はサービスの生産の用に供されるもの（これらのものであつて物の生産の用に供されるものを含む。）をいう。）製造業用設備（第17号、第21号及び第23号に掲げるものを除く。）		7

旧別表第二					新別表第二				
旧番号	設備の種類	細	目	耐用年数	新番号	設備の種類	細	目	耐用年数
293	銃砲、爆発物又は信管、薬きようその他の銃砲用品製造設備			12	19	業務用機械器具（業務用又はサービスの生産の用に供されるもの（これらのものであつて物の生産の用に供されるものを含む。）をいう。）製造業用設備（第17号、第21号及び第23号に掲げるものを除く。）			7
					24	その他の製造業用設備			9
294	自動車分解整備業用設備			13	53	自動車整備業用設備			15
295	前掲以外の機械器具、部分品又は附属品製造設備			14	17	はん用機械器具（はん用性を有するもので、他の器具及び備品並びに機械及び装置に組み込み、又は取り付けることによりその用に供されるものをいう。）製造業用設備（第20号及び第22号に掲げるものを除く。）			12
					19	業務用機械器具（業務用又はサービスの生産の用に供されるもの（これらのものであつて物の生産の用に供されるものを含む。）をいう。）製造業用設備（第17号、第21号及び第23号に掲げるものを除く。）			7
296	機械産業以外の設備に属する修理工場用又は工作工場用機械設備			14	24	その他の製造業用設備			9
297	楽器製造設備			11	24	その他の製造業用設備			9
298	レコード製造設備	吹込設備		8	24	その他の製造業用設備			9
		その他の設備		12	24	その他の製造業用設備			9
299	がん具製造設備	合成樹脂成形設備		9	24	その他の製造業用設備			9
		その他の設備		11	24	その他の製造業用設備			9
300	万年筆、シャープペンシル又はペン先製造設備			11	24	その他の製造業用設備			9
301	ボールペン製造設備			10	24	その他の製造業用設備			9

【参考3】「別表第二」の新旧対照表

旧番号	設備の種類	細目	耐用年数	新番号	設備の種類	細目	耐用年数
302	鉛筆製造設備		13	24	その他の製造業用設備		9
303	絵の具その他の絵画用具製造設備		11	24	その他の製造業用設備		9
304	身辺用細貨類、ブラシ又はシガレットライター製造設備	製鎖加工設備	8	24	その他の製造業用設備		9
		その他の設備	12	24	その他の製造業用設備		9
		前掲の区分によらないもの	11	24	その他の製造業用設備		9
305	ボタン製造設備		9	24	その他の製造業用設備		9
306	スライドファスナー製造設備	自動務歯成形又はスライダー製造機	7	24	その他の製造業用設備		9
		自動務歯植付機	5	24	その他の製造業用設備		9
		その他の設備	11	24	その他の製造業用設備		9
307	合成樹脂成形加工又は合成樹脂製品加工業用設備		8	10	プラスチック製品製造業用設備（他の号に掲げるものを除く。）		8
				11	ゴム製品製造業用設備		9
308	発ぽうポリウレタン製造設備		8	10	プラスチック製品製造業用設備（他の号に掲げるものを除く。）		8
309	繊維壁材製造設備		9	24	その他の製造業用設備		9
310	歯科材料製造設備		12	19	業務用機械器具（業務用又はサービスの生産の用に供されるもの（これらのものであつて物の生産の用に供されるものを含む。）をいう。）製造業用設備（第17号、第21号及び第23号に掲げるものを除く。）		7
311	真空蒸着処理業用設備		8	24	その他の製造業用設備		9
312	マッチ製造設備		13	24	その他の製造業用設備		9
313	コルク又はコルク製品製造設備		14	4	木材又は木製品（家具を除く。）製造業用設備		8
314	つりざお又は附属品製造設備		13	24	その他の製造業用設備		9
315	墨汁製造設備		8	24	その他の製造業用設備		9
316	ろうそく製造設備		7	8	化学工業用設備	その他の設備	8
317	リノリウム、リノタイル又はアスファルトタイル製造設備		12	24	その他の製造業用設備		9

旧別表第二					新別表第二			
旧番号	設備の種類	細目		耐用年数	新番号	設備の種類	細目	耐用年数
318	畳表製造設備	織機、い草選別機及びい割機		5	24	その他の製造業用設備		9
		その他の設備		14	24	その他の製造業用設備		9
319	畳製造設備			5	24	その他の製造業用設備		9
319の2	その他のわら工品製造設備			8	24	その他の製造業用設備		9
320	木ろう製造又は精製設備			12	8	化学工業用設備	その他の設備	8
321	松脂その他樹脂の製造又は精製設備			11	26	林業用設備		5
322	蚕種製造設備	人工ふ化設備		8	25	農業用設備		7
		その他の設備		10	25	農業用設備		7
323	真珠、貴石又は半貴石加工設備			7	24	その他の製造業用設備		9
324	水産物養殖設備	竹製のもの		2	28	水産養殖業用設備		5
		その他のもの		4	28	水産養殖業用設備		5
324の2	漁ろう用設備			7	27	漁業用設備(次号に掲げるものを除く。)		5
325	前掲以外の製造設備			15	24	その他の製造業用設備		9
326	砂利採取又は岩石の採取若しくは砕石設備			8	13	窯業又は土石製品製造業用設備		9
					29	鉱業、採石業又は砂利採取業用設備	その他の設備	6
327	砂鉄鉱業設備			8	29	鉱業、採石業又は砂利採取業用設備	その他の設備	6
328	金属鉱業設備(架空索道設備を含む。)			9	29	鉱業、採石業又は砂利採取業用設備	その他の設備	6
329	石炭鉱業設備(架空索道設備を含む。)	採掘機械及びコンベヤ		5	29	鉱業、採石業又は砂利採取業用設備	その他の設備	6
		その他の設備		9	29	鉱業、採石業又は砂利採取業用設備	その他の設備	6
		前掲の区分によらないもの		8	29	鉱業、採石業又は砂利採取業用設備	その他の設備	6
330	石油又は天然ガス鉱業設備	坑井設備		3	29	鉱業、採石業又は砂利採取業用設備	石油又は天然ガス鉱業用設備 坑井設備	3
		掘さく設備		5	29	鉱業、採石業又は砂利採取業用設備	石油又は天然ガス鉱業用設備 掘さく設備	6
		その他の設備		12	29	鉱業、採石業又は砂利採取業用設備	石油又は天然ガス鉱業用設備 その他の設備	12
331	天然ガス圧縮処理設備			10	29	鉱業、採石業又は砂利採取業用設備	石油又は天然ガス鉱業用設備 その他の設備	12
332	硫黄鉱業設備(製錬又は架空索道設備を含む。)			6	29	鉱業、採石業又は砂利採取業用設備	その他の設備	6
333	その他の非金属鉱業設備(架空索道設備を含む。)			9	29	鉱業、採石業又は砂利採取業用設備	その他の設備	6
334	ブルドーザー、パワーショベルその他の自走式作業用機械設備			5	26	林業用設備		5
					30	総合工事業用設備		6
					41	運輸に附帯するサービス業用設備		10

【参考３】「別表第二」の新旧対照表

旧番号	設備の種類	細目	耐用年数	新番号	設備の種類	細目	耐用年数
335	その他の建設工業設備	排砂管及び可搬式コンベヤ	3	30	総合工事業用設備		6
		ジーゼルパイルハンマー	4	30	総合工事業用設備		6
		アスファルトプラント及びバッチャープラント	6	30	総合工事業用設備		6
		その他の設備	7	30	総合工事業用設備		6
336	測量業用設備	カメラ	5	46	技術サービス業用設備（他の号に掲げるものを除く。）	その他の設備	14
		その他の設備	7	46	技術サービス業用設備（他の号に掲げるものを除く。）	その他の設備	14
337	鋼索鉄道又は架空索道設備	鋼索	3	38	鉄道業用設備	その他の設備	12
		その他の設備	12	38	鉄道業用設備	その他の設備	12
338	石油又は液化石油ガス卸売用設備（貯そうを除く。）		13	43	建築材料、鉱物又は金属材料等卸売業用設備	石油又は液化石油ガス卸売用設備（貯そうを除く。）	13
338の2	洗車業用設備		10	53	自動車整備業用設備		15
339	ガソリンスタンド設備		8	45	その他の小売業用設備	ガソリン又は液化石油ガススタンド設備	8
339の2	液化石油ガススタンド設備		8	45	その他の小売業用設備	ガソリン又は液化石油ガススタンド設備	8
339の3	機械式駐車設備		15	55	前掲の機械及び装置以外のもの並びに前掲の区分によらないもの	機械式駐車設備	10
340	荷役又は倉庫業用設備及び卸売又は小売業の荷役又は倉庫用設備	移動式荷役設備	7	39	道路貨物運送業用設備		12
				40	倉庫業用設備		12
				41	運輸に附帯するサービス業用設備		10
		くん蒸設備	10	39	道路貨物運送業用設備		12
				40	倉庫業用設備		12
				41	運輸に附帯するサービス業用設備		10
		その他の設備	12	39	道路貨物運送業用設備		12
				40	倉庫業用設備		12
				41	運輸に附帯するサービス業用設備		10
341	計量証明業用設備		9	41	運輸に附帯するサービス業用設備		10
				46	技術サービス業用設備（他の号に掲げるものを除く。）	計量証明業用設備	8
342	船舶救難又はサルベージ設備		8	41	運輸に附帯するサービス業用設備		10
343	国内電気通信事業用設備	デジタル交換設備及び電気通信処理設備	6	35	通信業用設備		9

旧別表第二				新別表第二				
旧番号	設備の種類	細目	耐用年数	新番号	設備の種類	細目	耐用年数
343	国内電気通信事業用設備	アナログ交換設備	16	35	通信業用設備		9
		その他の設備	9	35	通信業用設備		9
343の2	国際電気通信事業用設備	デジタル交換設備及び電気通信処理設備	6	35	通信業用設備		9
		アナログ交換設備	16	35	通信業用設備		9
		その他の設備	7	35	通信業用設備		9
344	ラジオ又はテレビジョン放送設備		6	36	放送業用設備		6
345	その他の通信設備（給電用指令設備を含む。）		9	35	通信業用設備		9
346	電気事業用水力発電設備		22	31	電気業用設備	電気業用水力発電設備	22
347	その他の水力発電設備		20	31	電気業用設備	その他の水力発電設備	20
348	汽力発電設備		15	31	電気業用設備	汽力発電設備	15
349	内燃力又はガスタービン発電設備		15	31	電気業用設備	内燃力又はガスタービン発電設備	15
350	送電又は電気事業用変電若しくは配電設備	需要者用計器	15	31	電気業用設備	送電又は電気業用変電若しくは配電設備	需要者用計器	15
		柱上変圧器	18	31	電気業用設備	送電又は電気業用変電若しくは配電設備	柱上変圧器	18
		その他の設備	22	31	電気業用設備	送電又は電気業用変電若しくは配電設備	その他の設備	22
351	鉄道又は軌道事業用変電設備		20	31	電気業用設備	鉄道又は軌道業用変電設備	15
351の2	列車遠隔又は列車集中制御設備		12	38	鉄道業用設備	その他の設備	12
352	蓄電池電源設備		6	55	前掲の機械及び装置以外のもの並びに前掲の区分によらないもの	その他の設備	主として金属製のもの	17
				55	前掲の機械及び装置以外のもの並びに前掲の区分によらないもの	その他の設備	その他のもの	8
353	フライアッシュ採取設備		13	55	前掲の機械及び装置以外のもの並びに前掲の区分によらないもの	その他の設備	主として金属製のもの	17
				55	前掲の機械及び装置以外のもの並びに前掲の区分によらないもの	その他の設備	その他のもの	8
354	石炭ガス、石油ガス又はコークス製造設備（ガス精製又はガス事業用特定ガス発生設備を含む。）		10	9	石油製品又は石炭製品製造業用設備		7
				32	ガス業用設備	製造用設備	10
355	削除						
356	ガス事業用供給設備	ガス導管	鋳鉄製のもの	22	32	ガス業用設備	供給用設備	鋳鉄製導管	22

【参考３】「別表第二」の新旧対照表

旧別表第二					新別表第二			
旧番号	設備の種類	細目		耐用年数	新番号	設備の種類	細目		耐用年数
356	ガス事業用供給設備	ガス導管	その他のもの	13	32	ガス業用設備	供給用設備	鋳鉄製導管以外の導管	13
		需要者用計量器		13	32	ガス業用設備	供給用設備	需要者用計量器	13
		その他の設備		15	32	ガス業用設備	供給用設備	その他の設備	15
357	上水道又は下水道業用設備			12	34	水道業用設備			18
358	ホテル、旅館又は料理店業用設備及び給食用設備	引湯管		5	47	宿泊業用設備			10
					48	飲食店業用設備			8
		その他の設備		9	47	宿泊業用設備			10
					48	飲食店業用設備			8
359	クリーニング設備			7	49	洗濯業、理容業、美容業又は浴場業用設備			13
360	公衆浴場設備	かま、温水器及び温かん		3	49	洗濯業、理容業、美容業又は浴場業用設備			13
		その他の設備		8	49	洗濯業、理容業、美容業又は浴場業用設備			13
360の2	故紙梱包設備			7	43	建築材料、鉱物又は金属材料等卸売業用設備	その他の設備		8
361	火葬設備			16	50	その他の生活関連サービス業用設備			6
362	電光文字設備			10	55	前掲の機械及び装置以外のもの並びに前掲の区分によらないもの	その他の設備	主として金属製のもの	17
					55	前掲の機械及び装置以外のもの並びに前掲の区分によらないもの	その他の設備	その他のもの	8
363	映画製作設備（現像設備を除く。）	照明設備		3	37	映像、音声又は文字情報制作業用設備			8
		撮影又は録音設備		6	37	映像、音声又は文字情報制作業用設備			8
		その他の設備		8	37	映像、音声又は文字情報制作業用設備			8
364	天然色写真現像焼付設備			6	50	その他の生活関連サービス業用設備			6
365	その他の写真現像焼付設備			8	50	その他の生活関連サービス業用設備			6
366	映画又は演劇興行設備	照明設備		5	51	娯楽業用設備	映画館又は劇場用設備		11
		その他の設備		7	51	娯楽業用設備	映画館又は劇場用設備		11
367	遊園地用遊戯設備（原動機付のものに限る。）			9	51	娯楽業用設備	遊園地用設備		7

旧別表第二				新別表第二			
旧番号	設備の種類	細目	耐用年数	新番号	設備の種類	細目	耐用年数
367の2	ボウリング場用設備	レーン	5	51	娯楽業用設備	ボウリング場用設備	13
		その他の設備	10	51	娯楽業用設備	ボウリング場用設備	13
368	種苗花き園芸設備		10	25	農業用設備		7
369	前掲の機械及び装置以外のもの並びに前掲の区分によらないもの	主として金属製のもの	17	31	電気業用設備	その他の設備 主として金属製のもの	17
				32	ガス業用設備	その他の設備 主として金属製のもの	17
				33	熱供給業用設備		17
				38	鉄道業用設備	自動改札装置	5
				45	その他の小売業用設備	その他の設備 主として金属製のもの	17
				51	娯楽業用設備	その他の設備 主として金属製のもの	17
				52	教育業(学校教育業を除く。)又は学習支援業用設備	教習用運転シミュレータ設備	5
				52	教育業(学校教育業を除く。)又は学習支援業用設備	その他の設備 主として金属製のもの	17
				55	前掲の機械及び装置以外のもの並びに前掲の区分によらないもの	その他の設備 主として金属製のもの	17
		その他のもの	8	31	電気業用設備	その他の設備 その他のもの	8
				32	ガス業用設備	その他の設備 その他のもの	8
				45	その他の小売業用設備	その他の設備 その他のもの	8
				51	娯楽業用設備	その他の設備 その他のもの	8
				52	教育業(学校教育業を除く。)又は学習支援業用設備	その他の設備 その他のもの	8
				55	前掲の機械及び装置以外のもの並びに前掲の区分によらないもの	その他の設備 その他のもの	8

※ 旧別表第七から新別表第二へ区分変更された機械及び装置

旧別表第七				新別表第二			
旧七番号	設備の種類	細目	耐用年数	新番号	設備の種類	細目	耐用年数
旧七	電動機		10	25	農業用設備		7
旧七	内燃機関、ボイラー及びポンプ		8	25	農業用設備		7

【参考３】「別表第二」の新旧対照表

旧別表第七				新別表第二			
旧七	設備の種類	細目	耐用年数	新番号	設備の種類	細目	耐用年数
旧七	トラクター	歩行型トラクター	5	25	農業用設備		7
		その他のもの	8	25	農業用設備		7
旧七	耕うん整地用機具		5	25	農業用設備		7
旧七	耕土造成改良用機具		5	25	農業用設備		7
旧七	栽培管理用機具		5	25	農業用設備		7
旧七	防除用機具		5	25	農業用設備		7
旧七	穀類収穫調製用機具	自脱型コンバイン、刈取機（ウインドロウアーを除くものとし、バインダーを含む。）、稲わら収集機（自走式のものを除く。）及びわら処理カッター	5	25	農業用設備		7
		その他のもの	8	25	農業用設備		7
旧七	飼料作物収穫調製用機具	モーア、ヘーコンディショナー（自走式のものを除く。）、ヘーレーキ、ヘーテッダーレーキ、フォレージハーベスター（自走式のものを除く。）、ヘーベーラー（自走式のものを除く。）、ヘープレス、ヘーローダー、ヘードライヤー（連続式のものを除く。）、ヘーエレベーター、フォレージブロアー、サイレージディストリビューター、サイレージアンローダー及び飼料細断機	5	25	農業用設備		7
		その他のもの	8	25	農業用設備		7
旧七	果樹、野菜又は花き収穫調製用機具	野菜洗浄機、清浄機及び掘取機	5	25	農業用設備		7
		その他のもの	8	25	農業用設備		7
旧七	その他の農作物収穫調製用機具	い苗分割機、い草刈取機、い草選別機、い割機、粒選機、収穫機、掘取機、つる切機及び茶摘機	5	25	農業用設備		7
		その他のもの	8	25	農業用設備		7
旧七	農産物処理加工用機具（精米又は精麦機を除く。）	花莚織機及び畳表織機	5	25	農業用設備		7
		その他のもの	8	25	農業用設備		7

旧別表第七					新別表第二			
旧七	設備の種類	細目		耐用年数	新番号	設備の種類	細目	耐用年数
旧七	家畜飼養管理用機具	自動給じ機、自動給水機、搾乳機、牛乳冷却機、ふ卵機、保温機、畜衡機、牛乳成分検定用機具、人工授精用機具、育成機、育すう機、ケージ、電牧器、カウトレーナー、マット、畜舎清掃機、ふん尿散布機、ふん尿乾燥機及びふん焼却機		5	25	農業用設備		7
		その他のもの		8	25	農業用設備		7
旧七	養蚕用機具	条桑刈取機、簡易保温用暖房機、天幕及び回転まぶし		5	25	農業用設備		7
		その他のもの		8	25	農業用設備		7
旧七	運搬用機具				4	25	農業用設備		7
旧七	造林又は伐木用機具	自動穴掘機、自動伐木機及び動力刈払機		3	26	林業用設備		5
		その他のもの		6	26	林業用設備		5
旧七	その他の機具	乾燥用バーナー		5	26	林業用設備		5
		その他のもの	主として金属製のもの	10	25	農業用設備		7
					26	林業用設備		5
			その他のもの	5	25	農業用設備		7
					26	林業用設備		5

【参考4】 旧別表第二及び通常の使用時間

旧別表 第二番号	設備の種類	細　目	耐用 年数	通常の使用時間		
				区　分	時間	備　考
1	食肉又は食鳥処理加工設備		9		8	
2	鶏卵処理加工又はマヨネーズ製造設備		8		8	
3	市乳処理設備及び発酵乳、乳酸菌飲料その他の乳製品製造設備（集乳設備を含む。）		9	発酵乳及び乳酸菌飲料製造設備 その他	24 8	
4	水産練製品、つくだ煮、寒天その他の水産食料品製造設備		8		8	
5	つけ物製造設備		7		8	
6	トマト加工品製造設備		8		8	
7	その他の果実又はそ菜処理加工設備	むろ内用バナナ熟成装置 その他の設備	6 9		8	
8	かん詰又はびん詰製造設備		8		8	
9	化学調味料製造設備		7			
10	味そ又はしょう油（だしの素類を含む。）製造設備	コンクリート製仕込そう その他の設備	25 9		8	
10の2	食酢又はソース製造設備		8	食酢製造設備 ソース製造設備	24 8	
11	その他の調味料製造設備		9		8	
12	精穀設備		10		16	
13	小麦粉製造設備		13			
14	豆腐類、こんにゃく又は食ふ製造設備		8		8	
15	その他の豆類処理加工設備		9		8	
16	コーンスターチ製造設備		10			
17	その他の農産物加工設備	粗製でん粉貯そう その他の設備	25 12		8	
18	マカロニ類又は即席めん類製造設備		9			
19	その他の乾めん、生めん又は強化米製造設備		10		16	
20	砂糖製造設備		10			
21	砂糖精製設備		13			
22	水あめ、ぶどう糖又はカラメル製造設備		10			
23	パン又は菓子類製造設備		9	生パン類製造設備 その他	16 8	
24	荒茶製造設備		8		8	
25	再製茶製造設備		10		8	
26	清涼飲料製造設備		10		8	

旧別表第二番号	設備の種類	細目	耐用年数	通常の使用時間 区分	通常の使用時間 時間	備考
27	ビール又は発酵法による発ぽう酒製造設備		14			
28	清酒、みりん又は果実酒製造設備		12			
29	その他の酒類製造設備		10			
30	その他の飲料製造設備		12		8	
31	酵母、酵素、種菌、麦芽又はこうじ製造設備（医薬用のものを除く。）		9			
32	動植物油脂製造又は精製設備（マーガリン又はリンター製造設備を含む。）		12			
33	冷凍、製氷又は冷蔵業用設備	結氷かん及び凍結さら その他の設備	3 13			
34	発酵飼料又は酵母飼料製造設備		9	酵母飼料製造設備 その他	24 8	
35	その他の飼料製造設備		10		8	
36	その他の食料品製造設備		16		8	
36の2	たばこ製造設備		8			
37	生糸製造設備	自動繰糸機 その他の設備	7 10	自動繰糸式生糸製造設備 その他	16 8	ただし、繭乾燥工程は16時間
38	繭乾燥業用設備		16		13	
39	紡績設備		10	和紡績設備 その他	8 24	
40	削除					
41	削除					
42	合成繊維かさ高加工糸製造設備		8			
43	ねん糸業用又は糸（前号に掲げるものを除く。）製造業用設備		11	ねん糸業用設備 その他	8 16	
44	織物設備		10			
45	メリヤス生地、編み手袋又はくつ下製造設備		10	フルファッション式製編設備及び縦編メリヤス生地製造設備 その他	24 16	
46	染色整理又は仕上設備	圧縮用電極板 その他の設備	3 7		8	
47	削除					
48	洗毛、化炭、羊毛トップ、ラップペニー、反毛、製綿又は再生綿業用設備		10	洗毛、化炭、羊毛トップ及び反毛設備 その他	16 8	
49	整経又はサイジング業用設備		10		16	
50	不織布製造設備		9		16	

【参考4】 旧別表第二及び通常の使用時間　257

旧別表第二番号	設備の種類	細目	耐用年数	通常の使用時間 区分	時間	備考
51	フェルト又はフェルト製品製造設備		10	羊毛フェルト及び極硬質フェルト製造設備 その他	16 8	
52	網、網又はひも製造設備		10		8	
53	レース製造設備	ラッセルレース機 その他の設備	12 14		16	
54	塗装布製造設備		14		8	
55	繊維製又は紙製衛生材料製造設備		9		8	
56	縫製品製造業用設備		7		8	
57	その他の繊維製品製造設備		15		8	
58	可搬式造林、伐木又は搬出設備	動力伐採機 その他の設備	3 6		8	
59	製材業用設備	製材用自動送材装置 その他の設備	8 12		8	
60	チップ製造業用設備		8		8	
61	単板又は合板製造設備		9		8	ただし、乾燥工程は16時間
62	その他の木製品製造設備		10		8	
63	木材防腐処理設備		13			
64	パルプ製造設備		12			
65	手すき和紙製造設備		7		8	
66	丸網式又は短網式製紙設備		12			
67	長網式製紙設備		14			
68	ヴァルカナイズドファイバー又は加工紙製造設備		12	ヴァルカナイズドファイバー製造設備 その他	16 8	
69	段ボール、段ボール箱又は板紙製容器製造設備		12		8	
70	その他の紙製品製造設備		10		8	
71	枚葉紙樹脂加工設備		9		8	
72	セロファン製造設備		9			
73	繊維板製造設備		13			
74	日刊新聞紙印刷設備	モノタイプ、写真又は通信設備 その他の設備	5 11		8	
75	印刷設備		10		8	
76	活字鋳造業用設備		11		8	
77	金属板その他の特殊物印刷設備		11		8	
78	製本設備		10		8	
79	写真製版業用設備		7		8	

旧別表第二番号	設備の種類	細目	耐用年数	通常の使用時間 区分	通常の使用時間 時間	備考
80	複写業用設備		6		8	
81	アンモニア製造設備		9			
82	硫酸又は硝酸製造設備		8			
83	溶成りん肥製造設備		8			
84	その他の化学肥料製造設備		10			
85	配合肥料その他の肥料製造設備		13		8	
86	ソーダ灰、塩化アンモニウム、か性ソーダ又はか性カリ製造設備（塩素処理設備を含む。）		7			
87	硫化ソーダ、水硫化ソーダ、無水ほう硝、青化ソーダ又は過酸化ソーダ製造設備		7			
88	その他のソーダ塩又はカリ塩（第97号（塩素酸塩を除く。）、第98号及び第106号に掲げるものを除く。）製造設備		9			
89	金属ソーダ製造設備		10			
90	アンモニウム塩（硫酸アンモニウム及び塩化アンモニウムを除く。）製造設備		9			
91	炭酸マグネシウム製造設備		7			
92	苦汁製品又はその誘導体製造設備		8			
93	軽質炭酸カルシウム製造設備		8			
94	カーバイド製造設備（電極製造設備を除く。）		9			
95	硫酸鉄製造設備		7			
96	その他の硫酸塩又は亜硫酸塩製造設備（他の号に掲げるものを除く。）		9			
97	臭素、よう素又は塩素、臭素若しくはよう素化合物製造設備	よう素用坑井設備 その他の設備	3 7			
98	ふっ酸その他のふっ素化合物製造設備		6			
99	塩化りん製造設備		5			
100	りん酸又は硫化りん製造設備		7			
101	りん又はりん化合物製造設備（他の号に掲げるものを除く。）		10			
102	べんがら製造設備		6			
103	鉛丹、リサージ又は亜鉛華製造設備		11			
104	酸化チタン、リトポン又はバリウム塩製造設備		9			
105	無水クロム酸製造設備		7			
106	その他のクロム化合物製造設備		9			
107	二酸化マンガン製造設備		8			

旧別表第二番号	設備の種類	細目	耐用年数	通常の使用時間 区分	時間	備考
108	ほう酸その他のほう素化合物製造設備（他の号に掲げるものを除く。）		10			
109	青酸製造設備		8			
110	硝酸銀製造設備		7			
111	二硫化炭素製造設備		8			
112	過酸化水素製造設備		10			
113	ヒドラジン製造設備		7			
114	酸素、水素、二酸化炭素又は溶解アセチレン製造設備		10			
115	加圧式又は真空式製塩設備		10			
116	その他のかん水若しくは塩製造又は食塩加工設備	合成樹脂製濃縮盤及びイオン交換膜 その他の設備	3 7			
117	活性炭製造設備		6			
118	その他の無機化学薬品製造設備		12			
119	石炭ガス、オイルガス又は石油を原料とする芳香族その他の化合物分離精製設備		8			
120	染料中間体製造設備		7			
121	アルキルベンゾール又はアルキルフェノール製造設備		8			
122	カプロラクタム、シクロヘキサノン又はテレフタル酸（テレフタル酸ジメチルを含む。）製造設備		7			
123	イソシアネート類製造設備		7			
124	炭化水素の塩化物、臭化物又はふっ化物製造設備		7			
125	メタノール、エタノール又はその誘導体製造設備（他の号に掲げるものを除く。）		9			
126	その他のアルコール又はケトン製造設備		8			
127	アセトアルデヒド又は酢酸製造設備		7			
128	シクロヘキシルアミン製造設備		7			
129	アミン又はメラミン製造設備		8			
130	ぎ酸、しゅう酸、乳酸、酒石酸（酒石酸塩類を含む。）、こはく酸、くえん酸、タンニン酸又は没食子酸製造設備		8			
131	石油又は天然ガスを原料とするエチレン、プロピレン、ブチレン、ブタジエン又はアセチレン製造設備		9			
132	ビニールエーテル製造設備		8			
133	アクリルニトリル又はアクリル酸エステル製造設備		7			

旧別表第二番号	設備の種類	細目	耐用年数	区分	時間	備考
134	エチレンオキサイド、エチレングリコール、プロピレンオキサイド、プロピレングリコール、ポリエチレングリコール又はポリプロピレングリコール製造設備		8			
135	スチレンモノマー製造設備		9			
136	その他のオレフィン系又はアセチレン系誘導体製造設備（他の号に掲げるものを除く。）		8			
137	アルギン酸塩製造設備		10			
138	フルフラル製造設備		11			
139	セルロイド又は硝化綿製造設備		10			
140	酢酸繊維素製造設備		8			
141	繊維素グリコール酸ソーダ製造設備		10			
142	その他の有機薬品製造設備		12			
143	塩化ビニリデン系樹脂、酢酸ビニール系樹脂、ナイロン樹脂、ポリエチレンテレフタレート系樹脂、ふっ素樹脂又はけい素樹脂製造設備		7			
144	ポリエチレン、ポリプロピレン又はポリブテン製造設備		8			
145	尿素系、メラミン系又は石炭酸系合成樹脂製造設備		9			
146	その他の合成樹脂又は合成ゴム製造設備		8			
147	レーヨン糸又はレーヨンステープル製造設備		9			
148	酢酸繊維製造設備		8			
149	合成繊維製造設備		7			
150	石けん製造設備		9			
151	硬化油、脂肪酸又はグリセリン製造設備		9			
152	合成洗剤又は界面活性剤製造設備		7			
153	ビタミン剤製造設備		6			
154	その他の医薬品製造設備（製剤又は小分包装設備を含む。）		7	錠剤、液剤及び注射薬製造設備並びに小分包装設備 その他	8 24	
155	殺菌剤、殺虫剤、殺そ剤、除草剤その他の動植物用製剤製造設備		8			
156	産業用火薬類（花火を含む。）製造設備		7		8	
157	その他の火薬類製造設備（弾薬装てん又は組立設備を含む。）		6		8	

旧別表第二番号	設備の種類	細目	耐用年数	通常の使用時間 区分	通常の使用時間 時間	備考
158	塗料又は印刷インキ製造設備		9		8	ただし、合成樹脂製造工程は24時間
159	その他のインキ製造設備		13		8	
160	染料又は顔料製造設備（他の号に掲げるものを除く。）		7			
161	抜染剤又は漂白剤製造設備（他の号に掲げるものを除く。）		7			
162	試薬製造設備		7			
163	合成樹脂用可塑剤製造設備		8			
164	合成樹脂用安定剤製造設備		7			
165	有機ゴム薬品、写真薬品又は人造香料製造設備		8			
166	つや出し剤、研磨油剤又は乳化油剤製造設備		11		8	
167	接着剤製造設備		9		8	
168	トール油精製設備		7			
169	りゅう脳又はしょう脳製造設備		9			
170	化粧品製造設備		9		8	
171	ゼラチン又はにかわ製造設備		6			
172	写真フィルムその他の写真感光材料（銀塩を使用するものに限る。）製造設備（他の号に掲げるものを除く。）		8			
173	半導体用フォトレジスト製造設備		5			
174	磁気テープ製造設備		6		16	
175	化工でん粉製造設備		10			
176	活性白土又はシリカゲル製造設備		10			
177	選鉱剤製造設備		9			
178	電気絶縁材料（マイカ系を含む。）製造設備		12		8	
179	カーボンブラック製造設備		8			
180	その他の化学工業製品製造設備		13			
181	石油精製設備（廃油再生又はグリース類製造設備を含む。）		8			
182	アスファルト乳剤その他のアスファルト製品製造設備		14		8	
183	ピッチコークス製造設備		7			
184	練炭、豆炭類、オガライト（オガタンを含む。）又は炭素粉末製造設備		8	炭素粉末製造設備 その他	24 8	
185	その他の石油又は石炭製品製造設備		14			
186	タイヤ又はチューブ製造設備		10		8	ただし、加硫工程は、24時間

旧別表第二番号	設備の種類	細目	耐用年数	通常の使用時間 区分	通常の使用時間 時間	備考
187	再生ゴム製造設備		10		8	ただし、加硫工程は、24時間
188	フォームラバー製造設備		10			
189	糸ゴム製造設備		9			
190	その他のゴム製品製造設備		10		8	ただし、加硫工程は、24時間
191	製革設備		9		8	ただし、じゅう成工程は、24時間
192	機械ぐつ製造設備		8		8	
193	その他の革製品製造設備		11		8	
194	板ガラス製造設備（みがき設備を含む。）	溶解炉 その他の設備	14 14			
195	その他のガラス製品製造設備（光学ガラス製造設備を含む。）	るつぼ炉及びデータンク炉 溶解炉 その他の設備	3 13 9		8	ただし、炉設備は、24時間
196	陶磁器、粘土製品、耐火物、けいそう土製品、はい土又はうわ薬製造設備	倒炎がま 　塩融式のもの 　その他のもの トンネルがま その他の炉 その他の設備	3 5 7 8 12		8	ただし、炉設備は、24時間
197	炭素繊維製造設備	黒鉛化炉 その他の設備	4 10		8	ただし、炉設備は、24時間
197の2	その他の炭素製品製造設備	黒鉛化炉 その他の設備	4 12		8	ただし、炉設備は、24時間
198	人造研削材製造設備	溶融炉 その他の設備	5 9		8	ただし、炉設備は、24時間
199	研削と石又は研磨布紙製造設備	加硫炉 トンネルがま その他の焼成炉 その他の設備	8 7 5 10		8	ただし、炉設備は、24時間
200	セメント製造設備		13			
201	生コンクリート製造設備		9		16	
202	セメント製品（気ほうコンクリート製品を含む。）製造設備	移動式製造又は架設設備及び振動加圧式成形設備 その他の設備	7 12		8	ただし、養生及び乾燥工程は、24時間
203	削除					
204	石灰又は苦石灰製造設備		8			
205	石こうボード製造設備	焼成炉 その他の設備	5 12		8	ただし、炉設備は、24時間
206	ほうろう鉄器製造設備	るつぼ炉 その他の炉 その他の設備	3 7 12		8	ただし、炉設備は、24時間

旧別表第二番号	設備の種類	細目	耐用年数	通常の使用時間 区分	通常の使用時間 時間	備考
207	石綿又は石綿セメント製品製造設備		12		8	ただし、養生及び乾燥工程は、24時間
208	岩綿（鉱さい繊維を含む。）又は岩綿製品製造設備		12			
209	石工品又は擬石製造設備		12		8	
210	その他の窯業製品又は土石製品製造設備	トンネルがま その他の炉 その他の設備	12 10 15			
211	製銑設備		14			
212	純鉄又は合金鉄製造設備		10			
213	製鋼設備		14			
214	連続式鋳造鋼片製造設備		12			
215	鉄鋼熱間圧延設備		14		16	
216	鉄鋼冷間圧延又は鉄鋼冷間成形設備		14	冷延鋼板圧延設備 その他	16 8	
217	鋼管製造設備		14	継目無鋼管及び鍛接鋼管製造設備 その他	16 8	
218	鉄鋼伸線（引き抜きを含む。）設備及び鉄鋼卸売業用シャーリング設備並びに伸鉄又はシャーリング業用設備		11	伸鉄及びシャーリング業用設備 その他	16 8	
218の2	鉄くず処理業用設備		7		8	
219	鉄鋼鍛造業用設備		12		8	
220	銅鋳物又は銑鉄鋳物製造業用設備		10		8	
221	金属熱処理業用設備		10		16	
222	その他の鉄鋼業用設備		15			
223	銅、鉛又は亜鉛製錬設備		9			
224	アルミニウム製錬設備		12			
225	ベリリウム銅母合金、マグネシウム、チタニウム、ジルコニウム、タンタル、クロム、マンガン、シリコン、ゲルマニウム又は希土類金属製錬設備		7			
226	ニッケル、タングステン又はモリブデン製錬設備		10			
227	その他の非鉄金属製錬設備		12			
228	チタニウム造塊設備		10			
229	非鉄金属圧延、押出又は伸線設備		12		8	
230	非鉄金属鋳物製造業用設備	ダイカスト設備 その他の設備	8 10		8	
231	電線又はケーブル製造設備		10		8	ただし、銅線の荒引工程及び巻線の焼付工程は、16時間

旧別表第二番号	設備の種類	細目	耐用年数	通常の使用時間		備考
				区分	時間	
231の2	光ファイバー製造設備		8		8	
232	金属粉末又ははく（圧延によるものを除く。）製造設備		8	打はく設備 その他	8 24	
233	粉末冶金製品製造設備		10		8	
234	鋼索製造設備		13		8	
235	鎖製造設備		12		8	
236	溶接棒製造設備		11		8	
237	くぎ、リベット又はスプリング製造業用設備		12		8	
237の2	ねじ製造業用設備		10		8	
238	溶接金網製造設備		11		8	
239	その他の金網又は針金製品製造設備		14		8	
240	縫針又はミシン針製造設備		13		8	
241	押出しチューブ又は自動組立方式による金属かん製造設備		11		8	
242	その他の金属製容器製造設備		14		8	
243	電気錫めっき鉄板製造設備		12		16	
244	その他のめっき又はアルマイト加工設備		7		8	
245	金属塗装設備	脱脂又は洗浄設備及び水洗塗装装置 その他の設備	7 9		8	
245の2	合成樹脂被覆、彫刻又はアルミニウムはくの加工設備	脱脂又は洗浄設備及び水洗塗装装置 その他の設備	7 11		8	
246	手工具又はのこぎり刃その他の刃物類（他の号に掲げるものを除く。）製造設備		12		8	
247	農業用機具製造設備		12		8	
248	金属製洋食器又はかみそり刃製造設備		11		8	
249	金属製家具若しくは建具又は建築金物製造設備	めっき又はアルマイト加工設備 溶接設備 その他の設備	7 10 13		8	
250	鋼製構造物製造設備		13		8	
251	プレス、打抜き、しぼり出しその他の金属加工品製造業用設備	めっき又はアルマイト加工設備 その他の設備	7 12		8	
251の2	核燃料物質加工設備		8			
252	その他の金属製品製造設備		15		8	
253	ボイラー製造設備		12		8	

【参考4】 旧別表第二及び通常の使用時間

旧別表第二番号	設備の種類	細目	耐用年数	通常の使用時間 区分	通常の使用時間 時間	備考
254	エンジン、タービン又は水車製造設備		11		8	
255	農業用機械製造設備		12		8	
256	建設機械、鉱山機械又は原動機付車両（他の号に掲げるものを除く。）製造設備		11		8	
257	金属加工機械製造設備		10		8	
258	鋳造用機械、合成樹脂加工機械又は木材加工用機械製造設備		12		8	
259	機械工具、金型又は治具製造業用設備		10		8	
260	繊維機械（ミシンを含む。）又は同部分品若しくは附属品製造設備		12		8	
261	風水力機器、金属製弁又は遠心分離機製造設備		12		8	
261の2	冷凍機製造設備		11		8	
262	玉又はコロ軸受若しくは同部分品製造設備		10		8	
263	歯車、油圧機器その他の動力伝達装置製造業用設備		10		8	
263の2	産業用ロボット製造設備		11		8	
264	その他の産業用機器又は部分品若しくは附属品製造設備		13		8	
265	事務用機器製造設備		11		8	
266	食品用、暖ちゅう房用、家庭用又はサービス用機器（電気機器を除く。）製造設備		13		8	
267	産業用又は民生用電気機器製造設備		11		8	
268	電気計測器、電気通信用機器、電子応用機器又は同部分品（他の号に掲げるものを除く。）製造設備		10		8	
268の2	フラットパネルディスプレイ又はフラットパネル用フィルム材料製造設備		5			
268の3	光ディスク（追記型又は書換え型のものに限る。）製造設備		6			
269	交通信号保安機器製造設備		12		8	
270	電球、電子管又は放電灯製造設備		8		8	
271	半導体集積回路（素子数が500以上のものに限る。）製造設備		5		8	
271の2	その他の半導体素子製造設備		7		8	
272	抵抗器又は蓄電器製造設備		9		8	
272の2	プリント配線基板製造設備		6		8	
272の3	フェライト製品製造設備		9		8	
273	電気機器部分品製造設備		12		8	

旧別表第二番号	設備の種類	細目	耐用年数	通常の使用時間		
				区分	時間	備考
274	乾電池製造設備		9		8	
274の2	その他の電池製造設備		12		8	
275	自動車製造設備		10		8	
276	自動車車体製造又は架装設備		11		8	
277	鉄道車両又は同部分品製造設備		12		8	
278	車両用エンジン、同部分品又は車両用電装品製造設備（ミッション又はクラッチ製造設備を含む。）		10		8	
279	車両用ブレーキ製造設備		11		8	
280	その他の車両部分品又は附属品製造設備		12		8	
281	自転車又は同部分品若しくは附属品製造設備	めっき設備 その他の設備	7 12		8	
282	鋼船製造又は修理設備		12		8	
283	木船製造又は修理設備		13		8	
284	舶用推進器、甲板機械又はハッチカバー製造設備	鋳造設備 その他の設備	10 12		8	
285	航空機若しくは同部分品（エンジン、機内空気加圧装置、回転機器、プロペラ、計器、降着装置又は油圧部品に限る。）製造又は修理設備		10		8	
286	その他の輸送用機器製造設備		13		8	
287	試験機、測定器又は計量機製造設備		11		8	
288	医療用機器製造設備		12		8	
288の2	理化学用機器製造設備		11		8	
289	レンズ又は光学機器若しくは同部分品製造設備		10		8	
290	ウオッチ若しくは同部分品又は写真機用シャッター製造設備		10		8	
291	クロック若しくは同部分品、オルゴールムーブメント又は写真フィルム用スプール製造設備		12		8	
292	銃弾製造設備		10		8	
293	銃砲、爆発物又は信管、薬きょうその他の銃砲用品製造設備		12		8	
294	自動車分解整備業用設備		13		8	
295	前掲以外の機械器具、部分品又は附属品製造設備		14		8	
296	機械産業以外の設備に属する修理工場用又は工作工場用機械設備		14		8	
297	楽器製造設備		11		8	
298	レコード製造設備	吹込設備 その他の設備	8 12		8	

【参考4】 旧別表第二及び通常の使用時間

旧別表第二番号	設備の種類	細目	耐用年数	通常の使用時間		備考
				区分	時間	
299	がん具製造設備	合成樹脂成形設備 その他の設備	9 11	合成樹脂成形設備 その他の設備	16 8	
300	万年筆、シャープペンシル又はペン先製造設備		11		8	
301	ボールペン製造設備		10		8	
302	鉛筆製造設備		13		8	
303	絵の具その他の絵画用具製造設備		11		8	
304	身辺用細貨類、ブラシ又はシガレットライター製造設備	製鎖加工設備 その他の設備	8 12		8	
		前掲の区分によらないもの	11			
305	ボタン製造設備		9		8	
306	スライドファスナー製造設備	自動務歯成形又はスライダー製造機 自動務歯植付機 その他の設備	7 5 11		8	
307	合成樹脂成形加工又は合成樹脂製品加工業用設備		8		16	
308	発ぽうポリウレタン製造設備		8			
309	繊維壁材製造設備		9		8	
310	歯科材料製造設備		12		8	
311	真空蒸着処理業用設備		8		16	
312	マッチ製造設備		13		8	
313	コルク又はコルク製品製造設備		14		8	
314	つりざお又は附属品製造設備		13		8	
315	墨汁製造設備		8		8	
316	ろうそく製造設備		7		8	
317	リノリウム、リノタイル又はアスファルトタイル製造設備		12		8	
318	畳表製造設備	織機、い草選別機及びい割機 その他の設備	5 14		8	
319	畳製造設備		5		8	
319の2	その他のわら工品製造設備		8		8	
320	木ろう製造又は精製設備		12			
321	松脂その他樹脂の製造又は精製設備		11			
322	蚕種製造設備	人工ふ化設備 その他の設備	8 10			
323	真珠、貴石又は半貴石加工設備		7		8	

旧別表第二番号	設備の種類	細目	耐用年数	通常の使用時間 区分	時間	備考
324	水産物養殖設備	竹製のもの その他のもの	2 4			
324の2	漁ろう用設備		7			
325	前掲以外の製造設備		15			
326	砂利採取又は岩石の採取若しくは砕石設備		8			
327	砂鉄鉱業設備		8			
328	金属鉱業設備（架空索道設備を含む。）		9			
329	石炭鉱業設備（架空索道設備を含む。）	採掘機械及びコンベヤ その他の設備 前掲の区分によらないもの	5 9 8			
330	石油又は天然ガス鉱業設備	坑井設備 掘さく設備 その他の設備	3 5 12			
331	天然ガス圧縮処理設備		10			
332	硫黄鉱業設備（製錬又は架空索道設備を含む。）		6			
333	その他の非金属鉱業設備（架空索道設備を含む。）		9			
334	ブルドーザー、パワーショベルその他の自走式作業用機械設備		5			
335	その他の建設工業設備	排砂管及び可搬式コンベヤ ジーゼルパイルハンマー アスファルトプラント及びバッチャープラント その他の設備	3 4 6 7			
336	測量業用設備	カメラ その他の設備	5 7			
337	鋼索鉄道又は架空索道設備	鋼索 その他の設備	3 12			
338	石油又は液化石油ガス卸売用設備（貯そうを除く。）		13			
338の2	洗車業用設備		10			
339	ガソリンスタンド設備		8			
339の2	液化石油ガススタンド設備		8			
339の3	機械式駐車設備		15			
340	荷役又は倉庫業用設備及び卸売又は小売業の荷役又は倉庫用設備	移動式荷役設備 くん蒸設備 その他の設備	7 10 12			
341	計量証明業用設備		9			
342	船舶救難又はサルベージ設備		8			

【参考4】 旧別表第二及び通常の使用時間

旧別表第二番号	設備の種類	細目	耐用年数	通常の使用時間		
				区分	時間	備考
343	国内電気通信事業用設備	デジタル交換設備及び電気通信処理設備 アナログ交換設備 その他の設備	6 16 9			
343の2	国際電気通信事業用設備	デジタル交換設備及び電気通信処理設備 アナログ交換設備 その他の設備	6 16 7			
344	ラジオ又はテレビジョン放送設備		6		16	
345	その他の通信設備（給電用指令設備を含む。）		9			
346	電気事業用水力発電設備		22			
347	その他の水力発電設備		20			
348	汽力発電設備		15			
349	内燃力又はガスタービン発電設備		15			
350	送電又は電気事業用変電若しくは配電設備	需要者用計器 柱上変圧器 その他の設備	15 18 22			
351	鉄道又は軌道事業用変電設備		20			
351の2	列車遠隔又は列車集中制御設備		12			
352	蓄電池電源設備		6			
353	フライアッシュ採取設備		13			
354	石炭ガス、石油ガス又はコークス製造設備（ガス精製又はガス事業用特定ガス発生設備を含む。）		10			
355	削除					
356	ガス事業用供給設備	ガス導管 　鋳鉄製のもの 　その他のもの 需要者用計量器 その他の設備	22 13 13 15			
357	上水道又は下水道業用設備		12			
358	ホテル、旅館又は料理店業用設備及び給食用設備	引湯管 その他の設備	5 9			
359	クリーニング設備		7		8	
360	公衆浴場設備	かま、温水器及び温かん その他の設備	3 8			
360の2	故紙梱包設備		7		8	
361	火葬設備		16			
362	電光文字設備		10			

旧別表第二番号	設備の種類	細目	耐用年数	通常の使用時間		備考
				区分	時間	
363	映画製作設備(現像設備を除く。)	照明設備 撮影又は録音設備 その他の設備	3 6 8			
364	天然色写真現像焼付設備		6		16	
365	その他の写真現像焼付設備		8		16	
366	映画又は演劇興行設備	照明設備 その他の設備	5 7			
367	遊園地用遊戯設備(原動機付のものに限る。)		9		8	
367の2	ボウリング場用設備	レーン その他の設備	5 10			
368	種苗花き園芸設備		10			
369	前掲の機械及び装置以外のもの並びに前掲の区分によらないもの	主として金属製のもの その他のもの	17 8			

【参考5】 耐用年数等の改正経過（昭和63年以後分）

改正年	改正内容	適用関係
昭 63	(1) 別表第一関係 　「器具及び備品」の「8　事務機器及び通信機器」の「電話設備その他の通信機器」に「デジタル構内交換設備及びデジタルボタン電話設備」が追加された（耐用年数6年（改正前10年））。 (2) 別表第二関係 　「268の2　光ディスク（追記型又は書換え型のものに限る。）製造設備」が追加された（耐用年数6年（改正前10年又は8年））。	昭和63年4月1日以後開始する事業年度について適用 同　上
平 元	(1) 別表第一関係 　「器具及び備品」の「医療機器」の「光学検査機器」のうち「ファイバースコープ」が追加された（耐用年数6年（改正前8年））。 (2) 別表第二関係 　「339　ガソリンスタンド設備」が追加された（耐用年数8年（改正前10年））。 (3) 別表第五関係 　別表第五「新規産業用機械及び装置の耐用年数表」中「半導体集積回路製造設備」及び「核燃料物質加工設備」に係る適用期限が2年（平3.3.31まで）延長された。 　(注)　この別表第五「新規産業用機械及び装置の耐用年数表」は平成5年の税制改正で廃止された。	平成元年4月1日以後開始する事業年度について適用 同　上
平 2	(1) 別表第一関係 　① 店舗用建物 　　「鉄骨鉄筋コンクリート造又は鉄筋コンクリート造のもの」のうち「店舗用のもの」の耐用年数の改正（耐用年数47年（改正前60年）） 　② 小型飛行機、ヘリコプター等 | 構造又は用途	細目	改正前	改正後
---	---	---	---
飛行機	主として金属製のもの 最大離陸重量が130トンを超えるもの 最大離陸重量が130トン以下のもので15トンを超えるもの 最大離陸重量が15トン以下のもので5.7トンを超えるもの 最大離陸重量が5.7トン以下のもので1.5トンを超えるもの 　訓練用のもの 　その他のもの 最大離陸重量が1.5トン以下のもの 　訓練用のもの 　その他のもの その他のもの	 10 8 5 3 4 3 2	 10 }8 }5 5
その他のもの	ヘリコプター及びグライダー その他のもの	2 2	5 5 | 　③ 陳列だな及び陳列ケース 　「器具及び備品」の「1　家具、電気機器、ガス機器及び家庭用品」の「冷凍機付のもの」に「冷蔵機付のもの」が追加された（耐用年数6年）。 (2) 別表第二関係 　従前の「245　金属塗装、合成樹脂被覆、彫刻又はアルミニウムはくの加工設備」が次のように分離された。 　「245　金属塗装設備 　　　脱脂又は洗浄設備及び水洗塗装装置　　7年 　　　その他の設備　　　　　　　　　　　9年」 　「245の2　合成樹脂被覆、彫刻又はアルミニウムはくの加工設備 　　　脱脂又は洗浄設備及び水洗塗装装置　　7年 　　　その他の設備　　　　　　　　　　11年」	平成2年4月1日以後開始する事業年度から適用 平成2年4月1日以後に事業の用に供するものから適用 平成2年4月1日以後開始する事業年度から適用 同　上
平 3	(1) 別表第一関係 　「車両及び運搬具」の「前掲のもの以外のもの」の「自動車（二輪又は三輪自動車を除く。）」の適用対象の範囲が総排気量「0.55リットル以下」から「0.66リットル以下」に改正された。 (2) 別表第五関係 　別表第五「新規産業用機械及び装置の耐用年数表」中「半導体集積回路製造設備」及び「核燃料物質加工設備」に係る適用期限が2年延長（平5.3.31まで）された。	平成3年4月1日以後に事業の用に供するものから適用

改正年	改正内容	適用関係
	（注）　この別表第五「新規産業用機械及び装置の耐用年数表」は平成5年の税制改正で廃止された。	
平　5	(1)　別表第一関係 　　「器具及び備品」の「1　家具、電気機器、ガス機器及び家庭用品」の「じゅうたんその他の床用敷物」に「小売業用」が追加された（耐用年数3年（改正前6年））。	平成5年4月1日以後開始する事業年度から適用
	(2)　別表第二関係 　　別表第五が廃止されたことに伴い、次の改正が行われた。 　①　「251の2　核燃料物質加工設備　11年」の追加 　②　「271」を次のとおり分割 　　　「271　半導体集積回路（素子数が500以上のものに限る。）　5年」 　　　「271の2　その他の半導体素子製造設備　7年」 (3)　別表第五関係 　　別表第五「新規産業用機械及び装置の耐用年数表」が廃止され、対象設備は最近の使用実態を踏まえて別表第二へ移行された。 (4)　その他 　　別表第五が廃止されたことに伴い、改正前の別表第六から別表第十一までの別表番号が一つずつ繰り上げられた。	同　　上
平　6	(1)　別表第一関係 　　「器具及び備品」の「8　医療機器」に「血液透析又は血しょう交換用機器」（人工腎臓装置）が追加された（耐用年数7年（改正前10年））。	平成6年4月1日以後開始する事業年度から適用
	(2)　特定登録ホテル等の減価償却資産の耐用年数の特例 　　適用期限を平成9年3月31日までとし、対象資産の取得時期に応じて耐用年数を段階的に引き上げることとされた。	平成6年4月1日前に取得したものは従前のとおり
平　7	(1)　別表第四関係 　①　「牛」の「繁殖用」の範囲に「体内受精卵移植証明書又は体外受精卵移植証明書のあるもの」が追加された。 　②　「牛」の「繁殖用」の「乳用牛」の耐用年数の改正（耐用年数4年（改正前6年））。	平成7年4月1日以後開始する事業年度から適用
	(2)　別表第七関係 　　「その他の機具」の「きのこ栽培用ほだ木」に「生しいたけ栽培用のもの」が追加された（耐用年数2年（改正前4年））。	同　　上
平　9	○　特定の登録ホテル等の減価償却資産の耐用年数の特例 　　適用期限（平成9年3月31日）の到来を以て廃止された。	平成9年3月31日以前に取得したものは従前のとおり
平　10	(1)　別表第一関係 　　建物について、耐用年数を10％から20％程度短縮し、最長のものでも50年とされた。 (2)　別表第三関係 　　平成10年4月1日以後に取得した営業権の償却方法が任意償却から5年間均等償却に改められた。 (3)　その他 　①　平成10年4月1日以後に取得した建物に係る償却方法は、定額法とされた。 　②　中古資産の耐用年数の見積りの簡便方法が法令化された。 　③　少額減価償却資産の取得価額基準が20万円未満から10万円未満に引き下げられた。ただし、取得価額が20万円未満の資産については、事業年度ごとに一括して3年間で償却できる方法を選択することができることとされた。 　④　初年度2分の1簡便償却制度が廃止された。 　⑤　ファイナンス・リースに該当するリース取引に係る賃貸資産で、非居住者又は外国人の国外において行われる業務の用に供される資産の償却方法は、リース期間定額法とされた。 (4)　特別修繕引当金について、積立限度額を4分の3に相当する金額とする等の見直しを行った上で、措置法において特別修繕準備金に改組された。 (5)　別表第三関係 　　商標権の項の次に「育成者権」が追加された。 　　（耐用年数：種苗法4②に規定する品種……10年 　　　　　　　その他　　　　　　　　　　……8年）	(1)、(3)の②から④及び(4)の改正は平成10年4月1日以後に開始する事業年度について、(2)及び(3)の①の改正は平成10年4月1日以後に終了する事業年度について、(3)の⑤の改正は平成10年10月1日以後に締結するリース取引に係る資産について、それぞれ適用される。 平成10年12月24日以後に事業の用に供するものから適用

【参考5】 耐用年数等の改正経過

改正年	改正内容	適用関係
平11	○ 鉱業用坑道等の特別償却 通気坑道及び排気坑道に係る割増償却制度が廃止された。	平成11年4月1日前に開始した事業年度については従前のとおり
平12	(1) 無形固定資産としてソフトウエアを追加 (2) 別表第三関係 商標権の項の次に「ソフトウエア」が追加された。 （耐用年数：複写販売用原本……3年 　　　　　　その他のもの　……5年） (3) 別表第八関係 「ソフトウエア」が追加された（耐用年数3年）。	平成12年4月1日以後に取得する資産について適用し、同日前に自己製作等を開始した資産である場合には、同日前に支出した製作費を控除した金額をもって取得価額とする。
平13	(1) 別表第一関係 「器具及び備品」の「2　事務機器及び通信機器」の「電子計算機」の耐用年数（改正前6年）が次のとおり改正された。 「電子計算機」 ・パーソナルコンピュータ ……4年 （サーバー用のものを除く） ・その他のもの……………………5年 (2) その他 特定情報通信機器の即時償却制度は期限（平成13年3月31日）どおり廃止された。	平成13年4月1日以後開始する事業年度から適用
平14	(1) 特別修繕引当金の繰入れに係る経過措置が廃止され、経過措置によって特別修繕引当金を繰入れ中の資産についても特別修繕引当金の繰入れはできないこととなった。 (2) 一定の電子機器利用設備に係る特別償却（いわゆる「メカトロ税制」）が廃止された。 ※ 実質的には、中小企業投資促進税制（措法42の11）に吸収	平成15年3月31日以後に終了する事業年度から適用
平15	(1) 情報通信機器等を取得した場合等の特別償却又は特別税額控除制度（いわゆる「IT投資促進税制」）が創設された。	平成15年1月1日以後取得する対象資産について、平成15年4月1日以後終了する事業年度において適用
	(2) 中小企業者等の少額減価償却資産の取得価額の損金算入の特例により、青色申告書を提出する中小企業者等について、取得価額30万円未満の減価償却資産について即時償却ができることとされた。	平成15年4月1日以後取得する資産について適用
平16	(1) 別表第四関係 「りんご樹」の耐用年数（改正前27年）が次のとおり改正された。 「りんご樹」 ・わい化りんご……20年 ・その他……………29年 (2) その他 平成10年3月31日以前に取得をされた営業権の償却方法である任意償却が廃止された。	平成16年4月1日以後開始する事業年度から適用
平18	(1) 中小企業者等の少額減価償却資産の取得価額の損金算入の特例制度について、当期に取得等をした少額減価償却資産の取得価額の合計額が300万円を超える場合には、その超える部分に係る減価償却資産が対象から除外された。	平成18年4月1日以後取得する資産について適用（平成18年3月31日以前に取得したものは従前どおり）
	(2) 情報基盤強化設備等（セキュリティ対応に係るISO認証を受けたソフトウエア等）を取得した場合等の特別償却又は法人税額の特別控除制度が創設された。	平成18年4月1日以後取得

改正年	改正内容	適用関係
	(3) その他 　情報通信機器等を取得した場合等の特別償却又は特別税額控除制度は期限（平成18年3月31日）どおり廃止された。	する資産について適用
平19	(1) 別表第二関係 　「173　半導体フォトレジスト製造設備」と「268の2　フラットパネルディスプレイ又はフラットパネル用フィルム材料製造設備」が新設された。	平成19年4月1日以後開始する事業年度から適用
	(2) 別表第九関係 　別表第九の名称が「平成十九年三月三十一日以前に取得をされた減価償却資産の償却率表」に改正された。	平成19年4月1日から施行
	(3) 別表第十関係 　新たに別表第十「平成十九年四月一日以後に取得をされた減価償却資産の償却率、改定償却率及び保証率の表」が設けられた。	同　上
	(4) 別表第十一関係 　別表第十「減価償却資産の残存割合表」が別表第十一「平成十九年三月三十一日以前に取得をされた減価償却資産の残存割合表」に改正された。	同　上
平20	(1) 別表第一関係 　「構築物」に「農林業用のもの」「露天式立体駐車場設備」、「器具及び備品」に「きのこ栽培用ほだ木」「無人駐車管理装置」が追加された。 (2) 別表第二関係 　機械及び装置の区分が55区分（改正前390区分）とされ、法定耐用年数の見直しが行われた。 (3) 別表第四関係 　「キウイフルーツ樹」「ブルーベリー樹」が追加されたほか法定耐用年数の見直し等が行われた。 (4) 別表第五関係 　旧別表第五「汚水処理用減価償却資産の耐用年数表」と旧別表第六「ばい煙処理用減価償却資産の耐用年数表」が統合され、新たに別表第五「公害防止用減価償却資産の耐用年数表」に改正された。 (5) 別表第六〜第八関係 　旧別表第八「開発研究用減価償却資産の耐用年数表」は別表第六へ、旧別表第九「平成十九年三月三十一日以前に取得をされた減価償却資産の償却率表」は別表第七へ、旧別表第十「平成十九年四月一日以後に取得をされた減価償却資産の償却率、改定償却率及び保証率の表」は別表第八へそれぞれ改正された。 (6) 別表第九関係 　旧別表第十一「平成十九年三月三十一日以前に取得をされた減価償却資産の残存割合表」は別表第九とされ、所要の改正が追加された。 (7) 旧別表第七「農林業用減価償却資産の耐用年数表」は別表第一及び別表第二に統合・整理された上、削除された。 (8) 耐用年数の短縮特例を受けた減価償却資産について、軽微な変更等一定の場合には届出書の提出により短縮特例の承認を受けたものとすることとされた。	既存の減価償却資産を含め、平成20年4月1日以後開始する事業年度から適用
平23	○ 耐用年数の短縮特例 　耐用年数の短縮特例について、その減価償却資産の使用可能期間のうちいまだ経過していない期間（以下「未経過使用可能期間」という。）をもって法定耐用年数とみなして償却限度額を計算する制度とされた。	平成23年4月1日以後に開始する事業年度において同年6月30日以後に耐用年数の短縮特例の承認を受ける場合のその承認に係る減価償却資産の償却限度額の計算について適用
	(1) 平成24年4月1日以後に取得をされた減価償却資産の定率法の償却率が、定額法の償却率の200％相当となる率とされた。 　この改正に伴い、改定償却率及び保証率についても改正が行われた。	平成24年4月1日以後に終了する事業年度の償却限度額の計算について適用

改正年	改正内容	適用関係
	(2) 上記(1)の改正に伴い、資本的支出の対象となった減価償却資産が平成24年3月31日以前に取得をされたものである場合には、資本的支出により新たに取得をしたものとされた減価償却資産と資本的支出の対象となった減価償却資産とを翌事業年度開始の時において合算することはできないこととされた。	同 上
	(3) 上記(1)の改正に伴い、法人がそのよるべき償却の方法として定率法を採用している減価償却資産のうちに平成24年3月31日以前に取得をされた減価償却資産と平成24年4月1日以後に取得をされた減価償却資産とがある場合には、これらの減価償却資産は、それぞれ償却の方法が異なるものとして、法人の有する減価償却資産の償却限度額は、減価償却資産の耐用年数等に関する省令（以下「耐用年数省令」という。）に規定する耐用年数に応じ、耐用年数省令に規定する種類の区分等ごとに、かつ、その耐用年数及びその法人が採用する償却の方法の異なるものについては、その異なるごとに、その償却の方法により計算した金額とする取扱いを適用することとされた。	同 上
	(1) 別表第七関係 　　別表第七の名称が「平成十九年三月三十一日以前に取得をされた減価償却資産の償却率表」に改正された。	平成24年4月1日以後開始事業年度から適用
	(2) 別表第八から別表十関係 　　旧別表第八「平成十九年四月一日以後に取得をされた減価償却資産の償却率、改定償却率及び保証率の表」が別表第八「平成十九年四月一日以後に取得をされた減価償却資産の定額法の償却率表」及び別表第九「平成十九年四月一日から平成二十四年三月三十一日までの間に取得をされた減価償却資産の定率法の償却率、改定償却率及び保証率の表」並びに別表第十「平成二十四年四月一日以後に取得をされた減価償却資産の定率法の償却率、改定償却率及び保証率の表」の3表に区分された。	同 上
	(3) 別表第十一関係 　　旧別表第九「平成十九年三月三十一日以前に取得をされた減価償却資産の残存割合表」が別表第十一とされた。	同 上
平 25	○ 別表第二関係 　　別表第二（機械及び装置の耐用年数表）「55　前掲の機械及び装置以外のもの並びに前掲の区分によらないもの」に区分される機械及び装置のうち、「ブルドーザー、パワーショベルその他の自走式作業用機械設備」の耐用年数が8年（改正前：17年）に短縮された。	平成25年4月1日以後に開始する事業年度について適用

耐用年数の適用等に関する取扱通達

直法 4 - 25（例規）
直審（法）38
昭和45年5月25日

国税局長　殿

国税庁長官

「耐用年数の適用等に関する取扱通達」の制定について

　耐用年数の適用等に関する取扱通達を別冊のとおり定めたから、これにより取り扱われたい。なお、下記の通達は廃止する。

記

　昭和27年3月11日付　直法1-30　減量率等による減価について
　昭和40年8月9日付　直法4-18ほか2課共同　減価償却資産の耐用年数等に関する省令別表の取扱について
　昭和43年1月30日付　直法4-5ほか1課共同　増加償却の適用に関する取扱いについて

省略用語例

 耐用年数の適用等に関する取扱通達において使用した次の省略用語は、それぞれ次に掲げる法令等を示すものである。(平20年課法2-14「一」により改正)

法…………………………	法人税法
令…………………………	法人税法施行令
規則………………………	法人税法施行規則
省令………………………	減価償却資産の耐用年数等に関する省令
別表第○…………………	減価償却資産の耐用年数等に関する省令別表第○
旧別表第二………………	減価償却資産の耐用年数等に関する省令の一部を改正する省令（平成20年財務省令第32号）による改正前の減価償却資産の耐用年数等に関する省令別表第二
基本通達…………………	昭和44年5月1日付直審（法）25法人税基本通達
連結納税基本通達………	平成15年2月28日付課法2-3ほか1課共同連結納税基本通達
日本標準産業分類………	日本標準産業分類（総務省統計局統計基準部編）

〔編注〕
1　耐用年数の適用等に関する取扱通達制定後における改正通達の前文及びその経過的取扱いについては、便宜、附則のあとに集録した。
2　改正通達により従来の取扱通達事項の追加又は改正をしたものは、それぞれの通達の末尾に改正した旨の表示をした。

目 次

- 序　章　本通達運用上の基本的留意事項 …………………………………… 282
- 第1章　耐用年数関係総論 …………………………………………………… 283
  - 第1節　通　　則 ………………………………………………………… 283
  - 第2節　建物関係共通事項 ……………………………………………… 285
  - 第3節　構築物関係共通事項 …………………………………………… 286
  - 第4節　機械及び装置関係共通事項 …………………………………… 286
  - 第5節　中古資産の耐用年数 …………………………………………… 288
  - 第6節　耐用年数の短縮 ………………………………………………… 291
  - 第7節　そ の 他 ………………………………………………………… 292
- 第2章　耐用年数関係各論 …………………………………………………… 293
  - 第1節　建　　物 ………………………………………………………… 293
  - 第2節　建物附属設備 …………………………………………………… 296
  - 第3節　構　築　物 ……………………………………………………… 299
  - 第4節　船　　舶 ………………………………………………………… 303
  - 第5節　車両及び運搬具 ………………………………………………… 304
  - 第6節　工　　具 ………………………………………………………… 306
  - 第7節　器具及び備品 …………………………………………………… 307
  - 第8節　機械及び装置 …………………………………………………… 310
  - 第9節　公害防止用減価償却資産 ……………………………………… 311
  - 第10節　開発研究用減価償却資産 ……………………………………… 315
- 第3章　増 加 償 却 …………………………………………………………… 317
- 第4章　特別な償却率による償却 …………………………………………… 320
  - 第1節　対象資産の範囲、残存価額等 ………………………………… 320
  - 第2節　特別な償却率の算定式 ………………………………………… 322
  - 第3節　特別な償却率の認定 …………………………………………… 323
- 第5章　単体納税に係るその他の取扱い …………………………………… 325
- 第6章　連結納税に係る取扱い ……………………………………………… 327
- 附　　則 ………………………………………………………………………… 328
- 耐用年数の適用等に関する取扱通達の付表（付表1～付表10）…………… 省略

序章　本通達運用上の基本的留意事項

　耐用年数の適用等に関する取扱通達（以下「耐用年数通達」という。）は、さきに制定された基本通達に呼応し、従来の耐用年数等減価償却の技術的事項に関する通達について全面的再検討を行い、これを整備統合するとともに、その取扱いにつき可及的に簡素化と弾力化を図ったものである。

　もとより、耐用年数通達は、主として技術的な事項に関するものであるから、その簡素化及び弾力化については、ある程度制約があることは否めないが、個々の減価償却資産の種類、構造、用途等の判断については、合理的な社会的慣行を尊重しつつ、弾力的な処理を行うべきものと考えられる。

　したがって、耐用年数通達の制定に当たっては、単なる解説的な事項及び公正な社会的慣行にその判断を委ねることが相当と認められる事項は、原則として通達として定めず、おおむね次のことに主眼をおいて定めた。

(1) 耐用年数表の適用区分についての基本的判定基準として定めることが相当な事項
(2) 現行耐用年数省令等の規定のもとにおいて、個々の実情に即し弾力的な取扱いをする場合として明らかにすることが必要と認められる事項
(3) 減価償却資産の属性、その区分等につき誤解を生ずることのないよう明らかにすることが相当と認められる事項
(4) 税法上の特別な制度についての具体的な適用に関してその取扱いを明らかにする必要があると認められる事項

　この耐用年数通達において、上記に定めた事項については、その取扱いに従って処理することとなるが、その取扱いを定めていない事項については、個々の具体的実情に応じ、それが会計処理のあり方に関するものであるときは基本通達及びその制定の趣旨に則って処理することとし、減価償却資産の属性、その区分等の技術的な事項に関するものであるときは第一次的には適正かつ合理的な社会慣行に従い、なお明確な判定等が困難なときは物品の分類等に関する文献等を参酌して合理的な判定等を行うよう留意する必要がある。

　いやしくも、通達に定めがないとの理由で法令の規定の趣旨や社会通念等から逸脱した運用を行ったり、解釈を行ったりすることのないように留意されたい。

第1章　耐用年数関係総論

第1節　通　　則

（2以上の用途に共用されている資産の耐用年数）

耐通1－1－1　同一の減価償却資産について、その用途により異なる耐用年数が定められている場合において、減価償却資産が2以上の用途に共通して使用されているときは、その減価償却資産の用途については、その使用目的、使用の状況等より勘案して合理的に判定するものとする。この場合、その判定した用途に係る耐用年数は、その判定の基礎となった事実が著しく異ならない限り、継続して適用する。

（資本的支出後の耐用年数）

耐通1－1－2　省令に定める耐用年数を適用している減価償却資産について資本的支出をした場合には、その資本的支出に係る部分の減価償却資産についても、現に適用している耐用年数により償却限度額を計算することに留意する。

　　令第55条第4項及び第5項《資本的支出の取得価額の特例》の規定により新たに取得したものとされる一の減価償却資産については、同条第4項に規定する旧減価償却資産に現に適用している耐用年数により償却限度額を計算することに留意する。（平19年課法2－7「一」により改正）

（他人の建物に対する造作の耐用年数）

耐通1－1－3　法人が建物を貸借し自己の用に供するため造作した場合（現に使用している用途を他の用途に変えるために造作した場合を含む。）の造作に要した金額は、当該造作が、建物についてされたときは、当該建物の耐用年数、その造作の種類、用途、使用材質等を勘案して、合理的に見積った耐用年数により、建物附属設備についてされたときは、建物附属設備の耐用年数により償却する。ただし、当該建物について賃借期間の定めがあるもの（賃借期間の更新のできないものに限る。）で、かつ、有益費の請求又は買取請求をすることができないものについては、当該賃借期間を耐用年数として償却することができる。（昭46年直法4－11「1」、平23年課法2－17「一」により改正）

　　（注）　同一の建物（一の区画ごとに用途を異にしている場合には、同一の用途に属する部分）についてした造作は、その全てを一の資産として償却をするのであるから、その耐用年数は、その造作全部を総合して見積ることに留意する。

（賃借資産についての改良費の耐用年数）

耐通1－1－4　法人が使用する他人の減価償却資産（1－1－3によるものを除く。）につき支出した資本的支出の金額は、当該減価償却資産の耐用年数により償却する。
　　この場合において、1－1－3のただし書の取扱いを準用する。

(貸与資産の耐用年数)

耐通1－1－5 貸与している減価償却資産の耐用年数は、別表において貸付業用として特掲されているものを除き、原則として、貸与を受けている者の資産の用途等に応じて判定する。

(前掲の区分によらない資産の意義等)

耐通1－1－6 別表第一又は別表第二に掲げる「前掲の区分によらないもの」とは、法人が別表第一に掲げる一の種類に属する減価償却資産又は別表第二の機械及び装置について「構造又は用途」、「細目」又は「設備の種類」ごとに区分しないで、当該一の種類に属する減価償却資産又は機械及び装置の全部を一括して償却する場合のこれらの資産をいい、別表第一に掲げる一の種類に属する減価償却資産又は別表第二の機械及び装置のうち、その一部の資産については区分されて定められた耐用年数を適用し、その他のものについては「前掲の区分によらないもの」の耐用年数を適用することはできないことに留意する。

　ただし、当該その他のものに係る「構造又は用途」、「細目」又は「設備の種類」による区分ごとの耐用年数の全てが、「前掲の区分によらないもの」の耐用年数より短いものである場合には、この限りでない。(平23年課法2－17「一」により改正)

(器具及び備品の耐用年数の選択適用)

耐通1－1－7 器具及び備品の耐用年数については、1－1－6にかかわらず、別表第一に掲げる「器具及び備品」の「1」から「11」までに掲げる品目のうちそのいずれか一についてその区分について定められている耐用年数により、その他のものについて一括して「12前掲する資産のうち、当該資産について定められている前掲の耐用年数によるもの以外のもの及び前掲の区分によらないもの」の耐用年数によることができることに留意する。

(耐用年数の選択適用ができる資産を法人が資産に計上しなかった場合に適用する耐用年数)

耐通1－1－8 法人が減価償却資産として計上すべきものを資産に計上しなかった場合において、基本通達7－5－1によりその取得価額に相当する金額を償却費として損金経理をしたものとして取り扱うときにおける当該計上しなかった資産（1－1－6ただし書又は1－1－7の適用がある場合に限る。）の耐用年数は、次による。

(1) 法人が当該計上しなかった資産と品目を一にするものを有している場合には、その品目について法人が適用している耐用年数による。

(2) 法人が当該計上しなかった資産と品目を一にするものを有していない場合には、それぞれ区分された耐用年数によるか、「前掲の区分によらないもの」の耐用年数によるかは、法人の申出によるものとし、その申出のないときは、「前掲の区分によらないもの」の耐用年数による。

(「構築物」又は「器具及び備品」で特掲されていないものの耐用年数)

耐通1－1－9 「構築物」又は「器具及び備品」（以下1－1－9において「構築物等」と

いう。）で細目が特掲されていないもののうちに、当該構築物等と「構造又は用途」及び使用状況が類似している別表第一に特掲されている構築物等がある場合には、別に定めるものを除き、税務署長（調査課所管法人にあっては、国税局長）の確認を受けて、当該特掲されている構築物等の耐用年数を適用することができる。

（特殊の減価償却資産の耐用年数の適用の特例）
耐通1－1－10　法人が別表第五又は別表第六に掲げられている減価償却資産について、別表第一又は別表第二の耐用年数を適用している場合には、継続して適用することを要件としてこれを認める。（平6年課法2－1「二」、平20年課法2－14「三」により改正）

第2節　建物関係共通事項

（建物の構造の判定）
耐通1－2－1　建物を構造により区分する場合において、どの構造に属するかは、その主要柱、耐力壁又ははり等その建物の主要部分により判定する。

（2以上の構造からなる建物）
耐通1－2－2　一の建物が別表第一の「建物」に掲げる2以上の構造により構成されている場合において、構造別に区分することができ、かつ、それぞれが社会通念上別の建物とみられるもの（例えば、鉄筋コンクリート造り3階建の建物の上に更に木造建物を建築して4階建としたようなもの）であるときは、その建物については、それぞれの構造の異なるごとに区分して、その構造について定められた耐用年数を適用する。

（建物の内部造作物）
耐通1－2－3　建物の内部に施設された造作については、その造作が建物附属設備に該当する場合を除き、その造作の構造が当該建物の骨格の構造と異なっている場合においても、それを区分しないで当該建物に含めて当該建物の耐用年数を適用する。したがって、例えば、旅館等の鉄筋コンクリート造の建物について、その内部を和風の様式とするため特に木造の内部造作を施設した場合においても、当該内部造作物を建物から分離して、木造建物の耐用年数を適用することはできず、また、工場建物について、温湿度の調整制御、無菌又は無じん空気の汚濁防止、防音、遮光、放射線防御等のために特に内部造作物を施設した場合には、当該内部造作物が機械装置とその効用を一にするとみられるときであっても、当該内部造作物は建物に含めることに留意する。

（2以上の用途に使用される建物に適用する耐用年数の特例）
耐通1－2－4　一の建物を2以上の用途に使用するため、当該建物の一部について特別な内部造作その他の施設をしている場合、例えば、鉄筋コンクリート造の6階建のビルディングのうち1階から5階までを事務所に使用し、6階を劇場に使用するため、6階について特別な内部造作をしている場合には、1－1－1にかかわらず、当該建物について別表第一の「建物」の「細目」に掲げる2以上の用途ごとに区分して、その

用途について定められている耐用年数をそれぞれ適用することができる。ただし、鉄筋コンクリート造の事務所用ビルディングの地階等に附属して設けられている電気室、機械室、車庫又は駐車場等のようにその建物の機能を果たすに必要な補助的部分（専ら区分した用途に供されている部分を除く。）については、これを用途ごとに区分しないで、当該建物の主たる用途について定められている耐用年数を適用する。

第3節　構築物関係共通事項

(構築物の耐用年数の適用)

耐通1－3－1　構築物については、まず、その用途により判定し、用途の特掲されていない構築物については、その構造の異なるごとに判定する。

(構築物と機械及び装置の区分)

耐通1－3－2　次に掲げるもののように生産工程の一部としての機能を有しているものは、構築物に該当せず、機械及び装置に該当するものとする。
(1)　醸成、焼成等の用に直接使用される貯蔵そう、仕込みそう、窯等
(2)　ガス貯そう、薬品貯そう又は水そう及び油そうのうち、製造工程中にある中間受そう及びこれに準ずる貯そうで、容量、規模等からみて機械及び装置の一部であると認められるもの
(3)　工業薬品、ガス、水又は油の配管施設のうち、製造工程に属するもの
(注)　タンカーから石油精製工場内の貯蔵タンクまで原油を陸揚げするために施設されたパイプライン等は、構築物に該当する。

(構築物の附属装置)

耐通1－3－3　構築物である石油タンクに固着する消火設備、塔の昇降設備等構築物の附属装置については、法人が継続して機械及び装置としての耐用年数を適用している場合には、これを認める。

第4節　機械及び装置関係共通事項

(機械及び装置の耐用年数)

耐通1－4－1　機械及び装置の耐用年数の適用については、機械及び装置を別表第二、別表第五又は別表第六に属するもの（別表第二に属する機械及び装置については、更に設備の種類ごと）に区分し、その耐用年数を適用する。（平6年課法2－1「三」、平20年課法2－14「四」により改正）
(注)　「前掲の区分によらないもの」の意義については、1－1－6参照。

(いずれの「設備の種類」に該当するかの判定)

耐通1－4－2　機械及び装置が一の設備を構成する場合には、当該機械及び装置の全部について一の耐用年数を適用するのであるが、当該設備が別表第二の「設備の種類」に掲げる設備（以下「業用設備」という。）のいずれに該当するかは、原則として、法人の当該設備の使用状況等からいずれの業種用の設備として通常使用しているかにより判定することに留意する。（平6年課法2－1「三」、平20年課法2－14「四」によ

り改正)

(最終製品に基づく判定)
耐通1－4－3　1－4－2の場合において、法人が当該設備をいずれの業種用の設備として通常使用しているかは、当該設備に係る製品(役務の提供を含む。以下「製品」という。)のうち最終的な製品(製品のうち中間の工程において生ずる製品以外のものをいう。以下「最終製品」という。)に基づき判定する。なお、最終製品に係る設備が業用設備のいずれに該当するかの判定は、原則として、日本標準産業分類の分類によることに留意する。(平20年課法2－14「四」により追加)

(中間製品に係る設備に適用する耐用年数)
耐通1－4－4　1－4－3の場合において、最終製品に係る一連の設備を構成する中間製品(最終製品以外の製品をいう。以下同じ。)に係る設備の規模が当該一連の設備の規模に占める割合が相当程度であるときは、当該中間製品に係る設備については、最終製品に係る業用設備の耐用年数を適用せず、当該中間製品に係る業用設備の耐用年数を適用する。
　この場合において、次のいずれかに該当すると認められるときは、当該割合が相当程度であると判定して差し支えない。(昭48年直法2－81「83」、平20年課法2－14「四」により改正)
(1)　法人が中間製品を他に販売するとともに、自己の最終製品の材料、部品等として使用している場合において、他に販売している数量等の当該中間製品の総生産量等に占める割合がおおむね50％を超えるとき
(2)　法人が工程の一部をもって、他から役務の提供を請け負う場合において、当該工程における稼動状況に照らし、その請負に係る役務の提供の当該工程に占める割合がおおむね50％を超えるとき

(自家用設備に適用する耐用年数)
耐通1－4－5　次に掲げる設備のように、その設備から生ずる最終製品を専ら用いて他の最終製品が生産等される場合の当該設備については、当該最終製品に係る設備ではなく、当該他の最終製品に係る設備として、その使用状況等から1－4－2の判定を行うものとする。(平20年課法2－14「四」により追加)
(1)　製造業を営むために有する発電設備及び送電設備
(2)　製造業を営むために有する金型製造設備
(3)　製造業を営むために有するエレベーター、スタッカー等の倉庫用設備
(4)　道路旅客運送業を営むために有する修理工場設備、洗車設備及び給油設備

(複合的なサービス業に係る設備に適用する耐用年数)
耐通1－4－6　それぞれの設備から生ずる役務の提供が複合して一の役務の提供を構成する場合の当該設備については、それぞれの設備から生ずる役務の提供に係る業種用の設備の耐用年数を適用せず、当該一の役務の提供に係る業種用の設備の耐用年数を適用する。したがって、例えば、ホテルにおいて宿泊業の業種用の設備の一部として通

常使用しているクリーニング設備や浴場設備については、「47宿泊業用設備」の耐用年数を適用することとなる。(平20年課法 2 － 14「四」により追加)

(プレス及びクレーンの基礎)
耐通 1 － 4 － 7 プレス及びクレーンの基礎は、原則として機械装置に含めるのであるが、次に掲げるものは、それぞれ次による。(平20年課法 2 － 14「四」により改正)
(1) プレス 自動車ボデーのタンデムプレスラインで多量生産方式に即するため、ピットを構築してプレスを装架する等の方式(例えば「総地下式」、「連続ピット型」、「連続基礎型」等と呼ばれているものをいう。)の場合における当該ピットの部分は、建物に含める。
(2) クレーン 造船所の大型ドック等において、地下組立用、船台取付用、ドック用又はぎ装用等のために有する走行クレーン(門型、ジブ型、塔形等)でその走行区間が長く、構築物と一体となっていると認められる場合には、その基礎に係る部分についてはその施設されている構築物に含め、そのレールに係る部分についてはその施設されている構築物以外の構築物に該当するものとする。

第 5 節 中古資産の耐用年数

(中古資産の耐用年数の見積法及び簡便法)
耐通 1 － 5 － 1 中古資産についての省令第 1 条第 1 項第 1 号に規定する方法(以下 1 － 7 － 2 までにおいて「見積法」という。)又は同項第 2 号に規定する方法(以下 1 － 5 － 7 までにおいて「簡便法」という。)による耐用年数の算定は、その事業の用に供した事業年度においてすることができるのであるから当該事業年度においてその算定をしなかったときは、その後の事業年度(その事業年度が連結事業年度に該当する場合には、当該連結事業年度)においてはその算定をすることができないことに留意する。(昭50年直法 2 － 21「 2 」、平 6 年課法 2 － 1 「四」、平10年課法 2 － 7 「一」、平16年課法 2 － 14「二」により改正)
(注) 法人が、法第72条第 1 項に規定する期間(以下「中間事業年度」という。)において取得した中古の減価償却資産につき法定耐用年数を適用した場合であっても、当該中間事業年度を含む事業年度においては当該資産につき見積法又は簡便法により算定した耐用年数を適用することができることに留意する。

(見積法及び簡便法を適用することができない中古資産)
耐通 1 － 5 － 2 法人が中古資産を取得した場合において、当該減価償却資産を事業の用に供するに当たって支出した資本的支出の金額が当該減価償却資産の再取得価額の100分の50に相当する金額を超えるときは、当該減価償却資産については、別表第一、別表第二、別表第五又は別表第六に定める耐用年数によるものとする。(平 6 年課法 2 － 1 「四」、平10年課法 2 － 7 「一」、平20年課法 2 － 14「五」により改正)

(中古資産に資本的支出をした後の耐用年数)
耐通 1 － 5 － 3 1 － 5 － 2 の取扱いは、法人が見積法又は簡便法により算定した耐用年数により減価償却を行っている中古資産につき、各事業年度において資本的支出を行っ

た場合において、一の計画に基づいて支出した資本的支出の金額の合計額又は当該各事業年度中に支出した資本的支出の金額の合計額が、当該減価償却資産の再取得価額の100分の50に相当する金額を超えるときにおける当該減価償却資産及びこれらの資本的支出の当該事業年度における資本的支出をした後の減価償却について準用する。(平10年課法2－7「一」により改正、平19年課法2－7「二」により改正)

(中古資産の耐用年数の見積りが困難な場合)

耐通1－5－4　省令第3条第1項第2号に規定する「前号の年数を見積もることが困難なもの」とは、その見積りのために必要な資料がないため技術者等が積極的に特別の調査をしなければならないこと又は耐用年数の見積りに多額の費用を要すると認められることにより使用可能期間の年数を見積もることが困難な減価償却資産をいう。(平10年課法2－7「一」により追加)

(経過年数が不明な場合の経過年数の見積り)

耐通1－5－5　法人がその有する中古資産に適用する耐用年数を簡便法により計算する場合において、その資産の経過年数が不明なときは、その構造、形式、表示されている製作の時期等を勘案してその経過年数を適正に見積もるものとする。(平10年課法2－7「一」により追加)

(資本的支出の額を区分して計算した場合の耐用年数の簡便計算)

耐通1－5－6　法人がその有する中古資産に適用する耐用年数について、省令第3条第1項ただし書の規定により簡便法によることができない場合であっても、法人が次の算式により計算した年数(1年未満の端数があるときは、これを切り捨てた年数とする。)を当該中古資産に係る耐用年数として計算したときには、当該中古資産を事業の用に供するに当たって支出した資本的支出の金額が当該減価償却資産の再取得価額の100分の50に相当する金額を超えるときを除き、これを認める。(平10年課法2－7「一」により追加)

(算式)

$$\text{当該中古資産の取得価額(資本的支出の価額を含む。)} \div \left[\frac{\text{当該中古資産の取得価額(資本的支出の額を含まない。)}}{\text{当該中古資産につき省令第3条第1項第2号の規定により算定した耐用年数}} + \frac{\text{当該中古資産の資本的支出の額}}{\text{当該中古資産に係る法定耐用年数}} \right]$$

(中古資産の耐用年数を簡便法により算定している場合において法定耐用年数が短縮されたときの取扱い)

耐通1－5－7　法人が、中古資産を取得し、その耐用年数を簡便法により算定している場合において、その取得の日の属する事業年度(その事業年度が連結事業年度に該当する場合には、当該連結事業年度)後の事業年度においてその資産に係る法定耐用年数が短縮されたときには、改正後の省令の規定が適用される最初の事業年度において改正後の法定耐用年数を基礎にその資産の耐用年数を簡便法により再計算することを認める。(平10年課法2－7「一」により追加、平16年課法2－14「二」により改正)

(注)　この場合の再計算において用いられる経過年数はその中古資産を取得したときにおける経過年数によることに留意する。

(中古の総合償却資産を取得した場合の総合耐用年数の見積り)

耐通１－５－８　総合償却資産（機械及び装置並びに構築物で、当該資産に属する個々の資産の全部につき、その償却の基礎となる価額を個々の資産の全部を総合して定められた耐用年数により償却することとされているものをいう。以下同じ。）については、法人が工場を一括して取得する場合等別表第一、別表第二、別表第五又は別表第六に掲げる一の「設備の種類」又は「種類」に属する資産の相当部分につき中古資産を一時に取得した場合に限り、次により当該資産の総合耐用年数を見積って当該中古資産以外の資産と区別して償却することができる。（平６年課法２－１「四」、平10年課法２－７「一」、平20年課法２－14「五」、平23年課法２－17「二」により改正）

(1)　中古資産の総合耐用年数は、同時に取得した中古資産のうち、別表第一、別表第二、別表第五又は別表第六に掲げる一の「設備の種類」又は「種類」に属するものの全てについて次の算式により計算した年数（その年数に１年未満の端数があるときは、その端数を切り捨て、その年数が２年に満たない場合には、２年とする。）による。

（算式）

$$\frac{\text{当該中古資産の取得価額の合計額}}{\text{当該中古資産を構成する個々の資産の全部につき、それぞれ個々の資産の取得価額を当該個々の資産について使用可能と見積もられる耐用年数で除して得た金額の合計額}}$$

(2)　(1)の算式において、個々の中古資産の耐用年数の見積りが困難な場合には、当該資産の種類又は設備の種類について定められた旧別表第二の法定耐用年数の算定の基礎となった当該個々の資産の個別耐用年数を基礎として省令第３条第１項第２号の規定の例によりその耐用年数を算定することができる。この場合において、当該資産が同項ただし書の場合に該当するときは１－５－６の取扱いを準用する。

　　(注)　個々の資産の個別耐用年数とは、「機械装置の個別年数と使用時間表」の「機械及び装置の細目と個別年数」の「同上算定基礎年数」をいい、構築物については、付表３又は付表４に定める算定基礎年数をいう。

　　　　ただし、個々の資産の個別耐用年数がこれらの表に掲げられていない場合には、当該資産と種類等を同じくする資産又は当該資産に類似する資産の個別耐用年数を基準として見積られる耐用年数とする。

(取得した中古機械装置等が設備の相当部分を占めるかどうかの判定)

耐通１－５－９　１－５－８の場合において、取得した中古資産がその設備の相当部分であるかどうかは、当該取得した資産の再取得価額の合計額が、当該資産を含めた当該資産の属する設備全体の再取得価額の合計額のおおむね100分の30以上であるかどうかにより判定するものとする。

　　この場合において、当該法人が２以上の工場を有するときは、工場別に判定する。
（平10年課法２－７「一」により改正）

(総合償却資産の総合残存耐用年数の見積りの特例)

耐通1－5－10　法人が工場を一括して取得する場合のように中古資産である一の設備の種類に属する総合償却資産の全部を一時に取得したときは、1－5－8にかかわらず、当該総合償却資産について定められている法定耐用年数から経過年数（当該資産の譲渡者が譲渡した日において付していた当該資産の帳簿価額を当該資産のその譲渡者に係る取得価額をもって除して得た割合に応ずる当該法定耐用年数に係る未償却残額割合に対応する譲渡者が採用していた償却の方法に応じた経過年数による。）を控除した年数に、経過年数の100分の20に相当する年数を加算した年数（その年数に1年未満の端数があるときは、その端数を切り捨て、その年数が2年に満たない場合には、2年とする。）を当該中古資産の耐用年数とすることができる。（平10年課法2－7「一」、平19年課法2－7「二」、平24年課法2－17「二」により改正）

(注) 1　償却の方法を旧定率法又は定率法によっている場合にあっては、未償却残額割合に対応する経過年数は、それぞれ付表7⑴旧定率法未償却残額表又は付表7⑵定率法未償却残額表若しくは付表7⑶定率法未償却残額表によることができる。

2　租税特別措置法に規定する特別償却をした資産（当該特別償却を準備金方式によったものを除く。）については、未償却残額割合を計算する場合の当該譲渡者が付していた帳簿価額は、合理的な方法により調整した金額によるものとする。

(見積法及び簡便法によることができない中古の総合償却資産)

耐通1－5－11　1－5－2の取扱いは、総合償却資産に属する中古資産を事業の用に供するに当たって資本的支出を行った場合に準用する。（平10年課法2－7「一」により改正）

(取り替えた資産の耐用年数)

耐通1－5－12　総合耐用年数を見積もった中古資産の全部又は一部を新たな資産と取り替えた場合（その全部又は一部について資本的支出を行い、1－5－3に該当することとなった場合を含む。）のその資産については、別表第一、別表第二、別表第五又は別表第六に定める耐用年数による。（平6年課法2－1「四」、平成10年課法2－7「一」、平20年課法2－14「五」により改正）

第6節　耐用年数の短縮

(総合償却資産の使用可能期間の算定)

耐通1－6－1　総合償却資産の使用可能期間は、総合償却資産に属する個々の資産の償却基礎価額の合計額を個々の資産の年要償却額（償却基礎価額を個々の資産の使用可能期間で除した額をいう。以下1－6－1の2において同じ。）の合計額で除して得た年数（1年未満の端数がある場合には、その端数を切り捨て、その年数が2年に満たない場合には、2年とする。）とする。（平23年課法2－17「三」により改正）

(総合償却資産の未経過使用可能期間の算定)

耐通1－6－1の2　総合償却資産の未経過使用可能期間は、総合償却資産の未経過期間対

応償却基礎価額を個々の資産の年要償却額の合計額で除して得た年数(その年数に1年未満の端数がある場合には、その端数を切り捨て、その年数が2年に満たない場合には、2年とする。)による。(平23年課法2-17「三」により追加)

(注) 1　未経過期間対応償却基礎価額とは、個々の資産の年要償却額に経過期間(資産の取得の時から使用可能期間を算定しようとする時までの期間をいう。)の月数を乗じてこれを12で除して計算した金額の合計額を個々の資産の償却基礎価額の合計額から控除した残額をいう。
　　　2　月数は暦に従って計算し、1月に満たない端数を生じたときは、これを1月とする。

(陳腐化による耐用年数の短縮)
耐通1-6-2　製造工程の一部の工程に属する機械及び装置が陳腐化したため耐用年数の短縮を承認した場合において、陳腐化した当該機械及び装置の全部を新たな機械及び装置と取り替えたときは、令第57条第4項の「不適当とする」特別の事由が生じた場合に該当することに留意する。

第7節　そ　の　他

(定率法を定額法に変更した資産の耐用年数改正後の適用年数)
耐通1-7-1　法人が減価償却資産の償却方法について、旧定率法から旧定額法に又は定率法から定額法に変更し、その償却限度額の計算につき基本通達7-4-4《定率法を定額法に変更した場合等の償却限度額の計算》の(2)のロに定める年数によっている場合において、耐用年数が改正されたときは、次の算式により計算した年数(その年数に1年未満の端数があるときは、その端数を切り捨て、その年数が2年に満たない場合には、2年とする。)により償却限度額を計算することができる。(平2年直法2-6「一」、平19年課法2-7「三」により改正)

$$\text{耐用年数改正前において適用していた年数} \times \frac{\text{改正後の耐用年数}}{\text{改正前の耐用年数}} = \text{新たに適用する年数}$$

(見積法を適用していた中古資産の耐用年数)
耐通1-7-2　見積法により算定した耐用年数を適用している中古資産について、法定耐用年数の改正があったときは、その改正後の法定耐用年数を基礎として当該中古資産の使用可能期間の見積り替えをすることはできないのであるが、改正後の法定耐用年数が従来適用していた見積法により算定した耐用年数より短いときは、改正後の法定耐用年数を適用することができる。(平10年課法2-7「一」により改正)

(耐用年数の短縮承認を受けていた減価償却資産の耐用年数)
耐通1-7-3　令第57条の規定により耐用年数短縮の承認を受けている減価償却資産について、耐用年数の改正があった場合において、改正後の耐用年数が当該承認を受けた耐用年数より短いときは、当該減価償却資産については、改正後の耐用年数によるのであるから留意する。

第2章　耐用年数関係各論

第1節　建　　物

（左記以外のもの）

耐通2－1－1　別表第一の「建物」に掲げる「事務所用……及び左記以外のもの」の「左記以外のもの」には、社寺、教会、図書館、博物館の用に供する建物のほか、工場の食堂（2－1－10に該当するものを除く。）、講堂（学校用のものを除く。）、研究所、設計所、ゴルフ場のクラブハウス等の用に供する建物が該当する。

（内部造作を行わずに賃貸する建物）

耐通2－1－2　一の建物のうち、その階の全部又は適宜に区分された場所を間仕切り等をしないで賃貸することとされているもので間仕切り等の内部造作については貸借人が施設するものとされている建物のその賃貸の用に供している部分の用途の判定については、1－1－5にかかわらず、「左記以外のもの」に該当するものとする。

（店舗）

耐通2－1－3　別表第一の「建物」に掲げる「店舗用」の建物には、いわゆる小売店舗の建物のほか、次の建物（建物の細目欄に特掲されているものを除く。）が該当する。
(1)　サンプル、モデル等を店頭に陳列し、顧客の求めに応じて当該サンプル等に基づいて製造、修理、加工その他のサービスを行うための建物、例えば、洋装店、写真業、理容業、美容業等の用に供される建物
(2)　商品等又はポスター類を陳列してＰ・Ｒをするいわゆるショールーム又はサービスセンターの用に供する建物
(3)　遊戯場用又は浴場業用の建物
(4)　金融機関、保険会社又は証券会社がその用に供する営業所用の建物で、常時多数の顧客が出入りし、その顧客と取引を行うための建物

（保育所用、託児所用の建物）

耐通2－1－4　保育所用及び託児所用の建物は、別表第一の「建物」に掲げる「学校用」のものに含まれるものとする。

（ボーリング場用の建物）

耐通2－1－5　ボーリング場用の建物は、別表第一の「建物」に掲げる「体育館用」のものに含まれるものとする。

（診療所用、助産所用の建物）

耐通2－1－6　診療所用及び助産所用の建物は、別表第一の「建物」に掲げる「病院用」のものに含めることができる。

(木造内装部分が3割を超えるかどうかの判定)
耐通2－1－7　旅館用、ホテル用、飲食店用又は貸席用の鉄骨鉄筋コンクリート造又は鉄筋コンクリート造の建物について、その木造内装部分の面積が延面積の3割を超えるかどうかを判定する場合には、その木造内装部分の面積は、客室、ホール、食堂、廊下等一般に顧客の直接利用の用に供される部分の面積により、延面積は、従業員控室、事務室その他顧客の利用の用に供されない部分の面積を含めた総延面積による。この場合における木造内装部分とは、通常の建物について一般的に施設されている程度の木造内装でなく客室等として顧客の直接利用の用に供するために相当の費用をかけて施設されている場合のその内装部分をいう。

(飼育用の建物)
耐通2－1－8　家畜、家きん、毛皮獣等の育成、肥育、採卵、採乳等の用に供する建物については、別表第一の「建物」に掲げる「と畜場用のもの」に含めることができる。

(公衆浴場用の建物)
耐通2－1－9　別表第一の「建物」に掲げる「公衆浴場用のもの」の「公衆浴場」とは、その営業につき公衆浴場法（昭和23年法律第139号）第2条の規定により都道府県知事の許可を受けた者が、公衆浴場入浴料金の統制額の指定等に関する省令（昭和32年厚生省令第38号）に基づき公衆浴場入浴料金として当該知事の指定した料金を収受して不特定多数の者を入浴させるための浴場をいう。したがって、特殊浴場、スーパー銭湯、旅館、ホテルの浴場又は浴室については、当該「公衆浴場用」に該当しないことに留意する。（昭46年直法4－11「3」、平20年課法2－14「六」により改正）

(工場構内の附属建物)
耐通2－1－10　工場の構内にある守衛所、詰所、監視所、タイムカード置場、自転車置場、消火器具置場、更衣所、仮眠所、食堂（簡易なものに限る。）、浴場、洗面所、便所その他これらに類する建物は、工場用の建物としてその耐用年数を適用することができる。

(給食加工場の建物)
耐通2－1－11　給食加工場の建物は、別表第一の「建物」に掲げる「工場（作業場を含む。）」に含まれるものとする。

(立体駐車場)
耐通2－1－12　いわゆる立体駐車場については、構造体、外壁、屋根その他建物を構成している部分は、別表第一の「建物」に掲げる「車庫用のもの」の耐用年数を適用する。（昭46年直法4－11「4」により改正）

(塩素等を直接全面的に受けるものの意義)
耐通2－1－13　別表第一の「建物」に掲げる「塩素、塩酸、硫酸、硝酸その他の著しい腐食性を有する液体又は気体の影響を直接全面的に受けるもの」とは、これらの液体又

第1節 建 物 295

は気体を当該建物の内部で製造、処理、使用又は蔵置（以下「製造等」という。）し、当該建物の一棟の全部にわたりこれらの液体又は気体の腐食の影響を受けるものをいうのであるが、当該法人が有する次に掲げる建物についても当該腐食の影響を受ける建物としての耐用年数を適用することができる。
(1) 腐食性薬品の製造等をする建物が上屋式（建物の内部と外部との間に隔壁がなく機械装置を被覆するための屋根のみがあるものをいう。）であるため、又は上屋式に準ずる構造であるため、その建物に直接隣接する建物（腐食性薬品の製造等をする建物からおおむね50メートル以内に存するものに限る。）についても腐食性薬品の製造等をする建物とほぼ同様の腐食が進行すると認められる場合におけるその隣接する建物
(2) 2階以上の建物のうち特定の階で腐食性薬品の製造等が行われ、その階については全面的に腐食性薬品の影響がある場合に、当該建物の帳簿価額を当該特定の階とその他の階の部分とに区分経理をしたときにおける当該特定の階に係る部分
(3) 建物の同一の階のうち隔壁その他により画然と区分された特定の区画については全面的に腐食性薬品の影響がある場合に、当該建物の帳簿価額を当該特定の区画とその他の区画の部分とに区分経理をしたときにおける当該特定の区画に係る部分

（塩素等を直接全面的に受けるものの例示）
耐通2－1－14 別表第一の「建物」に掲げる「塩素、塩酸、硫酸、硝酸その他の著しい腐食性を有する液体又は気体の影響を直接全面的に受けるもの」に通常該当すると思われる建物を例示すると、この通達の付表（以下「付表」という。）1の「塩素、塩酸、硫酸、硝酸その他の著しい腐食性を有する液体又は気体の影響を直接全面的に受ける建物の例示」のとおりである。

（冷蔵倉庫）
耐通2－1－15 別表第一の「建物」に掲げる「冷蔵倉庫用のもの」には、冷凍倉庫、低温倉庫及び氷の貯蔵庫の用に供される建物も含まれる。（昭49年直法2－71「36」により改正）

（放射線を直接受けるもの）
耐通2－1－16 別表第一の「建物」に掲げる「放射性同位元素の放射線を直接受けるもの」とは、放射性同位元素の使用等に当たり、放射性同位元素等による放射線障害の防止に関する法律（昭和32年法律第167号）に定める使用許可等を受けた者が有する放射性同位元素の使用等のされる建物のうち、同法第3条《使用の許可》又は第4条の2《廃棄の業の許可》に定める使用施設、貯蔵施設、廃棄施設、廃棄物詰替施設又は廃棄物貯蔵施設として同法に基づく命令の規定により特に設けた作業室、貯蔵室、廃棄作業室等の部分をいう。（平11年課法2－9「一」、平19年課法2－7「四」により改正）

（放射線発生装置使用建物）
耐通2－1－17 サイクロトロン、シンクロトロン等の放射線発生装置の使用により放射線

を直接受ける工場用の建物についても、「放射性同位元素の放射線を直接受けるもの」の耐用年数を適用することができる。

(著しい蒸気の影響を直接全面的に受けるもの)
耐通2－1－18　別表第一の「建物」に掲げる「著しい蒸気の影響を直接全面的に受けるもの」とは、操業時間中常時建物の室内の湿度が95％以上であって、当該建物の一棟の全部にわたり蒸気の影響を著しく受けるものをいう。

(塩、チリ硝石等を常置する建物及び蒸気の影響を受ける建物の区分適用)
耐通2－1－19　塩、チリ硝石その他の著しい潮解性を有する固体を一の建物のうちの特定の階等に常時蔵置している場合若しくは蒸気の影響が一の建物のうちの特定の階等について直接全面的である場合には、2－1－13の(2)及び(3)の取扱いを準用する。

(塩、チリ硝石等を常置する建物及び著しい蒸気の影響を受ける建物の例示)
耐通2－1－20　別表第一の「建物」に掲げる「塩、チリ硝石その他著しい潮解性……及び著しい蒸気の影響を直接全面的に受けるもの」に通常該当すると思われる建物を例示すると、付表2「塩、チリ硝石……の影響を直接全面的に受ける建物の例示」のとおりである。(昭48年直法2－8「88」により改正)

(バナナの熟成用むろ)
耐通2－1－21　鉄筋コンクリート造りのバナナ熟成用むろについては、別表第一の「建物」の「鉄筋コンクリート造」に掲げる「著しい蒸気の影響を直接全面的に受けるもの」に該当するものとして取り扱う。

(ビルの屋上の特殊施設)
耐通2－1－22　ビルディングの屋上にゴルフ練習所又は花壇その他通常のビルディングとしては設けることがない特殊施設を設けた場合には、その練習所又は花壇等の特殊施設は、当該ビルディングと区分し、構築物としてその定められている耐用年数を適用することができる。

(仮設の建物)
耐通2－1－23　別表第一の「建物」の「簡易建物」の「仮設のもの」とは、建設業における移動性仮設建物（建設工事現場において、その工事期間中建物として使用するためのもので、工事現場の移動に伴って移設することを常態とする建物をいう。）のように解体、組立てを繰り返して使用することを常態とするものをいう。

第2節　建物附属設備

(木造建物の特例)
耐通2－2－1　建物の附属設備は、原則として建物本体と区分して耐用年数を適用するのであるが、木造、合成樹脂造り又は木骨モルタル造りの建物の附属設備については、建物と一括して建物の耐用年数を適用することができる。

(電気設備)

耐通2-2-2　別表第一の「建物附属設備」に掲げる「電気設備」の範囲については、それぞれ次による。
　(1)　「蓄電池電源設備」とは、停電時に照明用に使用する等のためあらかじめ蓄電池に充電し、これを利用するための設備をいい、蓄電池、充電器及び整流器（回転変流器を含む。）並びにこれらに附属する配線、分電盤等が含まれる。
　(2)　「その他のもの」とは、建物に附属する電気設備で(1)以外のものをいい、例えば、次に掲げるものがこれに該当する。
　　イ　工場以外の建物については、受配電盤、変圧器、蓄電器、配電施設等の電気施設、電灯用配線施設及び照明設備（器具及び備品並びに機械装置に該当するものを除く。以下2-2-2において同じ。）並びにホテル、劇場等が停電時等のために有する内燃力発電設備
　　ロ　工場用建物については、電灯用配線施設及び照明設備

(給水設備に直結する井戸等)

耐通2-2-3　建物に附属する給水用タンク及び給水設備に直結する井戸又は衛生設備に附属する浄化水槽等でその取得価額等からみてしいて構築物として区分する必要がないと認められるものについては、それぞれ、別表第一の「建物附属設備」に掲げる「給排水設備」又は「衛生設備」に含めることができる。

(冷房、暖房、通風又はボイラー設備)

耐通2-2-4　別表第一の「建物附属設備」に掲げる「冷房、暖房、通風又はボイラー設備」の範囲については、次による。（平20年課法2-14「七」、平23年課法2-17「四」により改正）
　(1)　冷却装置、冷風装置等が一つのキャビネットに組み合わされたパッケージタイプのエアーコンディショナーであっても、ダクトを通じて相当広範囲にわたって冷房するものは、「器具及び備品」に掲げる「冷房用機器」に該当せず、「建物附属設備」の冷房設備に該当することに留意する。
　(2)　「冷暖房設備（冷凍機の出力が22キロワット以下のもの）」には、冷暖房共用のもののほか、冷房専用のものも含まれる。
　　（注）　冷暖房共用のものには、冷凍機及びボイラーのほか、これらの機器に附属する全ての機器を含めることができる。
　(3)　「冷暖房設備」の「冷凍機の出力」とは、冷凍機に直結する電動機の出力をいう。
　(4)　浴場業用の浴場ボイラー、飲食店業用のちゅう房ボイラー並びにホテル又は旅館のちゅう房ボイラー及び浴場ボイラーは、建物附属設備に該当しない。
　　（注）　これらのボイラーには、その浴場設備又はちゅう房設備の該当する業用設備の耐用年数を適用する。

(格納式避難設備)

耐通2-2-4の2　別表第一の「建物附属設備」に掲げる「格納式避難設備」とは、火災、地震等の緊急時に機械により作動して避難階段又は避難通路となるもので、所定

の場所にその避難階段又は避難通路となるべき部分を収納しているものをいう。(昭49年直法2-71「37」により追加)
(注) 折たたみ式縄ばしご、救助袋のようなものは、器具及び備品に該当することに留意する。

(エヤーカーテン又はドアー自動開閉設備)
耐通2-2-5 別表第一の「建物附属設備」に掲げる「エヤーカーテン又はドアー自動開閉設備」とは、電動機、圧縮機、駆動装置その他これらの附属機器をいうのであって、ドアー自動開閉機に直結するドアーは、これに含まれず、建物に含まれることに留意する。

(店用簡易装備)
耐通2-2-6 別表第一の「建物附属設備」に掲げる「店用簡易装備」とは、主として小売店舗等に取り付けられる装飾を兼ねた造作(例えば、ルーバー、壁板等)、陳列棚(器具及び備品に該当するものを除く。)及びカウンター(比較的容易に取替えのできるものに限り、単に床の上に置いたものを除く。)等で短期間(おおむね別表第一の「店用簡易装備」に係る法定耐用年数の期間)内に取替えが見込まれるものをいう。(昭46年直法4-11「5」、昭54年直法2-31「二」により改正)

(可動間仕切り)
耐通2-2-6の2 別表第一の「建物附属設備」に掲げる「可動間仕切り」とは、一の事務室等を適宜仕切って使用するために間仕切りとして建物の内部空間に取り付ける資材のうち、取り外して他の場所で再使用することが可能なパネル式若しくはスタッド式又はこれらに類するものをいい、その「簡易なもの」とは、可動間仕切りのうち、その材質及び構造が簡易で、容易に撤去することができるものをいう。(昭54年直法2-31「二」により追加)
(注) 会議室等に設置されているアコーディオンドア、スライディングドア等で他の場所に移設して再使用する構造になっていないものは、「可動間仕切り」に該当しない。

(前掲のもの以外のものの例示)
耐通2-2-7 別表第一の「建物附属設備」の「前掲のもの以外のもの」には、例えば、次のようなものが含まれる。(平2年直法2-6「二」により改正)
(1) 雪害対策のため、建物に設置された融雪装置で、電気設備に該当するもの以外のもの(当該建物への出入りを容易にするため設置するものを含む。)
(注) 構築物に設置する融雪装置は、構築物に含め、公共的施設又は共同的施設に設置する融雪装置の負担金は、基本通達8-1-3又は8-1-4に定める繰延資産に該当する。
(2) 危険物倉庫等の屋根の過熱防止のために設置された散水装置
(3) 建物の外窓清掃のために設置された屋上のレール、ゴンドラ支持装置及びこれに係るゴンドラ

(4) 建物に取り付けられた避雷針その他の避雷装置
(5) 建物に組み込まれた書類搬送装置（簡易なものを除く。）

第3節　構　築　物

（鉄道用の土工設備）

耐通2－3－1　別表第一の「構築物」の「鉄道業用又は軌道業用のもの」及び「その他の鉄道用又は軌道用のもの」に掲げる「土工設備」とは、鉄道軌道施設のため構築した線路切取り、線路築堤、川道付替え、土留め等の土工施設をいう。

（高架鉄道の高架構造物のく体）

耐通2－3－2　高架鉄道の高架構造物のく（躯）体は「高架道路」に該当せず、「構築物」に掲げる「鉄道業用又は軌道業用のもの」又は「その他の鉄道用又は軌道用のもの」の「橋りょう」に含まれる。

（配電線、引込線及び地中電線路）

耐通2－3－3　別表第一の「構築物」に掲げる「発電用又は送配電用のもの」の「配電用のもの」の「配電線」、「引込線」及び「地中電線路」とは、電気事業者が需要者に電気を供給するための配電施設に含まれるこれらのものをいう。

　（注）　電気事業以外の事業を営む者の有するこれらの資産のうち、建物の配線施設は別表第一の「建物附属設備」の「電気設備」に該当し、機械装置に係る配電設備は当該機械装置に含まれる。

（有線放送電話線）

耐通2－3－4　いわゆる有線放送電話用の木柱は、別表第一の「構築物」の「放送用又は無線通信用のもの」に掲げる「木塔及び木柱」に該当する。（昭46年直法4－11「6」により改正）

（広告用のもの）

通達2－3－5　別表第一の「構築物」に掲げる「広告用のもの」とは、いわゆる野立看板、広告塔等のように広告のために構築された工作物（建物の屋上又は他の構築物に特別に施設されたものを含む。）をいう。

　（注）　広告用のネオンサインは、「器具及び備品」の「看板及び広告器具」に該当する。

（野球場、陸上競技場、ゴルフコース等の土工施設）

耐通2－3－6　別表第一の「構築物」の「競技場用、運動場用、遊園地用又は学校用のもの」に掲げる「野球場、陸上競技場、ゴルフコースその他のスポーツ場の排水その他の土工施設」とは、野球場、庭球場等の暗きょ、アンツーカー等の土工施設をいう。

　（注）　ゴルフコースのフェアウェイ、グリーン、築山、池その他これらに類するもので、一体となって当該ゴルフコースを構成するものは土地に該当する。

(「構築物」の「学校用」の意義)
耐通2－3－7　2－1－4の取扱いは、「構築物」の「学校用のもの」についても準用する。

　(幼稚園等の水飲場等)
耐通2－3－8　幼稚園、保育所等が屋外に設けた水飲場、足洗場及び砂場は、別表第一の「構築物」の「競技場用、運動場用、遊園地用又は学校用のもの」の「その他のもの」の「児童用のもの」の「その他のもの」に該当する。

　(緑化施設)
耐通2－3－8の2　別表第一の「構築物」に掲げる「緑化施設」とは、植栽された樹木、芝生等が一体となって緑化の用に供されている場合の当該植栽された樹木、芝生等をいい、いわゆる庭園と称されるもののうち、花壇、植樹等植物を主体として構成されているものはこれに含まれるが、ゴルフ場、運動競技場の芝生等のように緑化以外の本来の機能を果たすために植栽されたものは、これに含まれない。(昭49年直法2－71「38」により追加)
　(注)1　緑化施設には、並木、生垣等はもとより、緑化の用に供する散水用配管、排水溝等の土工施設も含まれる。
　　　2　緑化のための土堤等であっても、その規模、構造等からみて緑化施設以外の独立した構築物と認められるものは、当該構築物につき定められている耐用年数を適用する。

　(緑化施設の区分)
耐通2－3－8の3　緑化施設が別表第一の「構築物」に掲げる「緑化施設」のうち、工場緑化施設に該当するかどうかは、一の構内と認められる区域ごとに判定するものとし、その区域内に施設される建物等が主として工場用のものである場合のその区域内の緑化施設は、工場緑化施設に該当するものとする。(昭49年直法2－71「38」により追加)
　(注)　工場緑化施設には、工場の構外に施設された緑化施設であっても、工場の緑化を目的とすることが明らかなものを含む。

　(工場緑化施設を判定する場合の工場用の建物の判定)
耐通2－3－8の4　2－3－8の3において工場用の建物には、作業場及び2－1－10に掲げる附属建物のほか、発電所又は変電所の用に供する建物を含むものとする。(昭49年直法2－71「38」により追加)
　(注)　倉庫用の建物は、工場用の建物に該当しない。

　(緑化施設を事業の用に供した日)
耐通2－3－8の5　緑化施設を事業の用に供した日の判定は、一の構内と認められる区域に施設される緑化施設の全体の工事が完了した日によるものとするが、その緑化施設が2以上の計画により施工される場合には、その計画ごとの工事の完了の日によるこ

とができるものとする。(昭49年直法2-71「38」により追加)

(庭園)
耐通2-3-9　別表第一の「構築物」に掲げる「庭園（工場緑化施設に含まれるものを除く。）」とは、泉水、池、灯ろう、築山、あずまや、花壇、植樹等により構成されているもののうち、緑化施設に該当しないものをいう。(昭49年直法2-71「39」により改正)

(舗装道路)
耐通2-3-10　別表第一の「構築物」に掲げる「舗装道路」とは、道路の舗装部分をいうのであるが、法人が舗装のための路盤部分を含めて償却している場合には、これを認める。

(舗装路面)
耐通2-3-11　別表第一の「構築物」に掲げる「舗装路面」とは、道路以外の地面の舗装の部分をいう。したがって、工場の構内、作業広場、飛行場の滑走路（オーバーラン及びショルダーを含む。）、誘導路、エプロン等の舗装部分が、これに該当する。この場合、2-3-10の取扱いは、「舗装路面」の償却についても準用する。

(ビチューマルス敷のもの)
耐通2-3-12　別表第一の「構築物」に掲げる「舗装道路及び舗装路面」の「ビチューマルス敷のもの」とは、道路又は地面を舗装する場合に基礎工事を全く行わないで、砕石とアスファルト乳剤類とを材料としてこれを地面に直接舗装したものをいう。

(砂利道)
耐通2-3-13　表面に砂利、砕石等を敷設した砂利道又は砂利路面については、別表第一の「構築物」の「舗装道路及び舗装路面」に掲げる「石敷のもの」の耐用年数を適用する。(昭55年直法2-8「一」により改正)

(高架道路)
耐通2-3-14　別表第一の「構築物」に掲げる「高架道路」とは、高架道路の高架構造物のく（軀）体をいい、道路の舗装部分については、「舗装道路」の耐用年数を適用する。

(飼育場)
耐通2-3-15　別表第一の「構築物」に掲げる「飼育場」とは、家きん、毛皮獣等の育成、肥育のための飼育小屋、さくその他の工作物をいうのであるが、これに附帯する養鶏用のケージ等の一切の施設もこれに含めてその耐用年数を適用することができる。

(爆発物用防壁)

耐通2－3－16　別表第一の「構築物」に掲げる「爆発物用防壁」とは、火薬類取締法（昭和25年法律第149号）、高圧ガス保安法（昭和26年法律第204号）等火薬類の製造、蔵置又は販売等の規制に関する法令に基づいて構築される爆発物用の防壁をいうのであるから、単なる延焼防止用の防火壁等については「防壁（爆発物用のものを除く。）」の耐用年数を適用することに留意する。（平11年課法2－9「二」により改正）

(防油堤)

耐通2－3－17　別表第一の「構築物」の「防油堤」とは、危険物貯蔵タンクに貯蔵されている危険物の流出防止のため設けられた危険物の規制に関する政令（昭和34年政令第306号）第11条第1項第15号に規定する防油堤をいう。（平19年課法2－3「一」により改正）

(放射性同位元素の放射線を直接受けるもの)

耐通2－3－18　別表第一の「構築物」に掲げる「鉄骨鉄筋コンクリート造又は鉄筋コンクリート造のもの」の「放射性同位元素の放射線を直接受けるもの」とは、放射性同位元素等による放射線障害の防止に関する法律（昭和32年法律第167号）第3条《使用の許可》又は第4条の2《廃棄の業の許可》に定める使用施設、貯蔵施設、廃棄施設、廃棄物詰替施設又は廃棄物貯蔵施設の設置のため必要な遮へい壁等をいう。（平11年課法2－9「二」、平19年課法2－7「五」により改正）

(放射線発生装置の遮へい壁等)

耐通2－3－19　2－1－17の取扱いは、別表第一の「構築物」に掲げる「鉄骨鉄筋コンクリート造又は鉄筋コンクリート造のもの」の「放射性同位元素の放射線を直接受けるもの」について準用する。

(塩素等著しい腐食性を有するガスの影響を受けるもの)

耐通2－3－20　2－1－13の(1)の取扱いは、別表第一の「構築物」に掲げる「れんが造のもの」の「塩素、クロールスルホン酸その他の著しい腐食性を有するガスの影響を受けるもの」について準用する。

(自動車道)

耐通2－3－21　別表第一の「構築物」の「土造のもの」に掲げる「自動車道」とは、道路運送法（昭和26年法律第183号）第47条《免許》の規定により国土交通大臣の免許を受けた自動車道事業者がその用に供する一般自動車道（自動車道事業者以外の者が専ら自動車の交通の用に供する道路で一般自動車道に類するものを含む。）で、原野、山林等を切り開いて構築した切土、盛土、路床、路盤、土留め等の土工施設をいう。（昭53年直法2－24「1」、平14年課法2－1「二」により改正）

(打込み井戸)

耐通2－3－22　別表第一の「構築物」の「金属造のもの」に掲げる「打込み井戸」には、

いわゆるさく井（垂直に掘削した円孔に鉄管等の井戸側を装置した井戸をいう。）を含むものとする。
(注) いわゆる堀り井戸については、井戸側の構造に応じ、別表第一の構築物について定められている耐用年数を適用することに留意する。

(地盤沈下による防潮堤、防波堤等の積上げ費)

耐通2－3－23　地盤沈下のため、防潮堤、防波堤等の積上げ工事を行った場合におけるその積上げ工事の償却の基礎とする耐用年数は、積上げ工事により積み上げた高さをその工事の完成前5年間における地盤沈下の1年当たり平均沈下高で除して計算した年数（1年未満の端数は、切り捨てる。）による。（昭55年直法2－8「一」により改正）

(注) 法人が地盤沈下に基因して、防潮堤、防波堤、防水堤等の積上げ工事を行った場合において、数年内に再び積上げ工事を行わなければならないものであると認められるときは、基本通達7－8－8によりその積上げ工事に要した費用を一の減価償却資産として償却することができる。

(地盤沈下対策設備)

耐通2－3－24　地盤沈下による浸水の防止又は排水のために必要な防水塀、排水溝、排水ポンプ及びモーター等の地盤沈下対策設備の耐用年数は、それぞれ次の年数によることができる。ただし、(3)に掲げる排水ポンプ、モーター等の機械装置及び排水溝その他これに類する構築物で簡易なものについては、これらの資産を一括して耐用年数10年を適用することができる。（平20年課法2－14「八」により改正）

(1) 防水塀については、2－3－23に準じて計算した年数
(2) 通常機械及び装置と一体となって使用される排水ポンプ及びモーター等については、当該機械及び装置に含めて当該機械及び装置に適用すべき耐用年数
(3) (2)以外の排水ポンプ及びモーター等については、別表第二「55前掲の機械及び装置以外のもの並びに前掲の区分によらないもの」の耐用年数
(4) コンクリート造等のような恒久的な排水溝その他これに類する構築物については、それぞれの構造に係る「下水道」の耐用年数

第4節　船　　　舶

(船舶搭載機器)

耐通2－4－1　船舶に搭載する機器等についての耐用年数の適用は、次による。（昭46年直法4－11「7」により改正）

(1) 船舶安全法（昭和8年法律第11号）及びその関係法規により施設することを規定されている電信機器、救命ボートその他の法定備品については、船舶と一括してその耐用年数を適用する。
(2) (1)以外の工具、器具及び備品並びに機械及び装置で船舶に常時搭載するものについても船舶と一括してその耐用年数を適用すべきであるが、法人が、これらの資産を船舶と区分して別表第一又は別表第二に定める耐用年数を適用しているときは、それが特に不合理と認められる場合を除き、これを認める。

(注) 別表第一の「船舶」に掲げる「しゅんせつ船」、「砂利採取船」及び「発電船」に搭載されている掘削機、砂利採取用機械等の作業用機器及び発電機のようにその船舶の細目の区分に関係する機器について、これらを搭載している船舶本体と分離して別個の耐用年数を適用することは、不合理と認められる場合に該当する。

(L.P.Gタンカー)
耐通2−4−2　L.P.G（液化石油ガス）タンカーについては、油そう船の耐用年数を適用する。

(しゅんせつ船及び砂利採取船)
耐通2−4−3　別表第一の「船舶」に掲げる「しゅんせつ船及び砂利採取船」とは、しゅんせつ又は砂利採取（地表上にある砂、砂利及び岩石の採取を含む。以下「2−4−3」において同じ。）用の機器を搭載しているなど、主としてしゅんせつ又は砂利採取に使用される構造を有する船舶をいうのであるが、しゅんせつ又は砂利採取を行うとともに、その採取した砂、砂利、岩石等を運搬することができる構造となっている船舶も含めることができる。（昭46年直法4−11「8」により追加）

(サルベージ船等の作業船、かき船等)
耐通2−4−4　サルベージ船、工作船、起重機船その他の作業船は、自力で水上を航行しないものであっても船舶に該当するが、いわゆるかき船、海上ホテル等のようにその形状及び構造が船舶に類似していても、主として建物又は構築物として用いることを目的として建造（改造を含む。）されたものは、船舶に該当しないことに留意する。（昭46年直法4−11「8」により改正）

第5節　車両及び運搬具

(車両に搭載する機器)
耐通2−5−1　車両に常時搭載する機器（例えば、ラジオ、メーター、無線通信機器、クーラー、工具、スペアータイヤ等をいう。）については、車両と一括してその耐用年数を適用する。

(高圧ボンベ車及び高圧タンク車)
耐通2−5−2　別表第一の「車両及び運搬具」の「鉄道用又は軌道用車両」に掲げる「高圧ボンベ車及び高圧タンク車」とは、車体と一体となってその用に供される高圧ボンベ又は高圧タンクで、高圧ガス保安法（昭和26年法律第204号）第44条《容器検査》の規定により搭載タンクの耐圧試験又は気密試験を必要とするものを架装した貨車をいう。（平11年課法2−9「三」により改正）

(薬品タンク車)
耐通2−5−3　別表第一の「車両及び運搬具」の「鉄道用又は軌道用車両」に掲げる「薬品タンク車」とは、液体薬品を専ら輸送するタンク車をいう。

第5節　車両及び運搬具

（架空索道用搬器）

耐通2-5-4　別表第一の「車両及び運搬具」に掲げる「架空索道用搬器」とは、架空索条に搬器をつるして人又は物を運送する設備の当該搬器をいい、ロープウェイ、観光リフト、スキーリフト、貨物索道等の搬器がこれに該当する。

（特殊自動車に該当しない建設車両等）

耐通2-5-5　トラッククレーン、ブルドーザー、ショベルローダー、ロードローラー、コンクリートポンプ車等のように人又は物の運搬を目的とせず、作業場において作業することを目的とするものは、「特殊自動車」に該当せず、機械及び装置に該当する。この場合において、当該建設車両等の耐用年数の判定は、1-4-2によることに留意する。（平20年課法2-14「九」により改正）

（運送事業用の車両及び運搬具）

耐通2-5-6　別表第一の「車両及び運搬具」に掲げる「運送事業用の車両及び運搬具」とは、道路運送法（昭和26年法律第183号）第4条《一般旅客自動車運送事業の許可》の規定により国土交通大臣の許可を受けた者及び貨物自動車運送事業法（平成元年法律第83号）第3条《一般貨物自動車運送事業の許可》の規定により国土交通大臣の許可を受けた者が自動車運送事業の用に供するものとして登録された車両及び運搬具をいう。（平3年課法2-4「一」、平11年課法2-9「三」、平12年課法1-49、平14年課法2-1「三」により改正）

（貸自動車業用）

耐通2-5-7　別表第一の「車両及び運搬具」に掲げる「貸自動車業用の車両」とは、不特定多数の者に一時的に自動車を賃貸することを業とする者がその用に供する自動車をいい、いわゆるレンタカーがこれに該当する。なお、特定者に長期にわたって貸与するいわゆるリース事業を行う者がその用に供する自動車は、貸自動車業用の耐用年数を適用せず、その貸与先の実際の用途に応じた耐用年数を適用することに留意する。

（貨物自動車と乗用自動車との区分）

耐通2-5-8　貨客兼用の自動車が貨物自動車であるかどうかの区分は、自動車登録規則（昭和45年運輸省令第7号）第13条《自動車登録番号》の規定による自動車登録番号により判定する。（平3年課法2-4「一」、平14年課法2-1「三」により改正）

（乗合自動車）

耐通2-5-9　別表第一の「車両及び運搬具」の「運送事業用」に掲げる「乗合自動車」とは、道路交通法（昭和35年法律第105号）第3条《自動車の種類》に定める大型自動車又は中型自動車で、専ら人の運搬を行う構造のものをいう。（平19年課法2-7「六」により改正）

(報道通信用のもの)

耐通2-5-10 別表第一の「車両及び運搬具」の「前掲のもの以外のもの」に掲げる「報道通信用のもの」とは、日刊新聞の発行、ラジオ放送若しくはテレビ放送を業とする者又は主として日刊新聞、ラジオ放送等に対するニュースを提供することを業とする者が、報道通信用として使用する自動車をいう。したがって、週刊誌、旬刊誌等の発行事業用のものは、これに該当しないことに留意する。

(電気自動車に適用する耐用年数)

耐通2-5-11 電気自動車のうち道路運送車両法(昭和26年法律第185号)第3条《自動車の種別》に規定する軽自動車に該当するものは、「車両及び運搬具」の「前掲のもの以外のもの」の「自動車(二輪又は三輪自動車を除く。)」の「小型車」に該当することに取り扱う。(昭46年直法4-11「9」により追加)

第6節 工　　　具

(測定工具及び検査工具)

耐通2-6-1 別表第一の「工具」に掲げる「測定工具及び検査工具」とは、ブロックゲージ、基準巻尺、ダイヤルゲージ、粗さ測定器、硬度計、マイクロメーター、限界ゲージ、温度計、圧力計、回転計、ノギス、水準器、小型トランシット、スコヤー、V型ブロック、オシロスコープ、電圧計、電力計、信号発生器、周波数測定器、抵抗測定器、インピーダンス測定器その他測定又は検査に使用するもので、主として生産工程(製品の検査等を含む。)で使用する可搬式のものをいう。

(ロール)

耐通2-6-2 別表第一の「工具」に掲げる「ロール」とは、鉄鋼圧延ロール、非鉄金属圧延ロール、なつ染ロール、製粉ロール、製麦ロール、火薬製造ロール、塗料製造ロール、ゴム製品製造ロール、菓子製造ロール、製紙ロール等の各種ロールで被加工物の混練、圧延、成型、調質、つや出し等の作業を行うものをいう。したがって、その形状がロール状のものであっても、例えば、移送用ロールのようにこれらの作業を行わないものは、機械又は装置の部品としてその機械又は装置に含まれることに留意する。

(金属製柱及びカッペ)

耐通2-6-3 別表第一の「工具」に掲げる「金属製柱及びカッペ」とは、鉱業の坑道において使用する金属製の支柱及び横はり(梁)で鉱物の採掘等の作業に使用するものをいう。

(建設用の足場材料)

耐通2-6-4 建設業者等が使用する建設用の金属製の足場材料は、別表第一の「工具」に掲げる「金属製柱及びカッペ」の耐用年数を適用する。

第7節　器具及び備品

（前掲する資産のうち当該資産について定められている前掲の耐用年数によるもの以外のもの及び前掲の区分によらないもの）

耐通2－7－1　「12前掲する資産のうち、当該資産について定められている前掲の耐用年数によるもの以外のもの」とは、器具及び備品について「1家具、電気機器、ガス機器及び家庭用品」から「11前掲のもの以外のもの」までに掲げる細目のうち、そのいずれか一についてはその区分に特掲されている耐用年数により、その他のものについては一括して償却する場合のその一括して償却するものをいい、「前掲の区分によらないもの」とは、「1」から「11」までの区分によらず、一括して償却する場合のそのよらないものをいう。

（注）　1－1－7参照

（主として金属製のもの）

耐通2－7－2　器具及び備品が別表第一の「器具及び備品」の「細目」欄に掲げる「主として金属製のもの」又は「その他のもの」のいずれに該当するかの判定は、耐用年数に最も影響があると認められるフレームその他の主要構造部分の材質が金属製であるかどうかにより行う。

（接客業用のもの）

耐通2－7－3　別表第一の「器具及び備品」の「1家具、電気機器及び家庭用品」に掲げる「接客業用のもの」とは、飲食店、旅館等においてその用に直接供するものをいう。

（冷房用又は暖房用機器）

耐通2－7－4　別表第一の「器具及び備品」の「1家具、電気機器及び家庭用品」に掲げる「冷房用又は暖房用機器」には、いわゆるウインドータイプのルームクーラー又はエアーコンディショナー、電気ストーブ等が該当する。

（注）　パッケージドタイプのエアーコンディショナーで、ダクトを通じて相当広範囲にわたって冷房するものは、「器具及び備品」に該当せず、「建物附属設備」の「冷房、暖房、通風又はボイラー設備」に該当する。

（謄写機器）

耐通2－7－5　別表第一の「器具及び備品」の「2事務機器及び通信機器」に掲げる「謄写機器」とは、いわゆる謄写印刷又はタイプ印刷の用に供する手刷機、輪転謄写機等をいい、フォトオフセット、タイプオフセット、フォトタイプオフセット等の印刷機器は、別表第二の「7印刷業又は印刷関連業用設備」に該当することに留意する。
（平20年課法2－14「十」により改正）

（電子計算機）

耐通2－7－6　別表第一の「器具及び備品」の「2事務機器及び通信機器」に掲げる「電

子計算機」とは、電子管式又は半導体式のもので、記憶装置、演算装置、制御装置及び入出力装置からなる計算機をいう。(昭50年直法2-21「3」により改正)
　(注)　電子計算機のうち記憶容量（検査ビットを除く。）が12万ビット未満の主記憶装置（プログラム及びデータが記憶され、中央処理装置から直接アクセスできる記憶装置をいう。）を有するもの（附属の制御装置を含む。）は、計算機として取り扱うことができる。

（旅館、ホテル業における客室冷蔵庫自動管理機器）
耐通2-7-6の2　旅館業又はホテル業における客室冷蔵庫自動管理機器（客室の冷蔵庫における物品の出し入れを自動的に記録するため、フロント等に設置された機器並びにこれと冷蔵庫を連結する配線及び附属の機器をいう。）は、別表第一の「器具及び備品」の耐用年数を適用する。(昭53年直法2-24「2」により追加、平12年課法2-19「一」、平14年課法2-1「四」により改正)
　(注)　冷蔵庫については、「電気冷蔵庫、……ガス機器」の耐用年数を適用する。

（オンラインシステムの端末機器等）
耐通2-7-7　いわゆるオンラインシステムにおける端末機器又は電子計算機に附属するせん孔機、検査機、カーボンセパレーター、カッター等は、別表第一の「器具及び備品」の「2事務機器及び通信機器」の「その他の事務機器」に該当する。

（書類搬送機器）
耐通2-7-8　建物附属設備に該当しない簡易な書類搬送機器は、別表第一の「器具及び備品」の「2事務機器及び通信機器」の「その他の事務機器」に該当する。

（テレビジョン共同聴視用装置）
耐通2-7-9　テレビジョン共同聴視用装置のうち、構築物に該当するもの以外のものについては、別表第一の「器具及び備品」の「2事務機器及び通信機器」に掲げる「電話設備その他の通信機器」の耐用年数を、当該装置のうち構築物に該当するものについては、同表の「構築物」に掲げる「放送用又は無線通信用のもの」の耐用年数をそれぞれ適用する。

（ネオンサイン）
耐通2-7-10　別表第一の「器具及び備品」の「5看板及び広告器具」に掲げる「ネオンサイン」とは、ネオン放電管及びこれに附属する変圧器等の電気施設をいうのであるから、ネオン放電管が取り付けられている鉄塔、木塔等は、構築物の「広告用のもの」の耐用年数を適用することに留意する。

（染色見本）
耐通2-7-11　染色見本は、別表第一の「器具及び備品」の「5看板及び広告器具」に掲げる「模型」の耐用年数を適用する。

（金庫）

耐通2－7－12　金融機関等の建物にみられる「金庫室」は、別表第一の「器具及び備品」の「6容器及び金庫」に掲げる「金庫」に該当せず、その全部が建物に含まれることに留意する。

（医療機器）

耐通2－7－13　病院、診療所等における診療用又は治療用の器具及び備品は、全て別表第一の「器具及び備品」の「8医療機器」に含まれるが、法人が同表の「器具及び備品」の他の区分に特掲されているものについて当該特掲されているものの耐用年数によっているときは、これを認める。

　この場合「8医療機器」に含まれるものについての当該「8医療機器」の区分の判定については、次のものは、次による。（昭53年直法2－24「3」、平23年課法2－17「五」により改正）

(1)　例えば、ポータブル式のように携帯することができる構造の診断用（歯科用のものを含む。）のレントゲン装置は、「レントゲンその他の電子装置を使用する機器」の「移動式のもの」に該当する。

　（注）　レントゲン車に積載しているレントゲンは、レントゲン車に含めてその耐用年数を適用する。

(2)　治療用、断層撮影用等のレントゲン装置に附属する電圧調整装置、寝台等は「レントゲンその他の電子装置を使用する機器」の「その他のもの」に含まれる。

(3)　歯科診療用椅子は、「歯科診療用ユニット」に含まれるものとする。

(4)　医療用蒸留水製造器、太陽灯及びレントゲンフィルムの現像装置は、「その他のもの」に含まれる。

（自動遊具等）

耐通2－7－14　遊園地、遊技場、百貨店、旅館等に施設されている自動遊具（硬貨又はメダルを投入することにより自動的に一定時間遊具自体が駆動する機構又は遊具の操作をすることができる機構となっているもの、例えば、馬、ステレオトーキー、ミニドライブ、レットガン、クレーンピック、スロットマシン、マスゲームマシン（球戯用具に該当するものを除く。）、テレビゲームマシン等の遊具をいう。）、モデルカーレーシング用具及び遊園地内において一定のコースを走行するいわるゴーカート、ミニカー等は、別表第一の「器具及び備品」の「9娯楽又はスポーツ器具及び興行又は演劇用具」に掲げる「スポーツ具」の耐用年数を適用することができる。（昭52年直法2－33「1」により改正）

（貸衣裳）

耐通2－7－15　婚礼用衣裳等の貸衣装業者がその用に供する衣装及びかつらについては、別表第一の「器具及び備品」の「9娯楽又はスポーツ器具及び興行又は演劇用具」に掲げる「衣しよう」の耐用年数を適用することができる。

(生物)

耐通2-7-16 別表第一の「器具及び備品」に掲げる「10生物」には、動物園、水族館等の生物並びに備品として有する盆栽及び熱帯魚等の生物が含まれるのであるが、次のものについても生物について定められている耐用年数を適用することができる。
(1) 医療用の生物
(2) 熱帯魚、カナリヤ、番犬その他の生物を入れる容器(器具及び備品に該当するものに限る。)

(天幕等)

耐通2-7-17 天幕、組立式プール等器具及び備品に該当するもので、通常、その支柱と本体とが材質的に異なるため、その耐久性に著しい差異がある場合には、その支柱と本体とをそれぞれ区分し、その区分ごとに耐用年数を適用することができる。

(自動販売機)

耐通2-7-18 別表第一の「器具及び備品」の「11前掲のもの以外のもの」に掲げる「自動販売機」には、自動両替機、自動理容具等を含み、コインロッカーは含まれない。
(注) コインロッカーは、「11前掲のもの以外のもの」の「主として金属製のもの」に該当する。

(無人駐車管理装置)

耐通2-7-19 別表第一の「器具及び備品」の「11前掲のもの以外のもの」に掲げる「無人駐車管理装置」には、バイク又は自転車用の駐輪装置は含まれないことに留意する。(平20年課法2-14「十」により追加)
(注) バイク又は自転車用の駐輪装置は、「11前掲のもの以外のもの」の「主として金属製のもの」に該当する。

第8節 機械及び装置

(鉱業用の軌条、まくら木等)

耐通2-8-1 坑内の軌条、まくら木及び坑内動力線で、鉱業の業種用のものとして通常使用しているものは、別表第二の「29鉱業、採石業又は砂利採取業用設備」に含まれるものとする。
　また、建設作業現場の軌条及びまくら木で、総合工事業の業種用のものとして通常使用しているものは、同表の「30総合工事業用設備」に含まれるものとする。(平20年課法2-14「二十四」により追加)

(総合工事業以外の工事業用設備)

耐通2-8-2 機械及び装置で、職別工事業又は設備工事業の業種用の設備として通常使用しているものは、別表第二の「30総合工事業用設備」に含まれるものとする。(平20年課法2-14「二十四」により追加)

(鉄道業以外の自動改札装置)

耐通2－8－3　自動改札装置で、鉄道業以外の業種用の設備として通常使用しているものについても、別表第二の「38鉄道業用設備」の「自動改札装置」の耐用年数を適用して差し支えないものとする。（平20年課法2－14「二十四」により追加）

(その他の小売業用設備)

耐通2－8－4　別表第二の「45その他の小売業用設備」には、機械及び装置で、日本標準産業分類の中分類「60その他の小売業」の業種用の設備として通常使用しているものが該当することに留意する。（平20年課法2－14「二十四」により追加）

(ホテル内のレストラン等のちゅう房設備)

耐通2－8－5　ホテル内にある宿泊客以外も利用可能なレストラン等のちゅう房用の機械及び装置は、別表第二の「48飲食店業用設備」に含まれることに留意する。（平20年課法2－14「二十四」により追加）

(持ち帰り・配達飲食サービス業用のちゅう房設備)

耐通2－8－6　ちゅう房用の機械及び装置で、持ち帰り・配達飲食サービス業の業種用の設備として通常使用しているものは、別表第二の「48飲食店業用設備」に含まれるものとする。（平20年課法2－14「二十四」により追加）

(その他のサービス業用設備)

耐通2－8－7　別表第二の「54その他のサービス業用設備」には、機械及び装置で、日本標準産業分類の中分類「95その他のサービス業」の業種用の設備として通常使用しているものが該当することに留意する。（平20年課法2－14「二十四」により追加）

(道路旅客運送業用設備)

耐通2－8－8　機械及び装置で、道路旅客運送業の業種用の設備として通常使用しているものは、別表第二の「55前掲の機械及び装置以外のもの並びに前掲の区分によらないもの」に含まれることに留意する。（平20年課法2－14「二十四」により追加）

(電光文字設備等)

耐通2－8－9　電光文字設備は、例えば、総合工事業の業種用の設備として通常使用しているものであっても、別表第二の「55前掲の機械及び装置以外のもの並びに前掲の区分によらないもの」に含まれるものとする。
　蓄電池電源設備及びフライアッシュ採取設備についても同様とする。（平20年課法2－14「二十四」により追加）

第9節　公害防止用減価償却資産

(汚水処理用減価償却資産の範囲)

耐通2－9－1　別表第五の公害防止用減価償却資産のうち省令第2条第1号の汚水処理の用に供される減価償却資産（以下この節において「汚水処理用減価償却資産」とい

う。)とは、工場等内で生じた汚水等(同号に規定する汚水、坑水、廃水及び廃液をいい、温水を含む。以下同じ。)でそのまま排出すれば公害が生ずると認められるものを公害の生じない水液(水その他の液体をいう。以下「2-9-1」において同じ。)にして排出するために特に施設された汚水処理の用に直接供される減価償却資産(専ら当該汚水等を当該汚水処理の用に直接供される減価償却資産に導入するための送配管等及び処理後の水液を排出口に誘導するための送配管等を含む。)をいうのであるが、次に掲げる減価償却資産についても、汚水処理用減価償却資産に含めることができることに取り扱う。(昭46年直法4-11「20」、平6年課法2-1「六」、平20年課法2-14「二十五」により改正)

(1) 汚水等の処理後の水液(当該処理によって抽出した有用成分を含む。)を工場等外に排出しないで製造工程等において再使用する場合における汚水処理の用に直接供される減価償却資産(専ら当該汚水等を当該汚水処理の用に直接供される減価償却資産へ導入するための送配管等を含む。)

(2) 汚水等の処理の過程において得た有用成分を自己の主製品の原材料等として使用する場合(当該有用成分がそのまま原材料等として使用できる場合を除く。)において、次のいずれにも該当するときにおける当該有用成分を原材料等として使用するための加工等の用に供される減価償却資産

イ 当該有用成分を廃棄することにより公害を生ずるおそれがあると認められる事情があること。

ロ 当該有用成分を原材料等として使用するための加工等を行うことにより、その原材料等を他から購入することに比べ、明らかに継続して損失が生ずると認められること。

(3) 汚水等の処理の過程において得た有用成分を製品化する場合(当該有用成分を他から受け入れて製品化する場合を除く。)において、次のいずれにも該当するときにおける当該製品化工程の用に供される減価償却資産

イ 当該有用成分を廃棄することにより公害を生ずるおそれがあると認められる事情があること。

ロ 当該有用成分を製品化して販売することにより、その有用成分をそのまま廃棄することに比べ、明らかに継続して損失が生ずると認められること。

(注) 汚水処理用減価償却資産を図示すればそれぞれ次の区分に応じ、斜線の部分が汚水処理用減価償却資産に該当することとなる。

(イ) 通常の汚水処理用減価償却資産

(ロ) (1)に掲げる減価償却資産

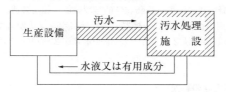

(ハ) (2)に掲げる減価償却資産

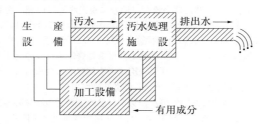

(ニ) (3)に掲げる減価償却資産

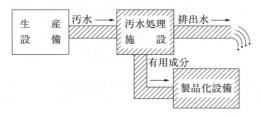

(建物に係る浄化槽等)

耐通2－9－2 ビル、寄宿舎等から排出される汚水を浄化するために施設した浄化槽等で、構築物に該当するものは、汚水処理用減価償却資産に含まれるものとする。(平20年課法2－14「二十五」により改正)

(家畜し尿処理設備)

耐通2－9－3 牛、馬、豚等のし尿処理をする場合における地中蒸散による処理方法は、省令第2条第1号に規定するろ過に準じ、汚水処理の方法に該当するものとして取り扱う。(昭46年直法4－11「21」により追加、平6年課法2－1「六」、平20年課法2－14「二十五」により改正)

(汚水処理用減価償却資産に該当する機械及び装置)

耐通2－9－4 汚水処理用減価償却資産には、例えば、沈殿又は浮上装置、油水分離装

置、汚泥処理装置、ろ過装置、濃縮装置、ばっ気装置、洗浄又は冷却装置、中和又は還元装置、燃焼装置、凝縮沈殿装置、生物化学的処理装置、輸送装置、貯留装置等及びこれらに附属する計測用機器、調整用機器、電動機、ポンプ等が含まれる。(昭46年直法 4 − 11「21」、平 6 年課法 2 − 1「六」、平20年課法 2 − 14「二十五」により改正)

(ばい煙処理用減価償却資産の範囲)

耐通2−9−5 別表第五の公害防止用減価償却資産のうち省令第 2 条第 1 号のばい煙処理の用に供される減価償却資産(以下この節において「ばい煙処理用減価償却資産」という。)とは、工場等内で生じたばい煙等(同号に規定するばい煙、粉じん又は特定物質をいう。以下同じ。)を公害の生ずるおそれのない状態で排出(大気中に飛散しないよう防止して公害のおそれのない状態を維持することを含む。)をするため、特に施設されたばい煙処理の用に直接供される減価償却資産をいうのであるが、次に掲げる減価償却資産についても、ばい煙処理用減価償却資産に含めることができることに取り扱う。(平20年課法 2 − 14「二十五」により追加)

(1) ばい煙等の処理の過程において得た物質を自己の主製品の原材料等として使用する場合(当該物質がそのまま原材料等として使用できる場合を除く。)において、次のいずれにも該当するときにおける当該物質を原材料等として使用するための加工等の用に供される減価償却資産

　イ　当該物質を廃棄することにより公害を生ずるおそれがあると認められる事情があること。

　ロ　当該物質を原材料等として使用するための加工等を行うことにより、その原材料等を他から購入することに比べ、明らかに継続して損失が生ずると認められること。

(2) ばい煙等の処理の過程において得た物質を製品化する場合(当該物質を他から受け入れて製品化する場合を除く。)において、次のいずれにも該当するときにおける当該製品化工程の用に供される減価償却資産

　イ　当該物質を廃棄することにより公害を生ずるおそれがあると認められる事情があること。

　ロ　当該物質を製品化して販売することにより、その物質をそのまま廃棄することに比べ、明らかに継続して損失が生ずると認められること。

　　(注) 1　ばい煙等の処理によって得られる余熱等を利用するために施設された減価償却資産は、ばい煙処理用減価償却資産に該当しない。

　　　　 2　ばい煙処理用減価償却資産を図示すれば、それぞれ次の区分に応じ、斜線の部分がばい煙処理用減価償却資産に該当することとなる。

　　　　　(イ)　通常のばい煙処理用減価償却資産

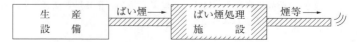

(ロ) (1)に掲げる減価償却資産

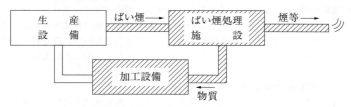

(ハ) (2)に掲げる減価償却資産

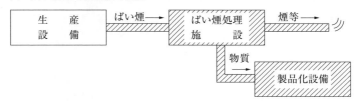

(建物附属設備に該当するばい煙処理用の機械及び装置)

耐通2-9-6 ビル等の建物から排出されるばい煙を処理するために施設した機械及び装置は、原則として建物附属設備に該当するのであるが、当該機械及び装置が省令第2条第1号に定めるばい煙処理のために施設されたものであり、かつ、その処理の用に直接供されるものであるときは、別表第五に掲げる機械及び装置の耐用年数を適用することができる。(平20年課法2-14「二十五」により追加)

(ばい煙処理用減価償却資産に該当する機械及び装置)

耐通2-9-7 ばい煙処理用減価償却資産には、集じん装置及び処理装置の本体(電気捕集式のものにあっては、本体に直結している変圧器及び整流器を含む。)のほか、これらに附属するガス導管、水管、ガス冷却器、通風機、ダスト搬送器、ダスト貯留器、ミスト除却機等が含まれる。(平20年課法2-14「二十五」により追加)

第10節 開発研究用減価償却資産

(開発研究の意義)

耐通2-10-1 省令第2条第2号に規定する「開発研究」とは、次に掲げる試験研究をいう。(平6年課法2-1「十」、平20年課法2-14「二十八」により改正)
(1) 新規原理の発見又は新規製品の発明のための研究
(2) 新規製品の製造、製造工程の創設又は未利用資源の活用方法の研究
(3) (1)又は(2)の研究を基礎とし、これらの研究の成果を企業化するためのデータの収集
(4) 現に企業化されている製造方法その他の生産技術の著しい改善のための研究

(開発研究用減価償却資産の意義)
耐通2−10−2 別表第六の開発研究用減価償却資産とは、主として開発研究のために使用されている減価償却資産をいうのであるから、他の目的のために使用されている減価償却資産で必要に応じ開発研究の用に供されるものは、含まれないことに留意する。(平6年課法2−1「十」、平20年課法2−14「二十八」により改正)

(開発研究用減価償却資産の範囲)
耐通2−10−3 開発研究用減価償却資産には、開発研究の用に供するため新たに取得された減価償却資産のほか、従来から有していた減価償却資産で他の用途から開発研究の用に転用されたものも該当する。(平20年課法2−14「二十八」により改正)

第3章　増加償却

(増加償却の適用単位)
耐通3－1－1　法人が同一工場構内に2以上の棟を有している場合において、一の設備の種類を構成する機械装置が独立して存在する棟があるときは、当該棟ごとに増加償却を適用することができる。

(中古機械等の増加償却割合)
耐通3－1－2　同一用途に供される中古機械と新規取得機械のように、別表第二に掲げる設備の種類を同じくするが、償却限度額の計算をそれぞれ別個に行う機械装置についても、増加償却の適用単位を同一にするものにあっては、増加償却割合の計算に当たっては、当該設備に含まれる機械装置の全てを通算して一つの割合をそれぞれ適用することに留意する。(平6年課法2－1「十一」、平23年課法2－17「六」により改正)

(平均超過使用時間の意義)
耐通3－1－3　増加償却割合の計算の基礎となる平均超過使用時間とは、当該法人の属する業種に係る設備の標準稼働時間(通常の経済事情における機械及び装置の平均的な使用時間をいう。)を超えて使用される個々の機械装置の1日当たりのその超える部分の当該事業年度における平均時間をいう。この場合において、法人が週5日制(機械装置の稼働を休止する日が1週間に2日あることを常態とする操業体制をいう。)を採用している場合における機械装置の標準稼働時間は、当該法人の属する業種における週6日制の場合の機械装置の標準稼働時間に、当該標準稼働時間を5で除した数を加算した時間とする。

(機械装置の単位)
耐通3－1－4　平均超過使用時間の算定は、通常取引される個々の機械装置の単位ごとに行う。

(標準稼働時間内における休止時間)
耐通3－1－5　個々の機械装置の日々の超過使用時間の計算に当たっては、標準稼働時間内における個々の機械装置の稼動状況は、超過使用時間の計算に関係のないことに留意する。

(日曜日等の超過使用時間)
耐通3－1－6　日曜、祭日等通常休日とされている日(週5日制による日曜日以外の休日とする日を含む。)における機械装置の稼働時間は、その全てを超過使用時間とする。(平23年課法2－17「六」により改正)
　(注)1　この取扱いは、機械装置の標準稼働時間が24時間であるものについては適用がない。

2 週5日制による日曜日以外の休日とする日は、通常使用されるべき日数に含めることとされているので留意する。

(日々の超過使用時間の算定方法)
耐通3－1－7 個々の機械装置の日々の超過使用時間は、法人の企業規模、事業種目、機械装置の種類等に応じて、次に掲げる方法のうち適当と認められる方法により求めた稼働時間を基礎として、算定するものとするが、この場合に個々の機械装置の稼働時間が不明のときは、これらの方法に準じて推計した時間によるものとする。
(1) 個々の機械装置の従業員について労働管理のため記録された勤務時間を基として算定する方法
(2) 個々の機械装置の従業員が報告した機械装置の使用時間を基として算定する方法
(3) 生産1単位当たりの標準所要時間を生産数量に乗じ、又は単位時間当たり標準生産能力で生産数量を除して得た時間を基として算定する方法
(4) 常時機械装置に運転計の付してあるもの又は「作業時間調」(就業時間中の機械装置の稼働状況を個別に時間集計しているもの)等のあるものについては、それらに記録され、又は記載された時間を基として算定する方法
(5) 当該法人の企業規模等に応じ適当と認められる(1)から(4)までに掲げられている方法に準ずる方法

(日々の超過使用時間の簡便計算)
耐通3－1－8 機械装置の日々の超過使用時間は、個々の機械装置ごとに算定することを原則とするが、その算定が困難である場合には、一の製造設備を製造単位(同一の機能を果たす機械装置を組織的に、かつ、場所的に集約した単位をいう。)ごとに分割して、その分割された製造単位の超過使用時間をもって当該製造単位に含まれる個々の機械装置の超過使用時間とすることができる。

(月ごとの計算)
耐通3－1－9 機械装置の平均超過使用時間は、月ごとに計算することができる。この場合における当該事業年度の機械装置の平均超過使用時間は、月ごとの機械装置の平均超過使用時間の合計時間を当該事業年度の月数で除して得た時間とする。

(超過使用時間の算定の基礎から除外すべき機械装置)
耐通3－1－10 次のいずれかに該当する機械装置及びその稼働時間は、日々の超過使用時間の算定の基礎には含めないものとする。
(1) 受電盤、変圧器、配電盤、配線、配管、貯槽、架台、定盤その他これらに準ずるもので、その構造等からみて常時使用の状態にあることを通常の態様とする機械装置
(2) 熱処理装置、冷蔵装置、発こう装置、熟成装置その他これらに準ずるもので、その用法等からみて長時間の仕掛りを通常の態様とする機械装置
(注) この取扱いによって除外した機械装置であっても、増加償却の対象になることに留意する。3－1－11の取扱いを適用した場合も同様とする。

第3章 増加償却

(超過使用時間の算定の基礎から除外することができる機械装置)

耐通3-1-11　次に掲げる機械装置（3-1-10に該当するものを除く。）及びその稼働時間は、法人の選択によりその全部について継続して除外することを条件として日々の超過使用時間の算定の基礎には含めないことができる。
(1)　電気、蒸気、空気、ガス、水等の供給用機械装置
(2)　試験研究用機械装置
(3)　倉庫用機械装置
(4)　空気調整用機械装置
(5)　汚水、ばい煙等の処理用機械装置
(6)　教育訓練用機械等の生産に直接関連のない機械装置

(通常使用されるべき日数の意義)

耐通3-1-12　増加償却割合の算定の基礎となる機械装置の通常使用されるべき日数は、当該事業年度の日数から日曜、祭日等当該法人の営む事業の属する業界において通常休日とされている日数を控除した日数をいう。この場合において、週5日制による日曜日以外の休日とする日は、通常使用されるべき日数に含むものとする。

第4章　特別な償却率による償却

第1節　対象資産の範囲、残存価額等

（漁網の範囲）
耐通4－1－1　漁網には、網地、浮子（あば）、沈子（いわ）及び綱並びに延縄を含むものとする。

（鉛板地金）
耐通4－1－2　活字地金には、鉛板地金を含むものとする。

（映画用フィルムの取得価額）
耐通4－1－3　映画用フィルムの取得価額には、ネガティブフィルム（サウンドフィルム及びデュープネガを含む。）及びポジティブフィルム（デュープポジを含む。）の取得に直接、間接に要した一切の費用が含まれるが、自己の所有に係るネガティブフィルムからポジティブフィルムを作成する場合には、当該ポジティブフィルムの複製費用は、映画フィルムの取得価額に算入しないことができる。

（映画フィルムの範囲と上映権）
耐通4－1－4　法人が他人の有するネガティブフィルムから作成される16ミリ版ポジティブフィルム（公民館、学校等を巡回上映するもの又はこれらに貸与することを常態とするものに限る。）を取得した場合の当該フィルム又は上映権を取得した場合の当該上映権は、規則第12条第5号に掲げる資産に該当するものとして取り扱う。

（非鉄金属圧延用ロール）
耐通4－1－5　非鉄金属圧延用ロールには、作動ロール（ワーキングロール）のほか、押えロール（バックアップロール）を含むものとする。

（譲渡、滅失資産の除却価額）
耐通4－1－6　特別な償却率により償却費の額を計算している一の資産の一部につき、除却、廃棄、滅失又は譲渡（以下「除却等」という。）をした場合における当該資産の除却等による損益の計算の基礎となる帳簿価額は、次による。
　(1)　活字地金については、除却等の直前の帳簿価額を除却等の直前の保有量で除して算出した価額を当該活字地金の一単位当たりの価額とする。
　(2)　なつ染用銅ロール、非鉄金属圧延用ロール及び規則第12条第4号に掲げる金型その他の工具（以下「専用金型等」という。）については、個々の資産につき償却費の額を配賦しているものはその帳簿価額とし、個々の資産につき償却費の額を配賦していないものは4－1－8の残存価額とする。
　(3)　漁網につき、その一部を修繕等により取り替えた場合におけるその取り替えた部分については、ないものとする。

(修繕費と資本的支出の区分)

耐通4−1−7 特別な償却率により償却費を計算する資産に係る次の費用についての修繕費と資本的支出の区分は、次による。

(1) 漁網については、各事業年度において漁網の修繕等（災害等により漁網の一部が滅失又は損傷した場合におけるその修繕等を含む。）のために支出した金額のうち、次の算式により計算される金額は、資本的支出とする。この場合における計算は、原則として、法人の有する漁網について一統ごとに行うのであるが、その計算が著しく困難であると認められるときは、特別な償却率の異なるごとに、かつ、事業場の異なるごとに行うことができる。

$$算式 = \frac{A}{B}\{B - (C \times 一定割合)\}$$

(注) 1　A……当該事業年度において修繕等のために当該漁網に支出した金額をいう。

　　 2　B……当該事業年度において修繕等のために当該漁網に使用した網地等の合計量をいう。

　　 3　C……当該事業年度開始の日における当該漁網の全構成量をいう。

　　 4　一定割合……30％（法人の事業年度が1年に満たない場合には、当該事業年度の月数を12で除し、これに30％を乗じて得た割合）とする。

(2) 活字地金については、鋳造に要した費用及び地金かすから地金を抽出するために要した費用は修繕費とし、地金の補給のために要した費用は資本的支出とする。

(3) なつ染用銅ロールの彫刻に要した費用は彫刻したときの修繕費とし、銅板のまき替えに要した費用は資本的支出とする。

(4) 非鉄金属圧延用ロールについては、ロールの研磨又は切削に要した費用は研磨又は切削したときの修繕費とする。

(残存価額)

耐通4−1−8 特別な償却率による償却費の額を計算する資産の残存価額は、次による。

(1) 漁　　　網　　　　　　　零
(2) 活 字 地 金　　　　　　　零
(3) なつ染用銅ロール　　　取得価額の100分の15
(4) 映画用フィルム　　　　零
(5) 非鉄金属圧延用ロール　取得価額の100分の3
(6) 専用金型等　　　　　　処分可能価額

(残存価額となった資産)

耐通4−1−9 特別な償却率は、その認定を受けた資産の償却累積額が当該資産の取得価額から4−1−8に定める残存価額を控除した金額に相当する額に達するまで償却を認めることとして認定する建前としているから、特別な償却率により償却費の額を計算している資産で、特別な償却率が同一であるため、一括して償却しているものについて、その償却費が個々の資産に配賦されている場合において、当該個々の資産の帳簿価額が残存価額に達したときは、その後においては、償却限度額の計算の基礎とな

る取得価額から当該資産の取得価額を除くことに留意する。

第2節　特別な償却率の算定式

(特別な償却率等の算定式)
耐通4−2−1　令第50条の規定による特別な償却率は、次の区分に応じ、次により算定する。
(1) 漁網　原則として一統ごとに、当該漁網の種類に応じて、次により算定される月数（法人の事業年度が1年に満たない場合には、当該月数を12倍し、これを当該事業年度の月数で除して得た月数）に応じた次表に定める割合とする。
　(イ) 一時に廃棄されることがなく修繕等により継続してほぼ恒久的に漁ろうの用に供することができる漁網については、当該漁網が新たに漁ろうの用に供された日からその法人の操業状態において修繕等のために付加される網地等の合計量（反数その他適正な量的単位により計算した量）が当該漁網の全構成量に達すると予想される日までの経過月数
　(ロ) (イ)以外の漁網については、当該漁網が新たに漁ろうの用に供された日から、その法人の操業状態において当該漁網が一時に廃棄されると予想される日までの経過月数
　(注)　1　(1)の(イ)及び(ロ)の月数は、法人が当該漁網と種類、品質、修繕等の状況及び使用状態等がほぼ同一であるものを有していた場合にはその実績を、当該法人にその実績がない場合には当該法人と事業内容か操業状態等が類似するものが有する漁網の実績を考慮して算定する。
　　　　2　1の場合において、その月数は法人が予備網を有し、交互に使用しているようなときは、当該漁網と予備網を通常交互に使用した状態に基づいて算定することに留意する。

月　　数	割合	月　　数	割合
12以上　15未満	90%	47以上　54未満	45%
15以上　18未満	85	54以上　65未満	40
18以上　20未満	80	65以上　77未満	35
20以上　23未満	75	77以上　96未満	30
23以上　27未満	70	96以上　124未満	25
27以上　31未満	65	124以上　170未満	20
31以上　35未満	60	170以上　262未満	15
35以上　40未満	55	262以上　540未満	10
40以上　47未満	50	540以上	5

(2) 活字地金　活字地金が活字の鋳造等によって1年間に減量する率とする。
(3) なつ染用銅ロール　各事業年度におけるロールの実際彫刻回数の彫刻可能回数のうちに占める割合とする。

(4) 映画用フィルム　ポジティブフィルムの封切館における上映日から経過した月数ごとに、その月までの収入累計額の全収入予定額のうちに占める割合とする。
(5) 非鉄金属圧延用ロール　各事業年度におけるロールの直径の減少値の使用可能直径（事業の用に供したときのロールの直径からロールとして使用し得る最小の直径を控除した値をいう。）のうちに占める割合とする。
(6) 専用金型等　各事業年度における専用金型等による実際生産数量の当該専用金型等に係る総生産計画数量のうちに占める割合とする。

第3節　特別な償却率の認定

(特別な償却率の認定)
耐通4-3-1　特別な償却率の認定は、申請資産の実情により認定するのであるが、当該資産が漁網、活字地金及び専用金型等以外の資産である場合において、申請に係る率又は回数若しくは直径が付表6に掲げる基準率以下のもの又は基準回数若しくは基準直径以上であるときは、その申請どおり認定する。

(中古資産の特別な償却率)
耐通4-3-2　特別な償却率の認定を受けている法人が、当該認定を受けた資産と同様の中古資産を取得した場合には、当該中古資産については、その取得後の状況に応じて特別な償却率を見積もることができる。

(特別な償却率による償却限度額)
耐通4-3-3　特別な償却率による各事業年度の償却限度額は、次の区分に応じ、次により算定する。（平16年課法2-14「三」により改正）
(1) 漁網　認定を受けた特別な償却率の異なるごとに当該事業年度開始の日における漁網の帳簿価額に特別な償却率を乗じて計算した金額とする。この場合において、事業年度の中途に事業の用に供した漁網については、その取得価額に特別な償却率を乗じて計算した金額に次の割合を乗じて計算した金額とする。
　イ　当該漁網による漁獲について漁期の定めがある場合

$$\frac{\text{当該漁網を当該事業年度において漁ろうの用に供した期間の月数}}{\text{当該漁期の期間（当該事業年度に2以上の漁期を含むときは、各漁期の期間の合計の期間）の月数}}$$

　ロ　イ以外の場合

$$\frac{\text{当該漁網を事業の用に供した日から当該事業年度終了の日までの期間の月数}}{\text{当該事業年度の月数}}$$

(2) 活字地金　各事業年度開始の日における帳簿価額に特別な償却率（事業年度が1年未満の場合には、特別な償却率に当該事業年度の月数を乗じ、これを12で除した率。以下4-3-3の(2)において同じ。）を乗じて計算した金額とする。この場合において、当該事業年度の中途に事業の用に供した活字地金については、その取得

価額に特別な償却率を乗じて計算した金額に、その供した日から当該事業年度終了の日までの期間の月数を乗じてこれを当該事業年度の月数で除して計算した金額とする。
(3) なつ染用銅ロール　ロールの取得価額から残存価額を控除した金額に当該事業年度の特別な償却率を乗じて計算した金額とする。
　(注)　なつ染用銅ロールが2以上ある場合における特別な償却率は、ロールの種類ごとに、各事業年度における実際の彫刻回数（当該事業年度において譲渡又は廃棄したロールの彫刻回数を除き、基準模様以外の模様を彫刻した場合の彫刻回数は、実際彫刻回数に換算率を乗じた回数とする。）の合計数の当該事業年度終了の日において有するロールの彫刻可能回数の合計数のうちに占める割合による。
(4) 映画用フィルム　取得価額に当該フィルムの上映日から当該事業年度終了の日までに経過した期間の月数に応ずる特別な償却率（当該事業年度前の事業年度（その事業年度が連結事業年度に該当する場合には、当該連結事業年度）において上映したフィルムについては、当該特別な償却率から当該事業年度直前の事業年度（その事業年度が連結事業年度に該当する場合には、当該連結事業年度）終了の日における特別な償却率を控除した率）を乗じて計算した金額とする。
　ただし、付表6の(2)のただし書の適用を受ける場合には、各事業年度ごとに封切上映したものの取得価額の総額に同ただし書の割合を乗じて計算した金額の合計額とする。
(5) 非鉄金属圧延用ロール　使用可能の直径の異なるごとに、当該ロールの取得価額から残存価額を控除した金額に当該事業年度の特別な償却率を乗じて計算した金額とする。
　(注)　非鉄金属圧延用ロールが2以上ある場合における特別な償却率は、使用可能の直径の異なるごとに、各事業年度におけるロールの直径の減少値（当該事業年度において譲渡又は廃棄したロールに係る減少値を除く。）の合計数の当該事業年度終了の日において有するロールの使用可能直径の合計数のうちに占める割合による。
(6) 専用金型等　その種類及び形状を同じくするものごとに、当該専用金型等の取得価額から残存価額を控除した金額に当該事業年度の特別な償却率を乗じて計算した金額とする。

（特別な償却率の認定を受けている資産に資本的支出をした場合の取扱い）
耐通4－3－4　特別な償却率の認定を受けている減価償却資産について資本的支出をした場合には、当該資本的支出は当該認定を受けている特別な償却率により償却を行うことができることに留意する。（平19年課法2－7「八」により追加）

第5章　単体納税に係るその他の取扱い

(事業年度が1年に満たない場合の償却率等)

耐通5－1－1　減価償却資産の償却の方法につき旧定額法、旧定率法、定額法又は定率法を選定している法人の事業年度が1年に満たないため、省令第4条第2項又は第5条第2項若しくは第4項の規定を適用する場合の端数計算については、次によるものとする。（平6年課法2－1「十二」、平19年課法2－7「九」、平20年課法2－14「二十九」、平24年課法2－17「三」により改正）

(1) 旧定額法、定額法又は定率法を選定している場合

　　当該減価償却資産の旧定額法、定額法又は定率法に係る償却率又は改定償却率に当該事業年度の月数を乗じてこれを12で除した数に小数点以下3位未満の端数があるときは、その端数は切り上げる。

　(注)　令第48条の2第1項第1号イ(2)《定率法》に規定する償却保証額の計算は、法人の事業年度が1年に満たない場合においても、別表第九又は別表第十に定める保証率により計算することに留意する。なお、当該償却保証額に満たない場合に該当するかどうかの判定に当たっては、同号イ(2)に規定する取得価額に乗ずることとなる定率法の償却率は、上記の月数による按分前の償却率によることに留意する。

(2) 旧定率法を選定している場合

　　当該減価償却資産の耐用年数に12を乗じてこれを当該事業年度の月数で除して得た年数に1年未満の端数があるときは、その端数は切り捨てる。

(中間事業年度における償却率等)

耐通5－1－2　1年決算法人で旧定額法、旧定率法、定額法又は定率法を採用しているものが、その事業年度を6月ごとに区分してそれぞれの期間につき償却限度額を計算し、その合計額をもって当該事業年度の償却限度額としている場合において、当該各期間に適用する償却率又は改定償却率を、それぞれ別表第七から別表第十までの償却率又は改定償却率に2分の1を乗じて得た率（小数点以下第4位まで求めた率）とし、当該事業年度の期首における帳簿価額（旧定額法又は定額法を採用している場合は、取得価額）又は当該減価償却資産の改定取得価額を基礎として当該償却限度額を計算しているときは、これを認める。（昭50年直法2－21「4」により追加、平6年課法2－1「十二」、平19年課法2－7「九」、平20年課法2－14「二十九」、平24年課法2－17「三」により改正）

　(注)　令第48条の2第1項第1号イ(2)《定率法》に規定する償却保証額に満たない場合に該当するかどうかの判定に当たっては、同号イ(2)に規定する取得価額に乗ずることとなる定率法の償却率は、2分の1を乗ずる前の償却率によることに留意する。

(取替法の承認基準)

耐通5－1－3　税務署長は、次に掲げる取替資産について令第49条第4項の規定による申

請書の提出があった場合には、原則としてこれを承認する。(昭50年直法2－21「4」により改正)
(1) 鉄道事業者又は鉄道事業者以外の法人でおおむね5キロメートル以上の単路線（仮設路線を除く。）を有するものの有する規則第10条第1号に掲げる取替資産
(2) 電気事業者又は電気事業者以外の法人でおおむね回線延長10キロメートル以上の送電線を有するものの有する規則第10条第2号及び第3号に掲げる取替資産
(3) 電気事業者の有する規則第10条第4号に掲げる取替資産
(4) ガス事業者又はガス事業者以外の法人でおおむね延長10キロメートル以上のガス導管を有するものの有する規則第10条第5号に掲げる取替資産

第6章　連結納税に係る取扱い

（連結納税に係る取扱い）
耐通6－1－1　連結法人が連結納税に係る申告を行う際の耐用年数の適用等に関する取扱いについては、第1章から第5章までの取扱いを準用する。この場合において、それぞれ次に掲げる取扱いについては、それぞれ次による。（平16年課法2－14「五」により追加、平20年課法2－14「三十」により改正）
(1)　1－5－1の(注)中「法第72条第1項」とあるのは「法第81条の20第1項」と読み替えるものとし、それ以外の第1章から第5章までの条項の規定は連結法人が法第81条の3第1項《個別益金額又は個別損金額》の規定により同項の個別益金額又は個別損金額を計算する場合のこれらの条項の規定をいうことに留意する。
(2)　1－1－8の(2)の「申出」は、当該連結法人に係る連結親法人が行うものとする。
(3)　1－1－9の「確認」は、当該連結法人に係る連結親法人が納税地の所轄税務署長（当該連結親法人が国税局の調査課所管法人である場合には、所轄国税局長）から受けるものとする。
(4)　1－1－8中「基本通達7－5－1」とあるのは「連結納税基本通達6－5－1」と、1－7－1中「基本通達7－4－4の(2)のロ」とあるのは「連結納税基本通達6－4－4の(2)のロ」と、2－2－7の(1)の(注)中「基本通達8－1－3又は8－1－4」とあるのは「連結納税基本通達7－1－3又は7－1－4」と、2－3－23の(注)中「基本通達7－8－8」とあるのは「連結納税基本通達6－8－9」とする。

附　則

(施行期日)
1　耐用年数通達は、昭和45年6月1日から施行する。

(適用時期の原則)
2　耐用年数通達は、別段の定めのあるものを除き、昭和45年6月1日以後に終了する事業年度分の法人税について適用し、同日前に終了する事業年度分の法人税については、なお従前の例による。

(適用時期の特例－1)
3　耐用年数通達のうち、次に掲げる事項については、耐用年数通達の施行の日以後に処理する法人税について適用する。
 (1)　1－1－8（耐用年数の選択適用ができる資産を法人が資産に計上しなかった場合に適用する耐用年数）
 (2)　1－1－9（「構築物」又は「器具及び備品」で特掲されていないものの耐用年数）
 (3)　5－1－1（事業年度が1年に満たない場合の償却率）

(適用時期の特例－2)
4　耐用年数通達のうち、次に掲げる事項については、昭和45年6月1日以後に開始する事業年度分の法人税について適用し、同日前に開始する事業年度分の法人税については、なお従前の例による。
 (1)　2－1－2（内部造作を行わずに賃貸する建物）
 (2)　2－2－4（冷房、暖房、通風又はボイラー設備）の(5)主として浴場業用のボイラー設備（(4)に該当するものを除く。）
 (3)　2－2－7（前掲のもの以外のものの例示）の(5)建物に組み込まれた書類搬送装置（簡易なものを除く。）

経過的取扱い （平成10年6月23日課法2-7）

（経過的取扱い⑴）……改正前の耐用年数等に関する省令の適用がある場合）
　　減価償却資産の耐用年数等に関する省令の一部を改正する省令（平成10年大蔵省令第50号）による改正前の減価償却資産の耐用年数等に関する省令の規定の適用を受ける場合の取扱いについては、この通達の改正前の耐用年数の適用等に関する取扱通達の取扱いの例による。

（経過的取扱い⑵）……中古資産に改良等又は資本的支出をした後の耐用年数）
　　法人が、平成10年4月1日前に開始した事業年度において取得して事業の用に供した中古の減価償却資産につき減価償却資産の耐用年数等に関する省令の一部を改正する省令（平成10年大蔵省令第50号）による改正前の減価償却資産の耐用年数等に関する省令第3条第1項の規定により見積った耐用年数を適用している場合において、当該資産につきその後の事業年度において改良等又は資本的支出を行ったときは、この通達による改正後の1－5－3の取扱いの例による。

（経過的取扱い⑶）……中古の建物の耐用年数を改正前の1－5－2の取扱いにより算定している場合の短縮後の法定耐用年数に基づく再計算）
　　法人が、平成10年4月1日前に開始した事業年度において取得して事業の用に供した中古の建物の耐用年数をこの通達による改正前の1－5－2の取扱いにより算定している場合には、当該中古の建物の耐用年数について平成10年4月1日以後最初に開始する事業年度においてこの通達による改正後の1－5－7の取扱いを準用して耐用年数を再計算したときは、これを認める。

（経過的取扱い⑷）……取り替えた資産の耐用年数）
　　法人が、平成10年4月1日前に開始した事業年度において取得して事業の用に供した中古の総合償却資産につきこの通達による改正前の1－5－6から1－5－8の取扱いにより見積もった総合残存耐用年数を適用している場合において、その後の事業年度においてその見積もった中古資産の全部又は一部を新たな資産と取り替えたとき（その全部又は一部について改良等又は資本的支出を行い、この通達による改正後の1－5－3に該当することとなったときを含む。）のその資産に適用する耐用年数については、この通達による改正後の1－5－12の取扱いの例による。

経過的取扱い （平成12年11月20日課法2-19）

（経過的取扱い）
　　法人が、LAN設備を構成する個々の減価償却資産の全体を一の減価償却資産として償却費の計算を行っている場合において、その後の事業年度において、既に計上した償却費の額をその取得価額比等により個々の減価償却資産に合理的に配賦して、当該個々の減価償却資産ごとに償却費の計算を行う方法に変更したときは、これを認める。
　(注)　LAN設備を構成する個々の減価償却資産ごとに償却費の計算を行っている場合に

は、これを一の減価償却資産として償却費の計算を行う方法に変更することは認められないのであるから、留意する。

経過的取扱い（平成14年2月15日課法2-1）

(経過的取扱い)

　法人が、平成13年4月1日以後に開始する事業年度において、同日前に始した事業年度に取得したLAN設備を構成する個々の減価償却資産について、この法令解釈通達による改正前の2-7-6の2《LAN設備の耐用年数》の本文の取扱いの例により、引き続き当該取得したものの全体を一の減価償却資産として償却費の計算を行っている場合には、これを認める。

(注)　当該取得したものの全体を一の減価償却資産として償却費の計算を行っている場合において、その後の事業年度において、個々の減価償却資産ごとに償却費の計算を行う方法に変更する場合には、既に計上した償却費の額をその取得価額比等により個々の減価償却資産に合理的に配賦するものとする。

経過的取扱い（平成20年12月26日課法2-14）

(経過的取扱い……新旧資産区分の対照表)

　平成20年4月1日前に開始する事業年度において取得をされた機械及び装置が、同日以後に開始する事業年度において別表第二「機械及び装置の耐用年数表」における機械及び装置のいずれに該当するかの判定は、付表9「機械及び装置の耐用年数表（別表第二）における新旧資産区分の対照表」を参考として行う。

直審(所)22(例規)
直法 4 - 27
昭和45年6月4日

国税局長　殿

国税庁長官

所得税についての耐用年数の適用等に関する取扱いについて

　標題については、昭和45年5月25日付直法4-25ほか1課共同「「耐用年数の適用等に関する取扱通達」の制定について」通達の別冊「耐用年数の適用等に関する取扱通達」に準じて取り扱うこととされたい。この場合において、同通達中の下記の取扱いに関する事項については、それぞれ下記に定めるところによられたい。

記

1　1-1-8　(耐用年数の選択適用ができる資産を法人が資産に計上しなかった場合に適用する耐用年数)　適用しない。
2　4-1-6　(譲渡、滅失資産の除却価額)の(2)「なつ染用銅ロール、非鉄金属圧延用ロールおよび所得税法施行規則第26条第4号に掲げる金型その他の工具(以下「専用金型等」という。)については、個々の資産の未償却残額とする。」と読み替えたところによる。
3　4-1-9　(残存価額となった資産)　適用しない。
4　4-3-3　(特別な償却率による償却限度額)の(3)の(注)、(4)のただし書および(5)の(注)　適用しない。
5　5-1-1　(事業年度が1年に満たない場合の償却率)　適用しない。
6　付表6の(2)のただし書　適用しない。
7　附則2(適用時期の原則)「耐用年数通達は、別段の定めのあるものを除き、昭和45年分以後の所得税について適用し、昭和44年分以前の所得税については、なお従前の例による。」と読み替えたところによる。
8　附則4(適用時期の特例―2)の本文「耐用年数のうち、次に掲げる事項については、昭和46年分以後の所得税について適用し、昭和45年分以前の所得税については、なお従前の例による。」と読み替えたところによる。

別表第二に掲載した「日本標準産業分類の小分類」及び「具体例」の五十音順索引

※ 語句の後に（番号）がついたものは、「日本標準産業分類の小分類」の項目とその分類番号を、その他は「具体例」を索引の用語としています。

【ア】

亜鉛鉄板製造業 ………………………… 183
亜鉛めっき鋼管製造業 ………………… 183
青物卸売業 ……………………………… 197
空缶問屋 ………………………………… 197
あさり採取業 …………………………… 191
アスファルトブロック製造業 ………… 179
圧延鋼材製造業 ………………………… 183
圧縮機製造業 …………………………… 185
アニメーション制作業 ………………… 195
油絵具製造業 …………………………… 189
アミューズメント機器製造業 ………… 187
洗張業 …………………………………… 201
荒茶製造業 ……………………………… 175
アルゴン製造業 ………………………… 179
アルミニウム管製造業 ………………… 183
アルミニウム再生業 …………………… 183
アルミニウム・同合金ダイカスト製造業
 ……………………………………… 183
アルミニウム板卸売業 ………………… 197
アンモニア製造業 ……………………… 179

【イ】

医科用鋼製器具製造業 ………………… 187
育林請負業 ……………………………… 191
育林業（021） …………………………… 190
石製家具製造業 ………………………… 177
板ガラス卸売業 ………………………… 197
板ガラス製造業 ………………………… 181
板ばね製造業 …………………………… 185
一般貨物自動車運送業（441） …… 196、197
一般管工事業 …………………………… 193
一般公衆浴場業（784） ………………… 200
一般港湾運送業 ………………………… 197
一般材生産業 …………………………… 191

一般産業用機械・装置製造業（253） …… 184
一般土木建築工事業（061） …………… 190
一般土木建築工事業 …………………… 191
一般バルブ・コック製造業 …………… 185
移動電気通信業（372） ………………… 194
移動無線センター ……………………… 195
衣服裁縫修理業（793） ………………… 200
衣服修理業 ……………………………… 201
医薬品・化粧品小売業（603） ………… 198
医薬品製造業（165） …………………… 178
医療用・歯科用X線装置製造業 ……… 189
医療用機械器具・医療用品製造業（274）
 ……………………………………… 186
印刷関連サービス業（159） …………… 176
印刷業 …………………………………… 177
印刷業の一部（151） …………………… 176
印刷物光沢加工業 ……………………… 177
（その他の）飲食店（769） …………… 200
（その他の）飲食料品小売業（589） … 198
インターネット・サービス・プロバイダ … 195

【ウ】

ウェーハ加工装置製造業 ……………… 187
腕時計用革バンド製造業 ……………… 181
うどん店 ………………………………… 199
漆塗り家具製造業 ……………………… 189
運送代理店（483） ……………………… 196
運送取次業 ……………………………… 197
運道具小売業 …………………………… 199
運輸施設提供業（485） ………………… 196
（その他の）運輸に附帯するサービス業
 （489） …………………………… 196

【エ】

映画館（801） ……………………… 200、201

映画撮影所·················· 195	海運代理店·················· 197
映画フィルム現像業············ 195	海運仲立業·················· 197
営業用洗濯機製造業············ 187	海産肥料製造業················ 175
映写機用ランプ製造業············ 187	外部記憶装置製造業············ 189
映像・音響機械器具製造業(302)··· 188	海面漁業(031)················ 190
映像・音声・文字情報制作に附帯するサービス業(416)············ 194	海面養殖業(041)················ 190
映像情報制作・配給業(411)······· 194	貝類養殖業·················· 191
液化石油ガス卸売業············ 197	化学機械・同装置製造業········ 185
液化石油ガススタンド············ 199	(その他の) 化学工業の一部(169)··· 178
液晶パネル熱処理装置製造業······ 187	化学製品卸売業(532)············ 196
液体塩素製造業················ 177	化学肥料製造業(161)············ 178
SDメモリカード製造業·········· 187	花き共同選別場················ 191
エステティックサロン············ 201	家具小売業·················· 199
エチルアルコール製造業·········· 179	学習塾(823)·············200、201
エレベータ製造業·············· 185	各種食料品小売業(581)·········· 196
塩化りん製造業················ 179	各種食料品店·················· 197
園芸サービス業(014)············ 190	家具製造業(131)················ 176
遠洋底引き網漁業·············· 191	(その他の) 家具・装備品製造業(139)··· 176
	家具・建具・畳小売業(601)······· 198
【オ】	核燃料成形加工業·············· 183
	花こう岩採石業················ 191
お好み焼店·················· 201	加工紙製造業(143)·············· 176
帯製造業·················· 175	かご製造業·················· 177
オフセット印刷業·············· 177	火災警報装置製造業············ 189
おもちゃ屋·················· 199	かさ高加工糸製造業············ 175
織フェルト製造業·············· 175	菓子・パン小売業(586)·········· 198
織物乾燥業·················· 175	ガス機器製造業················ 185
織物業(112)·················· 174	ガス業(341)·················· 194
織物製学校服製造業············ 175	ガス供給所·················· 195
織物製パジャマ製造業·········· 175	ガス整圧所·················· 195
織物製ワイシャツ製造業········ 175	ガス製造工場·················· 195
オルゴール製造業·············· 189	ガスメータ製造業·············· 187
音声情報制作業(412)············ 194	河川漁業·················· 191
温泉浴場業·················· 201	火葬業·················· 201
温度自動調節装置製造業·········· 189	火葬・墓地管理業(795)·········· 200
温風暖房機製造業·············· 185	ガソリンスタンド·············· 199
	ガソリン製造業················ 179
【カ】	片面・両面・多層リジッドプリント配線板製造業·············· 187
カーナビゲーション製造業······ 189	型枠大工工事業················ 193
外衣・シャツ製造業(和式を除く。) (116) ·················· 174	楽器製造業(324)················ 188

活字製造業	177
活性炭製造業	179
かつら製造業	189
家庭用テレビゲーム機製造業	189
家庭用電気洗濯機製造業	187
金物店	199
かばん製造業(206)	180
カプセルホテル	199
壁紙工事業	193
かまぼこ製造業	175
紙おむつ製造業	177
紙製造業(142)	176
紙製品製造業(144)	176
紙製容器製造業(145)	176
紙ひも製造業	177
貨物運送取扱業(集配利用運送業を除く。)(482)	196
貨物軽自動車運送業(443)	196、197
貨物こん包業	197
カラオケボックス	201
ガラス工事業	193
ガラス製絶縁材料製造業	181
ガラス繊維製造業	181
ガラス・同製品製造業(211)	180
火力発電所	193
革靴製造業	181
革製かばん製造業	181
革製靴底製造業	181
革製サンダル製造業	181
革製製靴材料製造業	181
革製手袋製造業(205)	180、181
革製履物製造業(204)	180
革製履物用材料・同附属品製造業(203)	180
革製ハンドバッグ製造業	181
革製袋物製造業	181
皮なめし業	181
革ベルト製造業	181
簡易宿所(752)	198
簡易宿泊所	199
がん具・運動用具製造業(325)	188

管工事業(さく井工事業を除く。)(083)	192
冠婚葬祭業(796)	200
乾燥野菜製造業	175
缶詰用缶製造業	185
乾電池製造業	187
かんぴょう製造業	175
乾物問屋	197

【キ】

器械生糸製造業	175
機械器具設置工事業(084)	192、193
機械設計業(743)	198、199
機械設計製図業	199
機械刃物製造業	185
機械用銑鉄鋳物製造業	183
気球製造業	189
貴金属製錬・精製業	183
貴金属・宝石製品製造業(321)	188
(その他の) 技術サービス業(749)	198
基礎素材産業用機械製造業(265)	184
ギター製造業	189
喫煙用具製造業	191
喫茶店(767)	200、201
絹・人絹織機製造業	185
木箱製造業	177
キャンプ場	199
牛脂製造業	175
給食センター	201
給排水設備工事業	193
(他に分類されない) 教育、学習支援業の一部(829)	200、202
強化プラスチック製容器製造業	181
共同選果場	191
教養・技能教授業(824)	202
曲芸・軽業興行場	201
玉石砕石製造業	183
漁網製造業	175
魚類養殖業	191
記録メディア製造業の一部(283)	186
金鉱業	191

金庫製造業	185
金属印刷業	177
金属加工機械製造業(266)	184、185
金属鉱業(051)	190
金属工作機械製造業	185
金属材料試験機製造業	187
金属製家具製造業	177
金属製建具取付業	193
金属製ネームプレート製造業	185
(その他の)金属製品製造業の一部(249)	184
金属製品塗装業	183
金属製品用金型製造業	187
金属線製品製造業(ねじ類を除く。)(247)	184
金属素形材製品製造業(245)	184
金属彫刻業	183
金属熱処理業	185
金属被覆・彫刻業、熱処理業(ほうろう鉄器を除く。)の一部(246)	182、184
金属プレス製品製造業	185

【ク】

空洞コンクリートブロック製造業	181
果物屋	197
組立てん包業	197
組立鉄筋コンクリート造建築工事業	193
グラビア製版業	177
グリース製造業	179
クリーニング業	201
車いす製造組立業	189

【ケ】

けいそう土鉱業	191
けいそう土精製業	183
携帯電話機製造業	189
携帯電話業	195
計量器・測定器・分析機器・試験機・測量機械器具・理化学機械器具製造業(273)	186
計量証明業(745)	198
ケーブルカー業	195

ゲームセンター	201
毛織物・毛風合成繊維織物機械無地染業	175
毛皮製造業(208)	180、181
毛皮染色・仕上業	181
劇場	201
化粧品店	199
化粧品・歯磨・その他の化粧用調整品製造業(166)	178
下水道管路施設維持管理業	195
下水道業(363)	194
下水道処理施設維持管理業	195
血圧計製造業	187
結婚式場業	201
原毛皮卸売業	197
研削用ガーネット製造業	183
けん銃製造業	187
検数業	197
建設機械・鉱山機械製造業(262)	184
建設機械・同装置・部分品・附属品製造業	185
建設用クレーン製造業	185
建設用・建築用金属製品製造業(製缶板金業を含む。)(244)	184
建設用粘土製品製造業(陶磁器製を除く。)(213)	180
建築金物工事業	193
建築工事請負業	193
建築工事業(木造建築工事業を除く。)(064)	192
建築材料卸売業(531)	196
建築用金物製造業	185
建築リフォーム工事業(066)	192
原鉄製造業	183
顕微鏡製造業	187
研磨材・同製品製造業(217)	182
研磨布製造業	183
原油鉱業	191
原油・天然ガス鉱業(053)	190
検量業	197

【コ】

こい養殖業	191
コインランドリー業	201
公園	201
公園、遊園地の一部(805)	200
光学機械器具・レンズ製造業(275)	186
光学レンズ製造業	187
(その他の) 鉱業(059)	190
興行場(別掲を除く。)、興行団の一部(802)	200
工業用エボナイト製品製造業	181
工業用革製品製造業(手袋を除く。)(202)	180
工業用水道業(362)	194、195
工業用プラスチック製品加工業	179
工業用プラスチック製品製造業(183)	178
工業用ボイラ製造業	185
工業用ミシン製造業	185
合金鉄製造業	183
航空運送代理店	197
航空機・同附属品製造業(314)	188
広告制作業(415)	194、195
広告制作プロダクション	195
(その他の) 公衆浴場業(785)	200
耕種農業(011)	190
工業薬品卸売業	197
工業用水浄水場	195
香水製造業	179
合成ゴム製造業	179
更生タイヤ製造業	181
合成皮革製靴製造業	181
合成皮革製造業	179
校正刷業	177
鋼船製造・修理業	189
鋼板卸売業	197
合板製造業	177
(他に分類されない) 小売業(609)	198
高炉銑製造業	183
港湾運送業(481)	196
コークス製造業	179
コーヒー小売業	199
コーヒー豆ばい煎業	175
氷製造業(天然氷を除く。)	175
湖沼漁業	191
骨材・石工品等製造業(218)	182
固定電気通信業(371)	194
小麦粉製造業	175
ゴム製医療用品製造業	181
(その他の) ゴム製品製造業(199)	180
ゴム製・プラスチック製履物・同附属品製造業(192)	180
ゴム引布製造業	181
ゴムベルト・ゴムホース・工業用ゴム製品製造業(193)	180
ゴムライニング加工業	181
米粉製造業	175
(その他の) 娯楽業(809)	200
コルク栓製造業	177
ゴルフスクール	203
ゴルフ練習場	201
コンクリートブロック工事業	193
昆虫類採捕業	191
昆虫類飼育業	191
コンビニエンスストア	199
コンベヤ製造業	185
こん包業(484)	196

【サ】

サービス用・娯楽用機械器具製造業(272)	186
再生資源卸売業(536)	196
再生プラスチック製造業	181
採石業、砂・砂利・玉石採取業(054)	190
酒たる製造業	177
魚屋	199
酒場、ビヤホール(765)	198
酒屋	199
左官業	193
左官工事業(075)	192
酒小売業(585)	198
殺虫剤製造業(農薬を除く。)	179
殺虫剤製造業(農薬に限る。)	179

刷版研磨業‥‥‥‥‥‥‥‥‥‥‥‥‥‥ 177	シャープペンシル製造業‥‥‥‥‥‥‥ 189
砂糖卸売業‥‥‥‥‥‥‥‥‥‥‥‥‥‥ 197	社会教育(821)‥‥‥‥‥‥‥‥‥‥‥ 200
砂糖精製業‥‥‥‥‥‥‥‥‥‥‥‥‥‥ 175	写真感光紙製造業‥‥‥‥‥‥‥‥‥‥ 179
サルベージ業‥‥‥‥‥‥‥‥‥‥‥‥‥ 197	写真機小売業‥‥‥‥‥‥‥‥‥‥‥‥ 199
産業用運搬車両・同部分品・附属品製造業(315) ‥‥‥‥‥‥‥‥‥‥‥‥‥ 188	写真機製造業‥‥‥‥‥‥‥‥‥‥‥‥ 187
	写真機・時計・眼鏡小売業(608)‥‥‥ 198
産業用電気機械器具製造業(292)‥‥‥ 186	写真業(746)‥‥‥‥‥‥‥‥‥‥‥‥ 198
酸性白土鉱業‥‥‥‥‥‥‥‥‥‥‥‥‥ 191	写真現像・焼付業‥‥‥‥‥‥‥‥‥‥ 201
山林用種苗業‥‥‥‥‥‥‥‥‥‥‥‥‥ 191	写真撮影業‥‥‥‥‥‥‥‥‥‥‥‥‥ 199
	写真製版業‥‥‥‥‥‥‥‥‥‥‥‥‥ 177
【シ】	じゅう器小売業(602)‥‥‥‥‥‥‥‥ 198
飼料小売業‥‥‥‥‥‥‥‥‥‥‥‥‥‥ 199	宗教用具製造業(132)‥‥‥‥‥‥‥‥ 176
塩製造業‥‥‥‥‥‥‥‥‥‥‥‥‥‥‥ 179	集成材製造業‥‥‥‥‥‥‥‥‥‥‥‥ 177
地下足袋製造業‥‥‥‥‥‥‥‥‥‥‥‥ 181	臭素製造業‥‥‥‥‥‥‥‥‥‥‥‥‥ 177
歯科用合金製造業‥‥‥‥‥‥‥‥‥‥‥ 187	住宅用・ビル用アルミニウム製サッシ製造業 ‥‥‥‥‥‥‥‥‥‥‥‥‥‥ 185
磁気探知機製造業‥‥‥‥‥‥‥‥‥‥‥ 189	
下着類製造業(117)‥‥‥‥‥‥‥‥‥ 174	住宅リフォーム工事業‥‥‥‥‥‥‥‥ 193
仕出し料理・弁当屋‥‥‥‥‥‥‥‥‥‥ 201	じゅうたん製造業‥‥‥‥‥‥‥‥‥‥ 175
漆器小売業‥‥‥‥‥‥‥‥‥‥‥‥‥‥ 199	集配利用運送業(444)‥‥‥‥‥‥‥‥ 196
漆器製造業(327)‥‥‥‥‥‥‥188、189	集配利用運送業(第二種利用運送業)‥‥ 197
漆くい工事業‥‥‥‥‥‥‥‥‥‥‥‥‥ 193	私有林経営業‥‥‥‥‥‥‥‥‥‥‥‥ 191
室内用革製品製造業‥‥‥‥‥‥‥‥‥‥ 181	(その他の)宿泊業(759)‥‥‥‥‥‥ 198
七宝製品製造業‥‥‥‥‥‥‥‥‥‥‥‥ 183	出版業(414)‥‥‥‥‥‥‥‥‥‥‥‥ 194
質量計量証明業‥‥‥‥‥‥‥‥‥‥‥‥ 199	種苗小売業‥‥‥‥‥‥‥‥‥‥‥‥‥ 199
シティホテル‥‥‥‥‥‥‥‥‥‥‥‥‥ 199	狩猟業‥‥‥‥‥‥‥‥‥‥‥‥‥‥‥ 191
自転車預り業‥‥‥‥‥‥‥‥‥‥‥‥‥ 201	酒類製造業(102)‥‥‥‥‥‥‥‥‥‥ 174
自転車貨物運送業‥‥‥‥‥‥‥‥‥‥‥ 197	潤滑油・グリース製造業(石油精製業によらないもの)(172)‥‥‥‥‥‥‥ 178
自転車製造組立業‥‥‥‥‥‥‥‥‥‥‥ 189	
自転車タイヤ・チューブ製造業‥‥‥‥‥ 181	潤滑油製造業‥‥‥‥‥‥‥‥‥‥‥‥ 179
自動車エンジン・同部分品製造業‥‥‥‥ 189	しゅんせつ工事業‥‥‥‥‥‥‥‥‥‥ 191
自動車教習所‥‥‥‥‥‥‥‥‥‥‥‥‥ 201	純鉄製造業‥‥‥‥‥‥‥‥‥‥‥‥‥ 183
自動車修理業‥‥‥‥‥‥‥‥‥‥‥‥‥ 203	消火器製造業‥‥‥‥‥‥‥‥‥‥‥‥ 185
自動車製造業‥‥‥‥‥‥‥‥‥‥‥‥‥ 189	蒸気供給業‥‥‥‥‥‥‥‥‥‥‥‥‥ 195
自動車整備業(891)‥‥‥‥‥‥‥202、203	蒸気タービン製造業‥‥‥‥‥‥‥‥‥ 185
自動車タイヤ製造業‥‥‥‥‥‥‥‥‥‥ 181	商業写真業‥‥‥‥‥‥‥‥‥‥‥‥‥ 199
自動車道業‥‥‥‥‥‥‥‥‥‥‥‥‥‥ 197	昇降設備工事業‥‥‥‥‥‥‥‥‥‥‥ 193
自動車・同附属品製造業(311)‥‥‥‥ 188	上水道業(361)‥‥‥‥‥‥‥‥‥‥‥ 194
自動販売機・同部分品製造業‥‥‥‥‥‥ 187	上水道業‥‥‥‥‥‥‥‥‥‥‥‥‥‥ 195
紙幣識別ユニット製造業‥‥‥‥‥‥‥‥ 187	焼石こう製造業‥‥‥‥‥‥‥‥‥‥‥ 183
脂肪酸製造業‥‥‥‥‥‥‥‥‥‥‥‥‥ 179	乗馬クラブ‥‥‥‥‥‥‥‥‥‥‥‥‥ 201
事務用機械器具製造業(271)‥‥‥186、187	商品検査業‥‥‥‥‥‥‥‥‥‥‥‥‥ 199

商品・非破壊検査業(744)‥‥‥‥‥	198
しょう油製造業‥‥‥‥‥‥‥‥‥‥	175
食酢製造業‥‥‥‥‥‥‥‥‥‥‥‥	175
食堂‥‥‥‥‥‥‥‥‥‥‥‥‥‥‥‥	199
食堂、レストラン（専門料理店を除く。） (761)‥‥‥‥‥‥‥‥‥‥‥‥‥‥	198
食肉小売業(583)‥‥‥‥‥‥‥‥‥‥	196
食パン製造業‥‥‥‥‥‥‥‥‥‥‥‥	175
（その他の）職別工事業(079)‥‥‥‥	192
食料・飲料卸売業(522)‥‥‥‥‥‥‥	196
食料雑貨店‥‥‥‥‥‥‥‥‥‥‥‥‥	197
（その他の）食料品製造業(099)‥‥‥	174
書籍出版・印刷出版業‥‥‥‥‥‥‥‥	195
書籍・文房具小売業(606)‥‥‥‥‥‥	198
除草機製造業‥‥‥‥‥‥‥‥‥‥‥‥	185
ショッピングバッグ製造業‥‥‥‥‥‥	177
書店‥‥‥‥‥‥‥‥‥‥‥‥‥‥‥‥	199
飼料・有機質肥料製造業(106)‥‥‥‥	174
シロップ製造業‥‥‥‥‥‥‥‥‥‥‥	175
人工血管製造業‥‥‥‥‥‥‥‥‥‥‥	187
人工骨材製造業‥‥‥‥‥‥‥‥‥‥‥	183
真珠養殖業‥‥‥‥‥‥‥‥‥‥‥‥‥	191
伸鉄製造業‥‥‥‥‥‥‥‥‥‥‥‥‥	183
心電計製造業‥‥‥‥‥‥‥‥‥‥‥‥	189
神仏具製造業‥‥‥‥‥‥‥‥‥‥‥‥	177
新聞印刷業‥‥‥‥‥‥‥‥‥‥‥‥‥	177
新聞印刷発行業‥‥‥‥‥‥‥‥‥‥‥	177
新聞業(413)‥‥‥‥‥‥‥‥‥‥‥‥	194
新聞社‥‥‥‥‥‥‥‥‥‥‥‥‥‥‥	195
新聞発行業‥‥‥‥‥‥‥‥‥‥‥‥‥	195
新聞販売店‥‥‥‥‥‥‥‥‥‥‥‥‥	199
新聞用紙製造業‥‥‥‥‥‥‥‥‥‥‥	177

【ス】

水産革製造業‥‥‥‥‥‥‥‥‥‥‥‥	181
水産缶詰・瓶詰製造業‥‥‥‥‥‥‥‥	175
水産食料品製造業(092)‥‥‥‥‥‥‥	174
水族館‥‥‥‥‥‥‥‥‥‥‥‥‥‥‥	201
スイッチ製造業‥‥‥‥‥‥‥‥‥‥‥	187
スイッチング電源製造業‥‥‥‥‥‥‥	187
水稲作農業‥‥‥‥‥‥‥‥‥‥‥‥‥	191

水道用水供給事業‥‥‥‥‥‥‥‥‥‥	195
スイミングスクール‥‥‥‥‥‥‥‥‥	203
水面木材倉庫業‥‥‥‥‥‥‥‥‥‥‥	197
水力発電所‥‥‥‥‥‥‥‥‥‥‥‥‥	193
スーパー銭湯‥‥‥‥‥‥‥‥‥‥‥‥	201
スキャナー製造業‥‥‥‥‥‥‥‥‥‥	189
スケートリンク‥‥‥‥‥‥‥‥‥‥‥	201
すし店(764)‥‥‥‥‥‥‥‥‥‥‥‥	198
すし屋‥‥‥‥‥‥‥‥‥‥‥‥‥‥‥	199
スターターモータ製造業‥‥‥‥‥‥‥	187
すっぽん養殖業‥‥‥‥‥‥‥‥‥‥‥	191
ステレオ製造業‥‥‥‥‥‥‥‥‥‥‥	189
砂採取業‥‥‥‥‥‥‥‥‥‥‥‥‥‥	191
スナックバー‥‥‥‥‥‥‥‥‥‥‥‥	199
スパ業‥‥‥‥‥‥‥‥‥‥‥‥‥‥‥	201
スピーカ部品製造業‥‥‥‥‥‥‥‥‥	187
スポーツ施設提供業の一部(804)‥‥‥	200
スポーツ用革手袋製造業‥‥‥‥‥‥‥	181
スポーツ用具製造業‥‥‥‥‥‥‥‥‥	189
スポーツ用品・がん具・娯楽用品・楽器 小売業(607)‥‥‥‥‥‥‥‥‥‥‥	198

【セ】

（他に分類されない）生活関連サービス業 (799)‥‥‥‥‥‥‥‥‥‥‥‥‥‥	200
生活関連産業用機械製造業(264)‥‥‥	184
製鋼業‥‥‥‥‥‥‥‥‥‥‥‥‥‥‥	183
製鋼・製鋼圧延業(222)‥‥‥‥‥‥‥	182
製鋼を行わない鋼材製造業（表面処理鋼材を除く。）(223)‥‥‥‥‥‥‥‥	182
精穀・製粉業(096)‥‥‥‥‥‥‥‥‥	174
製材機械製造業‥‥‥‥‥‥‥‥‥‥‥	185
製材業‥‥‥‥‥‥‥‥‥‥‥‥‥‥‥	177
製材業、木製品製造業(121)‥‥‥‥‥	176
（その他の）生産用機械・同部分品製造業(269)‥‥‥‥‥‥‥‥‥‥‥‥‥	186
製糸業、紡績業、化学繊維・ねん糸等製造業の一部(111)‥‥‥‥‥‥‥‥‥	174
製紙原料古紙問屋‥‥‥‥‥‥‥‥‥‥	197
清酒製造業‥‥‥‥‥‥‥‥‥‥‥‥‥	175
（他に分類されない）製造業(329)‥‥	190

製鉄業の一部(221)	182
精肉卸売業	197
製版業(152)	176
製氷業(104)	174
製本業	177
製本業、印刷物加工業の一部(153)	176
精米機械・同装置製造業	185
精米業	175
西洋料理店	199
整流器製造業	187
清涼飲料卸売業	197
清涼飲料製造業(101)	174、175
石炭・亜炭鉱業(052)	190
石炭卸売業	197
石炭回収業	191
石炭鉱業	191
石油卸売業	197
石油・鉱物卸売業の一部(533)	196
石油コークス製造業	179
石油精製業(171)	178、179
(その他の)石油製品・石炭製品製造業(179)	178
石灰石鉱業	191
設計監理業	199
石工工事業	193
石こうプラスタ製造業	183
石工・れんが・タイル・ブロック工事業(074)	192
(その他の)設備工事業(089)	192
セメント卸売業	197
セメント・同製品製造業(212)	180
セメント袋製造業	177
ゼラチン製造業	179
セロファン製造業	177
繊維機械製造業(263)	184
繊維製かばん製造業	181
(その他の)繊維製品製造業(119)	174
鮮魚小売業(584)	198
染色整理業(114)	174
扇子・扇子骨製造業	191
船体ブロック製造業	189

洗濯業(781)	200
(その他の)洗濯・理容・美容・浴場業(789)	200
舟艇製造業	189
銑鉄卸売業	197
銭湯業	201
船舶製造・修理業、舶用機関製造業(313)	188
洗毛化炭業	175
専門料理店(762)	198

【ソ】

造園業	191
造園工事業	191
造花製造業	189
葬儀屋	201
倉庫業(冷蔵倉庫業を除く。)(471)	196
造作材・合板・建築用組立材料製造業(122)	176
装身具製造業(貴金属・宝石製のもの)	189
装身具製造業(貴金属・宝石製を除く。)	189
装身具・装飾品・ボタン・同関連品製造業(貴金属・宝石製を除く。)(322)	188
藻類養殖業	191
ソーダ灰製造業	179
測量業	199
素材生産業(022)	190
そば・うどん店(763)	198
そば屋	199

【タ】

耐火粘土鉱業	191
耐火物製造業(215)	180
耐火モルタル製造業	181
耐火れんが製造業	181
大工工事業(071)	192、193
大衆酒場	199
タイヤ・チューブ製造業(191)	180
ダイヤル製造業	187
太陽電池製造業	189
大理石採石業	191

タイル工事業	193
薪請負製造業	191
薪製造業	191
宅配ピザ屋	201
畳小売業	199
畳等生活雑貨製品製造業(328)	190
脱穀機製造業	185
脱脂綿製造業	175
建具小売業	199
建具製造業(133)	176
たばこ作農業	191
たばこ製造業(105)	174、175
鍛鋼製造業	183
たんす製造業	177
炭素・黒鉛製品製造業(216)	182
炭素繊維製造業	175
炭素電極製造業	183
炭素棒製造業	183
暖房・調理等装置、配管工事用附属品製造業(243)	184
段ボール原紙製造業	177
段ボール製造業	177

【チ】

地域暖冷房業	195
畜産食料品製造業(091)	174
畜産農業(012)	190
蓄電池製造業	187
築炉工事業	193
地質調査業	199
チップ部品実装基板製造業	187
茶・コーヒー製造業(清涼飲料を除く。)(103)	174
チューインガム製造業	175
中華料理店	199
鋳鋼製造業	183
鋳造装置製造業	185
鋳鉄管製造業	183
帳簿類製造業	177
調味料製造業(094)	174
陳列ケース製造業	177

【ツ】

通信機械器具・同関連機械器具製造業(301)	188
綱・網・レース・繊維粗製品製造業(115)	174
釣堀業	201

【テ】

DVDプレーヤ製造業	189
庭園	201
抵抗器製造業	187
テーマパーク	201
手押スタンプ製造業	189
デジタルカメラ製造業	189
デジタル形電子計算機製造業	189
鉄筋工事業	193
鉄くぎ製造業	185
鉄鉱卸売業	197
鉄鉱業	191
(その他の)鉄鋼業の一部(229)	182
鉄鋼シャーリング業	183
鉄骨製造業	185
鉄鋼製品卸売業(534)	196
鉄骨工事業	193
鉄骨・鉄筋工事業(073)	192
鉄スクラップ加工処理業	183
鉄スクラップ問屋	197
鉄線製造業	183
鉄素形材製造業(225)	182
鉄道業(421)	194
鉄道事業者	195
鉄道施設提供業(第三種鉄道事業者)	197
鉄道車両・同部分品製造業(312)	188
鉄塔製造業	185
鉄板屋根ふき業	193
鉄粉製造業	183
テレビジョン番組制作業	195
テレビジョン放送事業者	195
テレビジョン放送装置製造業	189
電気亜鉛精製業	183
(その他の)電気機械器具製造業(299)	188

電気業(331)	192	銅製錬・精製業	183
電気計測器製造業(297)	188	銅・同合金鋳物製造業	183
電気工事業(081)	192	陶土精製業	181
電気ストーブ製造業	187	頭髪料製造業	179
電気設備工事業	193	豆腐小売業	199
電気通信業務受託会社	195	動物園	201
電気通信工事業	193	動力耕うん機製造業	185
電気通信・信号装置工事業(082)	192	動力付運搬車製造業	189
電気通信に附帯するサービス業(373)	194	動力ポンプ製造業	185
電気時計製造業	189	糖類製造業(095)	174
電気配線工事業	193	(その他の) 道路貨物運送業(449)	196
電球口金製造業	189	道路標識設置工事業	193
電球・電気照明器具製造業(294)	186	道路標示・区画線工事業	193
電気炉鉱製造業	183	道路舗装工事業	193
電弧溶接機製造業	187	ドーナツ店	201
電子応用装置製造業(296)	188	特殊コンクリート基礎工事業	193
電子回路製造業の一部(284)	186	特定貨物自動車運送業(442)	196、197
電子計算機・同附属装置製造業(303)	188	特用林産物生産業(きのこ類の栽培を除	
電子デバイス製造業の一部(281)	186	く。)(023)	190
電子部品製造業(282)	186	時計製造業	189
(その他の) 電子部品・デバイス・電子		時計・同部分品製造業(323)	188
回路製造業(289)	186	時計屋	199
電車製造業	189	土工工事業	193
天井灯照明器具製造業	187	と殺業	203
電線・ケーブル製造業(234)	182	戸閉装置製造業	189
電池製造業(295)	186	戸・障子製造業	177
天然ガス鉱業	191	塗料卸売業	197
天然香料製造業	179	塗装工事業(077)	192、193
天然氷採取業	191	と畜請負業	203
てんぷら料理店	199	と畜場(952)	202
天文博物館	201	ドッグフード製造業	175
電流計製造業	189	とび工事業	193
		とび・土工・コンクリート工事業(072)	
【ト】			192
銅圧延業	183	土木建築サービス業(742)	198
銅地金卸売業	197	土木工事業(舗装工事業を除く。)(062)	
陶磁器製食器製造業	181		190
陶磁器製絶縁材料製造業	181	土木工事業	191
陶磁器製タイル製造業	181	ドラッグストア	199
陶磁器・同関連製品製造業(214)	180	トランジスタ製造業	187
動植物油脂製造業(098)	174		

【ナ】

- 内水面漁業(032) …… 190
- 内水面養殖業(042) …… 190
- 内服薬製造業 …… 179
- 生コンクリート製造業 …… 181
- 鉛再生業 …… 183
- なめし革製造業(201) …… 180
- （その他の）なめし革製品製造業(209) … 180
- 軟質ポリウレタンフォーム製造業 …… 181

【ニ】

- にかわ製造業 …… 179
- 肉製品小売業 …… 197
- 肉屋 …… 197
- 肉用牛肥育業 …… 191
- 荷造業 …… 197
- ニット生地製造業(113) …… 174
- ニット製下着製造業 …… 175
- ニュース供給業 …… 195
- 乳製品製造業 …… 175
- 人形製造業 …… 189

【ネ】

- ネオンガス製造業 …… 179
- ネオンサイン製造業 …… 191
- ネクタイ製造業 …… 175
- 熱供給業(351) …… 194
- 粘土かわら製造業 …… 181
- 燃料小売業の一部(605) …… 198

【ノ】

- 農業サービス業（園芸サービス業を除く。）(013) …… 190
- 農業用機械器具小売業 …… 199
- 農業用機械製造業（農業用器具を除く。）(261) …… 184
- 農耕用品小売業(604) …… 198
- 農畜産物・水産物卸売業(521) …… 196

【ハ】

- バー …… 199
- バー、キャバレー、ナイトクラブ(766) … 198
- パーソナルコンピュータ製造業 …… 189
- 配管工事用附属品製造業 …… 185
- 配合飼料製造業 …… 175
- 配達飲食サービス業(772) …… 200
- 配電盤製造業 …… 187
- 廃プラスチック製品製造業 …… 181
- 歯車製造業 …… 185
- はしけ運送業 …… 197
- バスターミナル業 …… 197
- 裸電線製造業 …… 183
- 葉たばこ処理業 …… 175
- はちみつ処理加工業 …… 175
- は虫類皮製造業 …… 181
- 発光ダイオード製造業 …… 187
- バッティングセンター …… 201
- 発電機製造業 …… 187
- 発電用・送電用・配電用電気機械器具製造業(291) …… 186
- 発泡・強化プラスチック製品製造業(184) …… 180
- 花火製造業 …… 191
- 花屋 …… 199
- はん用ガソリン機関製造業 …… 185
- ハム製造業 …… 175
- 針製造業 …… 189
- バルカナイズドファイバー製造業 …… 177
- （その他の）パルプ・紙・紙加工品製造業(149) …… 176
- パルプ材生産業 …… 191
- パルプ製造機械・同装置製造業 …… 185
- パルプ製造業(141) …… 176
- パン・菓子製造業(097) …… 174
- 板金・金物工事業(076) …… 192
- 板金工事業 …… 193
- パン小売業 …… 199
- パン粉製造業 …… 175
- 半成コークス製造業 …… 179
- 半導体集積回路製造業 …… 187
- 半導体フォトレジスト製造業 …… 179
- 半導体・フラットパネルディスプレイ製

造装置製造業(267) ……………… 186
ハンバーガー店 ………………………… 201
パンフレット出版・印刷出版業 ………… 195
(その他の) はん用機械・同部分品製造業
　(259) ………………………………… 184

【ヒ】

ピアノ製造業 …………………………… 189
ビール製造業 …………………………… 175
ビール瓶製造業 ………………………… 181
光ディスク製造業 ……………………… 187
光ファイバケーブル製造業 …………… 183
引抜鋼管製造業 ………………………… 183
飛行機製造業 …………………………… 189
ビス製造業 ……………………………… 185
ピストンリング製造業 ………………… 185
非鉄金属卸売業(535) ………………… 196
非鉄金属シャーリング業 ……………… 183
(その他の) 非鉄金属製造業の一部(239)
　…………………………………………… 182
非鉄金属素形材製造業(235) ………… 182
非鉄金属第1次製錬・精製業(231) …… 182
非鉄金属第2次製錬・精製業(非鉄金属
　合金製造業を含む。)(232) ………… 182
非鉄金属・同合金圧延業(抽伸、押出しを
　含む。)(233) ………………………… 182
非破壊検査業 …………………………… 199
ビューティサロン ……………………… 201
氷菓製造業 ……………………………… 175
美容業(783) …………………………… 200
美容室 …………………………………… 201
表面処理鋼材製造業の一部(224) …… 182

【フ】

ファミリーレストラン ………………… 199
フィットネスクラブ …………………… 201
フォークリフトトラック・同部分品・附
　属品製造業 …………………………… 189
武器製造業(276) ……………………… 186
複合肥料製造業 ………………………… 179
複写機製造業 …………………………… 187

袋物製造業(207) ……………………… 180
ふすま製造業 …………………………… 177
普通倉庫業 ……………………………… 197
普通れんが製造業 ……………………… 181
仏壇製造業 ……………………………… 177
物品預り業(794) ……………………… 200
ぶどう糖製造業 ………………………… 175
舶用機関製造業 ………………………… 189
部分肉・冷凍肉製造業 ………………… 175
ブラインド製造業 ……………………… 177
ブラシ類製造業 ………………………… 191
プラスチック板・棒・管・継手・異形押
　出製品製造業(181) ………………… 178
プラスチック卸売業 …………………… 197
プラスチック管加工業 ………………… 179
プラスチック結束テープ製造業 ……… 181
プラスチック硬質管製造業 …………… 179
プラスチック製靴製造業 ……………… 181
プラスチック成形材料製造業(廃プラス
　チックを含む。)(185) ……………… 180
(その他の) プラスチック製品製造業
　(189) ………………………………… 180
プラスチック製容器製造業 …………… 181
プラスチック製冷蔵庫内装用品製造業… 179
プラスチックタイル製造業 …………… 179
プラスチックフィルム・シート・床材・
　合成皮革製造業(182) ……………… 178
プラスチックフィルム製造業 ………… 179
プラスチック平板製造業 ……………… 179
プラントエンジニアリング業 ………… 199
プラントメンテナンス業 ……………… 199
ブリキ缶製造業 ………………………… 185
ブリキ缶・その他のめっき板等製品製造
　業(241) ……………………………… 184
ブリキ製造業 …………………………… 183
プロパンガス小売業 …………………… 199
粉末ジュース製造業 …………………… 175
粉末冶金製品製造業 …………………… 185

【ヘ】

米穀卸売業 ……………………………… 197

ペイント製造業	179	民宿	199
ベースメタル製造業	183	民生用電気機械器具製造業(293)	186
ペット美容室	201		
変圧器製造業	187	**【ム】**	
ペン・鉛筆・絵画用品・その他の事務用品製造業(326)	188	無機化学工業製品製造業の一部(162) 176、178	
偏光板用フィルム製造業	179	麦わら帽子製造業	191
変電所	193	無線呼出し業	195

【ホ】

		【メ】	
ボイラ・原動機製造業(251)	184	眼鏡小売業	199
防水工事業	193	眼鏡製造業	191
宝石小売業	199	メモリースティック製造業	187
宝石附属品加工業	189	綿織物業	175
包装紙製造業	177	綿・スフ紡績機械製造業	185
ボウリング場	201	綿紡績業	175
ホームセンター	199		
ボクシングジム	201	**【モ】**	
舗装工事業(063)	192	毛布製造業	175
舗装材料製造業(174) 178、179		木材卸売業	197
ポリエチレン製造業	179	木材チップ製造業	177
ボルト・ナット製造業	185	木材防腐処理業	177
ボルト・ナット・リベット・小ねじ・木ねじ等製造業(248)	184	木製サンダル製造業	177
ポンプ・圧縮機器製造業(252)	184	(その他の) 木製品製造業(竹、とうを含む。)(129)	176
		木製容器製造業(竹、とうを含む。)(123)	176

【マ】

マーガリン製造業	175	木造建築工事業(065)	192
マイクロ波管製造業	187	木造住宅建築工事業	193
マイクロメータ製造業	187	木炭製造業	191
松やに採取業	191	模型製造業	191
マフラー製造業	175	持ち帰り飲食サービス業(771)	200
マリーナ業	201	持ち帰りすし店	201
丸編ニット生地製造業	175	持ち帰り弁当屋	201
		モノレール鉄道業	195

【ミ】

		【ヤ】	
みかん作農業	191	八百屋	197
みこし製造業	177	焼鳥屋	199
味そ製造業	175	焼肉店	199
民間放送業(有線放送業を除く。)(382)	194	野菜・果実小売業(582)	196

野菜缶詰・果実缶詰・農産保存食料品製造業(093) ……………… 174
野菜缶詰・瓶詰製造業 ……………… 175
野菜作農業 ……………… 191
野菜漬物製造業 ……………… 175

【ユ】

油圧ポンプ製造業 ……………… 185
遊園地 ……………… 201
有機化学工業製品製造業(163) ……………… 178
遊戯場(806) ……………… 200
有線テレビジョン放送業 ……………… 195
有線テレビジョン放送設備設置工事業 … 193
有線放送業(383) ……………… 194
有線ラジオ放送業 ……………… 195
床板製造業 ……………… 177
床・内装工事業(078) ……………… 192
床張工事業 ……………… 193
油脂加工製品・石けん・合成洗剤・界面活性剤・塗料製造業(164) ……………… 178
(その他の) 輸送用機械器具製造業(319) ……………… 188
ユニット部品製造業(285) ……………… 186

【ヨ】

溶解サルファイトパルプ製造業 ……………… 177
洋菓子小売業 ……………… 199
洋楽器小売業 ……………… 199
窯業原料用鉱物鉱業(耐火物・陶磁器・ガラス・セメント原料用に限る。)(055) ……………… 190
(その他の) 窯業・土石製品製造業(219) ……………… 182
養蚕農業 ……………… 191
養蚕用・養きん用機器製造業 ……………… 185
洋食器・刃物・手道具・金物類製造業(242) ……………… 184
よう素製造業 ……………… 177
養蜂業 ……………… 191
溶融めっき業 ……………… 183
寄席 ……………… 201

【ラ】

酪農業 ……………… 191
ラジオ番組制作業 ……………… 195
ラジオ放送事業者 ……………… 195

【リ】

リゾートクラブ ……………… 199
リネンサプライ業 ……………… 201
リフト業 ……………… 195
利用運送業(第一種利用運送業) ……………… 197
理容業(782) ……………… 200
理容店 ……………… 201
料理学校 ……………… 203
旅館、ホテル(751) ……………… 198
旅行業(791) ……………… 200、201
(その他の) 林業(029) ……………… 190
林業サービス業(024) ……………… 190

【レ】

冷延鋼板製造業 ……………… 183
冷蔵倉庫業(472) ……………… 196、197
冷凍機製造業 ……………… 185
レコード会社 ……………… 195
レトルト食品製造業 ……………… 175
れんが工事業 ……………… 193
練炭製造業 ……………… 179

【ロ】

ろう石鉱業 ……………… 191
ろうそく製造業 ……………… 179
コークス製造業(173) ……………… 178
ロープ製造業 ……………… 175
ロボット製造業 ……………… 187

【ワ】

ワイヤチェーン製造業 ……………… 185
ワクチン製造業 ……………… 179
和装製品・その他の衣服・繊維製身の回り品製造業(118) ……………… 174

【著者略歴】

前原　真一（まえはら　しんいち）
東京国税局課税第二部法人課税課技術係長、同審理係長
同課税第一部国税訟務官室総括主査
同課税第二部法人課税課課長補佐（審理・技術担当）
国税庁税務大学校教授
東京国税不服審判所審判官
東京国税局町田税務署長を経て平成25年7月退官
現在税理士

本書の内容に関するご質問は、ファクシミリ等、文書で編集部宛にお願いいたします。　（fax　03-6777-3483）
なお、個別のご相談は受け付けておりません。

本書刊行後に追加・修正事項がある場合は、随時、当社のホームページ（https://www.zeiken.co.jp）にてお知らせいたします。

具体例でわかりやすい　耐用年数表の仕組みと見方

平成29年11月21日	第2版第1刷印刷	
平成29年12月1日	第2版第1刷発行	（著者承認検印省略）

　　　　　　　ⓒ　著　者　　前　原　真　一
　　　　　　　　発行所　　税務研究会出版局
　　　　　　　　　　　　　代表者　山　根　毅

郵便番号100-0005
東京都千代田区丸の内1-8-2　鉄鋼ビルディング
振替　00160-3-76223
電話〔書籍編集〕　　　　　　　03(6777)3463
　　〔書店専用〕　　　　　　　03(6777)3466
　　〔書籍注文〕
　　（お客さまサービスセンター）03(6777)3450

●　各事業所　電話番号一覧　●

北海道	011(221)8348	中部	052(261)0381	九州	092(721)0644
東北	022(222)3858	関西	06(6943)2251	神奈川	045(263)2822
関信	048(647)5544	中国	082(243)3720		

乱丁・落丁の場合は、お取替えします。　　　印刷・製本　奥村印刷株式会社

ISBN 978-4-7931-2263-7

法人税（減価償却）関係 ——　《2017年8月1日現在》

〔改訂新版〕
耐用年数通達逐条解説

坂元 左・廣川 昭廣 共著／A5判／386頁　　定価 3,240円

耐用年数通達の基本通達ともいうべき「耐用年数の適用等に関する取扱通達」全文について、その趣旨、狙い、関連事項等を逐条的に解説したものです。本版は、平成28年6月28日付改正通達までを織り込み、経済取引等の変化に伴う事項の修正を行った、7年ぶりの改訂版となっています。

2016年12月刊

〔改訂第9版〕
実例耐用年数総覧

安間 昭雄・坂元 左・廣川 昭廣 共著／A5判／664頁　　定価 5,184円

本書は、多種多様な資産を取り上げ、その資産の法令上の区分や、耐用年数は何年を適用すべきかといった耐用年数表の使い方について323の質疑応答で解説した好評書です。耐用年数の基本事項に加えて、減価償却関係届出書や承認申請書、認定申請書の様式や記載方法も収録しています。

2017年4月刊

〔第5版〕
「固定資産の税務・会計」完全解説

太田 達也 著／A5判／544頁　　定価 3,240円

固定資産の取得（またはリース）から、その後の減価償却、資本的支出と修繕費の処理、除却・譲渡に至るまでの段階ごとに、税務・会計の取扱いをまとめており、基本的事項から実務レベルの必要事項や留意事項までを詳細に解説しています。

2016年6月刊

〔改訂第七版〕
減価償却資産の取得費・修繕費

河手 博・成松 洋一 共著／A5判／676頁　　定価 4,752円

本書は、減価償却資産の取得から維持補修までについて、該当する基本通達とその解説（基本通達ケース・スタディ）、豊富な質疑応答により、必要な法令だけでなく裁判・判決例までも網羅し、具体的に説明しています。資産管理担当者や経理担当者等に最適な一冊です。

2016年6月刊

税務研究会出版局　https://www.zeiken.co.jp

定価は8％の消費税込みの表示となっております。